Irgendwann war es so dunkel, daß Wolli schwieg. Frank Lehmann bemerkte das erst gar nicht, weil er schon lange nicht mehr hinhörte, schon kurz hinter der Grenze bei Helmstedt hatte er die Ohren auf Durchzug gestellt und sich aufs Fahren konzentriert, vor allem darauf, die vorgeschriebene Höchstgeschwindigkeit von 100 km/h nicht zu überschreiten, denn das war ja schon Wollis Hauptthema zwischen Bremen und Hannover gewesen, daß die einen fertigmachen würden, wenn sie einen dabei erwischten, wie man ihre Geschwindigkeitsbegrenzung von 100 km/h ignorierte, das hatte, allein schon durch die Sturheit, mit der Wolli dieses Thema zwischen Achim und Allertal in einem unaufhörlichen Redefluß wieder und wieder zu Tode geritten hatte, irgendwann dann doch Eindruck auf Frank gemacht, nicht so sehr, daß er Wollis Erzählungen, die immer Erzählungen von Leuten wiedergaben, die Leute kannten, denen das Erzählte einst widerfahren war, und die zusammengefaßt darauf hinausliefen, daß ein allzu sorgloser rechter Fuß sie direkt in den Gulag bringen würde, für wirklich bare Münze genommen hätte, aber er war immerhin so weit davon eingeschüchtert, daß er um seine Ersparnisse zu fürchten begann, jene paar hundert Mark, die er von seinem Postsparbuch abgehoben hatte, um nach Berlin zu seinem Bruder zu fahren und ein neues Leben anzufangen, denn das war sein Plan.

Kein besonders ausgefeilter Plan, dachte er gerade, als Wolli aufhörte zu reden und sie gemeinsam schweigend in das sehr dunkle Dunkel der Transitstrecke durch die DDR starrten, hat ein paar Schönheitsfehler, der Plan, dachte er, aber dann fiel ihm auf, daß Wolli nicht mehr redete, und die Stille hatte, zusammen mit der sie umgebenden Finsternis, eine beruhigende, einlullende Wirkung, der er sich gerne hingab. Scheiß drauf, ob der Plan Schönheitsfehler hat, dachte er, Hauptsache, es ist mal Ruhe im Schiff, und dann sah er nur noch der Straße dabei zu, wie sie sich in das funzlige Licht seiner Scheinwerfer schob wie ein alter, harter Teppich. Leider hatte er keinen Vordermann mehr, dem er folgen konnte, der letzte war vor einer Viertelstunde abgebogen in das Land um sie herum, von dem man nichts sah oder hörte, und Wolli hatte sich danach noch eine Weile darüber ausgelassen, daß das ein Trabant gewesen sei und was das zu bedeuten habe und so weiter und so fort, aber wenigstens war dieser Trabant, wenn es denn einer gewesen war, nicht so schnell gewesen, daß Frank ihn hatte ziehen lassen müssen wie all die anderen Autos, die sie in der Zwischenzeit überholt hatten, der Trabant hatte genau die richtige, risikoarme, von Wolli dringend empfohlene Geschwindigkeit gehabt, und er hatte sie sicher durch die Finsternis geführt. Nun war er fort, aber dafür hielt Wolli mal die Klappe, und das war doch auch schon was, fand Frank.

Das ging etwa fünf Minuten so, draußen war alles dunkel und drinnen war es still, wenn man vom gleichmäßigen Röhren von Franks altem Kadett einmal absah. Das waren fünf spannende Minuten, denn Frank konnte direkt spüren, wie sich in Wolli der Druck aufbaute, etwas zu sagen, und wie er zugleich davor zurückschreckte, das Schweigen zu durchbrechen, wie dieses Schweigen also unter Wollis innerem Druck immer mehr anschwoll wie ein Ballon, den ein maßloses Kind manisch aufpustete und der jeden Moment platzen mußte, so daß man die Augen zusammenkniff, das Gesicht verzog und in den Schultern verkrampfte in Erwartung des Knalls, so kam ihm, Frank, das jedenfalls vor während dieser fünf Minuten schweigender Fahrt durch die von keinerlei Licht in der Landschaft gemilderte Dunkelheit, die sie mit knapp hundert Sachen durchröhrten, das sind ganz schön neurotische Gedanken, dachte er, Kinder, Luftballons, schlimm, dachte er, aber was Wunder, wenn man seit Stunden durch Wollis Gelaber zermürbt wird, dachte er, so sehr zermürbt, daß man es sich zurückwünscht, wenn es aufhört, das kennt man sonst nur von Geiseln, die sich irgendwann mit ihren Geiselnehmern identifizieren, dachte er, Patty Hearst, Patty Hearst war so ein Fall gewesen, dachte Frank, er hatte viel darüber gelesen damals, vor Jahren, als das ein großes Ding gewesen war, ihn hatte das sehr fasziniert, dieser ganze Kidnapping-, Geisel- und Gehirnwäschekram, das hatte ihm gefallen, er war noch in der Schule gewesen damals, als Schüler steht man auf sowas, dachte er, er hatte sich sogar ein bißchen in Patty Hearst verliebt damals, weil sie auf dem Bild von dem

Banküberfall so sexy ausgesehen hatte, und deshalb sagte er nun, um Wolli nicht weiterhin diesen Qualen ausgesetzt zu wissen, von denen er, als Wollis Geisel, ihn im Patty Hearstschen Sinne natürlich erlöst wissen wollte, einfach das Nächstbeste, was ihm einfiel:

»Patty Hearst!«

»Genau«, sagte Wolli. »Symbionese Liberation Army. Keine Ahnung, was die eigentlich wirklich wollten, da hat ja nun echt keiner durchgeblickt.«

»Ja, ich auch nicht«, sagte Frank. Man darf Wolli nicht unterschätzen, dachte er.

»Lehnin!« rief Wolli und zeigte in die Dunkelheit, in der ein schmutziges, nichtreflektierendes Hinweisschild auftauchte, »Lehnin! Mit h! Die spinnen doch!«

Plötzlich waren sie nicht mehr allein auf der Straße. Von hinten kamen Autos, die sie nicht überholten, sondern sich damit begnügten, bis zu ihnen aufzuschließen und Frank im Rückspiegel zu blenden. Und auch vor ihnen tauchte bald eine größere Ansammlung von Autos auf, die wie auf eine Schnur gefädelt auf der rechten Spur dahinkrochen.

»Warum sind die jetzt plötzlich alle so langsam?« fragte Frank.

»Da kommt jetzt gleich die Abfahrt«, sagte Wolli und rutschte nervös auf seinem Sitz hin und her, »da kommt gleich die Abfahrt, bloß nicht überholen, da mußt du aufpassen, so ein Schild mit ›Transit Westberlin‹, das darfst du auf keinen Fall verpassen.«

Wie um ihn zu bestätigen, fing die Schlange vor ihnen geschlossen an zu blinken, und dann tauchte auch schon das von Wolli angekündigte Schild auf, und sie bogen alle zusammen ab auf eine andere Autobahn.

»Jetzt sind wir gleich da, jetzt sind wir gleich da«, sagte Wolli.

»Aber es ist doch überhaupt nichts zu sehen«, sagte Frank.

»Das ist immer so«, sagte Wolli, »das hat nichts zu sagen. Aber das merkst du ja schon dadurch, wie voll das hier ist, daß wir gleich da sind!« Er starrte unruhig hinaus auf die Straße, mal aus dem Seitenfenster, mal durch die Frontscheibe. »Da kommt auch gleich nochmal ein Schild mit ›Transit Westberlin‹. Das dürfen wir auch auf keinen Fall verpassen!«

»Okay«, sagte Frank. Man kann kein neues Leben anfangen und einen wie Wolli dabeihaben, dachte er, während Wolli neben ihm immer mal wieder »Achtung, gleich!« rief, nichts gegen Wolli, dachte Frank, er ist ein netter Kerl, aber man kann froh sein, wenn man ihn jetzt mal ein paar Wochen lang nicht sieht.

»Jetzt, jetzt!« schrie Wolli wie von Sinnen. »Jetzt raus hier, raus hier, Transit!«

Frank nahm die Ausfahrt nach Westberlin. Oder was Wolli dafür hielt. Denn sie gelangten zwar auf eine andere Autobahn, aber von der Stadt war immer noch nichts zu sehen.

»Ich mein, Wolli, ich war ja noch nie in Berlin, aber das ist doch so eine große Stadt, warum sieht man denn davon nichts?«

»Das ist immer so«, sagte Wolli, »da kommt gleich erstmal der Grenzübergang.«

»Den sehe ich auch nicht«, sagte Frank.

»Der kommt aber«, beharrte Wolli. »Der muß ja kommen. Die können den ja nicht plötzlich abgebaut haben.«

Der ist ziemlich mit den Nerven fertig, dachte Frank, und er selbst, soviel war mal klar, war das mittlerweile auch. Neues Leben hin, neues Leben her, dachte er, es sollte nicht mit der Fahrt durch einen langen, dunklen Tunnel beginnen.

Oder vielleicht doch, dachte er, als in der Ferne die hell strahlende Grenzkontrollstelle auftauchte wie ein frisch gelandetes Raumschiff. Oder vielleicht gerade doch.

## 2. TUBASPIELEN

»Mann, bin ich froh, daß wir endlich da sind«, sagte Wolli, als sie heil und unverhaftet aus dem Grenzkontrollpunkt Dreilinden in den Westen rollten.

»Wieso da?« sagte Frank. Die Autobahn war zwar neuerdings beleuchtet, aber sie fuhren durch dunkle Wälder. »Das sieht hier nicht gerade nach da sein aus, ich meine, das kann ja wohl nicht Berlin sein!«

»Das geht jetzt ganz schnell«, sagte Wolli, »das ist gleich vorbei mit dem Wald.«

»Bist du sicher?«

»Ja, logo«, sagte Wolli. »Ich kenn das hier ganz genau. Ich war schon oft hier.«

»Wie oft?«

»Oft, keine Ahnung, sogar früher mal mit dem KBW.«

»Warum das denn?«

»Wegen den Soldaten- und Reservistentagen. Da sind wir Kolonne gefahren. Das hat vielleicht gedauert ...«

»Soldaten- und Reservistentage? Beim KBW?«

»Nee, eigentlich waren es die Musiktage der Soldaten- und Reservistenkomitees, die gehörten zum KBW, das war so mit Spielmannszug, ich war da im Spielmannszug.«

»Im Spielmannszug? Was hast du da denn gespielt?«

»Tuba!«

»Ach so …«

Sie schwiegen wieder eine Weile. Die Autobahnausfahrten waren nach Straßen benannt, Spanische Allee, Hüttenweg, das ließ immerhin vermuten, daß sie tatsächlich in der Stadt waren. Seltsame Stadt, dachte Frank, Hütten, Wege, Wälder, er hatte sich das irgendwie anders vorgestellt, irgendwie urbaner und so weiter. Aber da kam auch schon ein großer, beleuchteter Turm in Sicht, und Wolli sagte:

»Da! Der Funkturm!«

»Wir haben überhaupt keinen Stadtplan«, sagte Frank. »Und da kommt gleich ein Autobahndreieck, wo müssen wir denn da fahren?«

»Weiß ich jetzt auch nicht mehr, was steht denn da, da steht ja noch gar nichts, oder was?«

»Doch, da steht was.«

»Aber nichts von Kreuzberg oder so, das ist immer so, das steht da nicht.«

»Nein …« Frank starrte geduckt, mit eingezogenem Nacken auf die Schilder über der Autobahn. »Entweder Wedding und ICC oder Kurfürstendamm und Wilmersdorf.«

»Scheiße, wie war das nochmal?!« sagte Wolli.

»Was weiß ich«, rief Frank, »das teilt sich gleich, da muß man sich jetzt mal entscheiden.«

»Wedding auf keinen Fall, glaube ich nicht«, sagte Wolli, »nicht Wedding.«

»Also Kurfürstendamm oder was? Wilmersdorf? Das ist ja die einzige andere Möglichkeit. Ist ja ein Autobahndreieck, keine Autobahnkreuzung, dann gäbe es noch zwei andere Möglichkeiten. So gesehen …« – Frank verstummte, weil ihm peinlich war, was er da redete, sowas kann man denken, ermahnte er sich, aber nicht sagen, man darf sich vor Wolli nicht so gehenlassen, dachte er, einer wie Wolli nutzt sowas nur aus.

Vor ihnen erschien ein großes und, wie Frank fand, unglaublich häßliches Gebäude, das hell angestrahlt wurde, und es war eindeutig, daß es hier mit der Stadt langsam mal losging. Und ebenso eindeutig wurde von ihnen eine Entscheidung erwartet.

»Da vorne teilt sich das, Wolli, echt mal, was jetzt, Kurfürstendamm oder was?«

»Scheiße Kudamm, ist doch Scheiße, Kudamm.«

»Also Wedding?«

»Nee, Kudamm oder so, geht das dann rechts- oder linksrum?«

»Wie jetzt, rechts- oder linksrum? Kudamm geht links raus, ich meine, die ganz linke Spur, das siehst du doch.«

»Das hat nichts zu sagen, dann kann das immer noch hintenrum rechtsrum gehen.«

»Worum überhaupt rechtsrum?«

»Um die Stadt rechts herum.«

»Stadt? Ha! Da seh ich aber noch nicht viel von, Stadt! Was denn für eine Stadt?! Guck dir die Scheiße doch mal an, und was denn nun, ich fahr jetzt Kudamm oder was?«

»Ja, fahr Kudamm, Scheiße!« Wolli raufte sich die Punkerhaare. »Kudamm ist doch Scheiße!«

»Kann ja sein«, sagte Frank. Er war jetzt auf der ganz linken Spur, und rechts von ihnen war der Strich durchgezogen, damit war die Sache entschieden, wenigstens das, dachte er. »Aber vielleicht sollte man doch lieber mal einen Stadtplan besorgen, hier geht's raus, da ist ein Rasthof!«

Aber in dem Moment waren sie auch schon wieder an dem Rasthof vorbei. Was Wolli nicht daran hinderte, noch schnell »Scheiß Rasthof« zu sagen. Frank sagte dazu nichts. Wir dürfen uns jetzt nicht verzanken, dachte er, wir müssen wenigstens noch bis Kreuzberg durchhalten.

»Ist eh Quatsch mit Stadtplan«, machte er ein wenig gut Wetter. »Hauptsache, du kennst dich aus, Wolli. Und was nun?«

Sie waren auf einer anderen Autobahn gelandet und plötzlich waren sie auch mitten in der Stadt, hier fängt sie also an, dachte Frank, sie war vor allem links von ihnen, türmte sich als steinerne Masse neben der Autobahn auf, hier gibt es keine sanften Übergänge, dachte Frank, wenn die Stadt anfängt, dann fängt sie gleich richtig an, da wird nicht lange rumgedödelt, dachte er, und er fand das ganz in Ordnung so, es bringt ja nichts, wenn in solchen Sachen rumgedödelt wird, dachte er, so ist es genau richtig, positiv denken, dachte er, das ist das einzige, was jetzt noch hilft.

»Scheiße«, sagte Wolli.

»Jetzt nicht immer nur Scheiße sagen«, sagte Frank. »Auch mal was Positives sagen! Immerhin sind wir praktisch schon da, ist doch scheißegal jetzt mal.«

»Wilmersdorf«, sagte Wolli sinnend, »Wilmersdorf ... – Scheiße, fahr mal hier Kudamm raus, ist jetzt auch scheißegal, fahren wir eben über den Kudamm, immer noch besser als Wilmersdorf, da kenn ich mich überhaupt nicht aus!«

»Kudamm ist doch gut«, sagte Frank und fuhr von der Autobahn ab. »Was hast du denn überhaupt immer gegen den Kudamm? Den kennt man doch wenigstens, so vom Namen her.«

»Du vielleicht«, sagte Wolli in einem leicht gehässigen Tonfall. »Du warst ja auch noch nie hier! Kann ich mir vorstellen, daß du vom Namen her in Berlin bloß den Kudamm kennst.«

»Hm …«, ließ Frank sich nicht provozieren. »Soll ich lieber woanders fahren?«

»Nee, wir fahren jetzt einfach den Kudamm runter und dann immer geradeaus, das weiß ich noch, du mußt den immer nur geradeaus fahren, dann kommt man direkt nach Kreuzberg. Das dauert aber.«

»Ja, dann sieht man gleich mal was von der Stadt«, sagte Frank, immer schön um das Positive bemüht. Und irgendwie gefiel ihm der Kudamm auch, denn das war ja wohl der Kudamm, den sie hier hinunterfuhren, alles war hell erleuchtet, das gefiel ihm schon mal gut, es muß nicht immer duster sein, dachte er, es reicht, wenn die Transitstrecke duster ist, dachte er, und je weiter sie kamen, desto seltsamer und glitzernder wurde die ganze Sache, die Laternen warfen sowieso ein komisches Licht, weich und wolkig war das, und es war ordentlich was los auf der Straße, das war mal klar.

»Das ist doch alles totale Touristenscheiße, der Kudamm«, sagte Wolli. »Das ist doch bloß was für Touristen!«

»Naja«, wandte Frank ein, »wir gehören aber auch noch nicht so lange zu den Einheimischen!« Er lachte. Der war gut, fand er. Die Kulisse um sie herum – denn als Kulisse empfand er die ganze Sause hier, es sah alles so unwirklich aus, das muß am Licht liegen, dachte er – diese Kulisse jedenfalls versetzte ihn in gute Laune, da gab es blinkende Leuchtreklamen, tanzende Buchstaben und sich drehende Schilder und dergleichen mehr, das ist ja alles totaler Emil-und-die-Detektive-Quatsch, dachte er erheitert, das gefiel ihm, es war wie in einem Film, und er hätte gerne etwas Musik dazu gehört, das hätte die Sache perfekt gemacht, aber leider hatte Wolli den Autokassettenrekorder schon kurz hinter dem Autobahndreieck Walsrode mit einer bandsalatproduzierenden Punkkassette für wahrscheinlich immer verstopft.

»Ich finde das stark hier«, sagte Frank, »echt mal, Wolli, das ist doch mal was anderes, guck dir mal den Mercedes-Stern da oben an, der dreht sich, ich glaub's nicht, der dreht sich! Daß es sowas noch gibt …!«

»Das ist das scheiß Europacenter, ich glaub, ich muß kotzen, aber wenigstens sind wir gleich durch«, sagte Wolli, »scheiß Kudamm. Und da, guck dir das an, das KaDeWe auch noch, scheiß KaDeWe, so eine Scheiße. Gleich sind wir durch, ich glaube, das ist hier schon gar nicht mehr der Kudamm!«

»Was denn dann?«

»Was weiß ich denn, wie die Scheiße hier heißt, ich kenn mich hier nicht aus. Wittenbergplatz«, las Wolli irgendwo ab. »Wittenbergplatz. Scheiß KaDeWe und so, das kennt man doch.«

»Ich kenn das nicht, ich war ja noch nie in Berlin«, sagte Frank. Und dann waren sie in einer anderen Gegend, die Straße war zwar noch immer groß und breit, aber dunkler jetzt, der ganze Glitzertand des Kudamms war mit einem Mal verschwunden, der Kudamm ist genau so ein Tunnel wie die Transitstrecke, dachte Frank, bloß umgekehrt.

»Wie geht's denn jetzt weiter?« fragte er.

»Einfach immer der Straße folgen, auch wenn's um die Kurve geht.«

»Und du hast da mal Tuba gespielt? Im Spielmannszug?«

»Hm …«, sagte Wolli nur und blickte dabei nach rechts aus dem Fenster.

»Und wann war das?«

»Früher, als ich im KJB war natürlich.«

»Nein, ich meine, wie du da mit denen in Berlin warst?«

»Anfang 79 oder so, in Kreuzberg, im Winter. Auf dem Mariannenplatz. Das war vielleicht arschkalt! Da hab ich dann in einer Kneipe um die Ecke die Leute kennengelernt, wo ich jetzt hingehe. Da fing das mit dem Punk an, da hab ich zum ersten Mal kapiert, was das für eine blöde Scheiße war mit den K-Gruppen, und eine Woche später bin ich raus aus dem KJB. Da hätte ich gleich nach Berlin gehen sollen. Oder sowieso gleich dableiben!«

»Und warum hast du das nicht gemacht?«

»Die Lehre, die wollte ich noch zu Ende machen, ich hatte gedacht, das sollte nicht alles umsonst gewesen sein.« Wolli zeigte nach vorne. »Jetzt immer der Straße folgen, hier um die Ecke, und da unten dann links. Jetzt bin ich Energieanlagenelektroniker, Scheiße!«

Frank ging darauf nicht ein. Das andere Thema fand er interessanter: »Und wieso Tuba?«

»Einer mußte es ja machen. Und einer, der das Ding auch tragen konnte. Und Martin Klapp hatte schon die große Pauke, da blieb für mich nur noch die Tuba.«

»Und wo hattest du das gelernt, Tubaspielen?«

»Nirgendwo, das war ganz einfach, wenn man mal den Bogen raus hatte, Hauptsache, es pupste immer was aus dem Ding raus, hört doch eh keiner, was das dann für ein Ton ist. Jedenfalls nicht im Spielmannszug des Soldaten- und Reservistenkomitees, das kann ich dir schwören. Wir kommen gleich im anderen Teil von Kreuzberg raus, das ist dann 61, wir müssen nach 36, wir hätten aufs Ufer fahren sollen.«

»Vielleicht sollten wir uns doch mal schnell irgendwo einen Stadtplan kaufen.«

»Wo willst du denn hier einen Stadtplan kaufen?«

»Tankstelle, die werden hier doch wohl irgendwo eine Tankstelle haben.«

Sie fuhren unter einer Reihe von Eisenbahnbrücken durch.

»Da ist eine«, sagte Frank und fuhr an einer Tankstelle vorbei.

»Brauchen wir nicht«, sagte Wolli. »Wir müssen nur mal irgendwo links abbiegen und dann rechts aufs Ufer.«

»Wissen deine Punk-Leute eigentlich, daß du Tuba spielen kannst?«

»Jetzt hör mal mit dem Tubascheiß auf, das ist ja schon

18

ewig her, außerdem kann ich gar nicht Tuba spielen. Und bieg da jetzt mal links ab, dann kommen wir ans Ufer!«

»Wissen deine Leute denn, daß du kommst?«

»Nee, die wohnen in einem besetzten Haus, da haben die doch kein Telefon!« sagte Wolli.

»Ich hab meinen Bruder auch nicht erreicht«, sagte Frank.

»Jetzt rechts!« rief Wolli.

Sie fuhren an einem Kanal und einer Hochbahn entlang. An einem Hochhaus waren einige Glühbirnen über die ganze Breite und die halbe Höhe so angebracht, daß sie abwechselnd in Riesengröße die Wörter ›Post‹ und ›Giro‹ schrieben.

»Endlich«, sagte Wolli. Er drehte sich eine Zigarette. »Das wurde auch Zeit!« Sie standen an einer Ampel, und Wolli zeigte auf ein großes, zurückgesetztes Gebäude. »Das ist die Amerika-Gedenkbibliothek«, sagte er.

»Du kennst dich hier echt aus, Wolli!« staunte Frank. Er hatte Wolli noch nie so gesehen, so selbstbewußt und so sehr Herr der Lage wie jetzt. Wolli zündete die Zigarette an. Dann nickte er. »Stimmt. Soll ich dir auch eine drehen?«

»Ja«, sagte Frank, der seit seinem vorgetäuschten Selbstmordversuch in der Kaserne nicht mehr geraucht hatte. Sie standen noch immer vor der Ampel. Sie sprang einfach nicht um. Um sie herum begannen die Autofahrer zu hupen, und dann fuhren vor ihnen die ersten bei Rot über die Ampel. Langsam ging es weiter.

»Und wenn du dich jetzt hier so gut auskennst, Wolli«, sagte Frank, »mal ehrlich …«

»Ja?«

Frank scheute sich, die Frage zu stellen, für ihn war Wolli eigentlich bisher nicht der Typ gewesen, den man so etwas fragte, deshalb fuhr er erst einmal in Ruhe über die rote Ampel und die dahinterliegende, verstopfte Kreuzung und nahm unterwegs auch noch die Zigarette von Wolli entgegen und steckte sie sich unangezündet zwischen die Lippen, bevor er die Frage stellte. »Hast du irgendeinen Tip, was man hier beachten sollte? Ich meine: in Berlin und so. Gibt es irgendwas, worauf man achten sollte, wenn man hier wohnt?«

»Wie meinst du das denn jetzt?«

»Naja, so wie ich's sage: Muß man irgendwas beachten, sollte man irgendwas wissen, wenn man hier wohnt? Ich meine, irgendwas, was man auf keinen Fall falsch machen sollte oder so?!«

Wolli dachte eine Weile nach.

»Nee«, sagte er schließlich überzeugt. »Das ist ja das Gute hier: Hier kann man nichts falsch machen. Hier ist alles scheißegal!«

»Muß man nichts wissen oder beachten oder so?«

»Nee«, sagte Wolli. »In Berlin wohnen ist wie Tuba-spielen: Hauptsache, du pupst ordentlich rum!« Er lachte.

»Dann ist ja gut«, sagte Frank und kam sich blöd vor. Jetzt ist es schon soweit, daß man sich vor Wolli blöd vorkommt, das ist bizarr, dachte er. Hinter ihnen ertönte eine Sirene, aber die Autos krochen einfach in zwei langen Schlangen weiter.

»Aber laß die Finger von der Großen Pauke«, fügte Wolli hinzu. Dann lachte er schon wieder.

»Okay«, sagte Frank. »Das ist doch schon mal was!« Jetzt wird er auch noch geistreich, dachte er. Langsam wurde der Mann ihm unheimlich, irgendwas ging mit ihm vor, seit sie in der Stadt waren.

Wolli gab ihm Feuer, und Frank nahm einen Zug von seiner ersten Zigarette seit vielen Tagen.

Ihm wurde sofort schlecht davon, aber er ließ sich natürlich nichts anmerken.

## 3. ZIVILBULLEN UNTER SICH

»Das sieht ganz schön duster aus«, sagte Frank.

»Ja«, sagte Wolli, »normal, glaube ich.«

»Das sieht aber sehr duster aus«, sagte Frank.

»Ja klar«, sagte Wolli. »Ist doch klar, ich meine, das ist doch vorne alles verrammelt. Ich weiß auch gar nicht, wer da vorne drin wohnt, wußte ich mal, Künstler oder so, meine Leute sind im Hinterhaus.«

»Aber da ist kein einziges Fenster erleuchtet«, sagte Frank.

»Vielleicht ist da ja gar kein Fensterglas drin«, sagte Wolli. »Vielleicht mit Brettern zugemacht oder sowas. Ist ja bald Winter.«

»Ach so«, sagte Frank. »Ich kann da überhaupt nichts erkennen!« Es war überhaupt alles sehr dunkel hier, nicht nur das besetzte Haus, vor dem sein Auto, vorsichtshalber mit Warnblinklicht, in der zweiten Reihe parkte, sondern überhaupt die ganze Straße, von der man fast nur die Straßenlaternen erkennen konnte. So geht's natürlich auch, dachte Frank, daß man Straßenlaternen aufstellt, die nur dafür gut sind, sich selbst zu beleuchten. Er stellte die Warnblinkanlage wieder aus, die kam ihm hier irgendwie hysterisch vor.

»Ja«, sagte Wolli. »Man kommt auch nur durch den

großen Eingang hintenrum, also über den Hof ...« Er verstummte. Es schien nicht so wichtig zu sein. Oder gerade im Gegenteil, dachte Frank, wer weiß das schon. Und er fragte sich, wie lange Wolli wohl noch so in seinem Auto sitzen und kryptische Ansagen machen wollte.

»Und bist du sicher, daß deine Kumpels da noch wohnen? Ich meine, wie lange warst du nicht mehr hier? Die räumen diese besetzten Häuser doch auch mal und so.«

»Nix«, sagte Wolli, »habe ich immer genau alles gelesen, wo die geräumt haben und so, und die Naunynstraße war nicht dabei.«

»Naja, da geht's ja dauernd hin und her, da übersieht man sowas schon mal.«

»Nee«, sagte Wolli und starrte in die Dunkelheit. »Da ist alles in Ordnung. Da ist auch noch das Transparent dran.«

»Was steht da eigentlich drauf, das kann man jetzt ja gar nicht lesen, so dunkel wie das ist!«

»Das haben die Typen aus dem Vorderhaus aufgehängt, das ist so eine Künstlergruppe, das sind Arschlöcher.«

»Und was steht auf dem Transparent?«

»Irgendeine Kunstkacke!«

»Ach so!«

»Irgendwas mit Oktopus.«

»Gut«, sagte Frank ermunternd. »Wir sind jedenfalls da.«

»Ja.«

»Soll ich mit reinkommen?« sagte Frank, um es Wolli leichter zu machen.

»Nee, laß mal«, sagte Wolli. »Ich meine, so wie du aussiehst …«

»Wie ich aussehe? Wie sehe ich denn aus?«

»Nur so, ich meine, du kannst ja nichts dafür, aber mit dem Haarschnitt …!« Wolli drehte sich wieder eine Zigarette. »Die denken ja am Ende noch, du bist ein Zivilbulle.«

»Danke, Wolli«, sagte Frank. Da fährt man ihn einmal um die halbe Welt und über zwei Grenzen, hört sich sein Gelaber an, und dann wird man auch noch beleidigt, dachte er. »Vielen Dank. Aber weißt du was, Wolli?«

»Was denn?« fragte Wolli ungerührt.

»Wenn ich ein Zivilbulle wäre, dann würde ich nicht so aussehen wie ich. Ich meine, das wäre doch ziemlich bescheuert, wenn ein Zivilbulle Haare hätte wie einer, der gerade aus der Bundeswehr kommt, das wäre ja nun nicht gerade der Sinn des Zivilbulleseins, oder?«

»Keine Ahnung«, sagte Wolli.

»Wenn ich Zivilbulle wäre, würde ich mich wie ein Punk anziehen. So wie du, Wolli!«

»Wieso sagst du das?«

»Weil's stimmt. Genauso würde ich's machen.«

»Hm …« Wolli war nicht beleidigt, er dachte nach. »Das war schon im KBW immer komisch, die Frage, wer da wohl die Spitzel waren …«

»Willst du da jetzt eigentlich reingehen, Wolli, oder lieber nicht? Ich meine, das ist ja alles ganz interessant, aber ich muß jetzt auch bald mal zu meinem Bruder, der weiß ja gar nicht, daß ich komme, das macht mich dann schon ein bißchen nervös.«

»Hat der auch kein Telefon?«

»Doch, aber da kam immer so ›vorübergehend nicht erreichbar‹.«

»Das ist schlecht, dann hat er nicht bezahlt.«

»Keine Ahnung, ist eine WG, wo er wohnt. Keine Ahnung, wer da nicht bezahlt hat. Muß ja nicht mein Bruder gewesen sein.«

»Ach so.«

Wolli steckte sich die Zigarette an und öffnete die Wagentür. Die Luft draußen war kalt und trocken und hatte einen scharfen, schwefligen Geruch. Wolli stieg aus, klappte die Lehne des Beifahrersitzes nach vorn und holte seine Tasche vom Rücksitz. Dann klappte er die Lehne wieder zurück und schaute noch einmal zu Frank in den Wagen hinein.

»Viel Glück, Frankie«, sagte er. »Und vielen Dank für alles!«

»Nichts zu danken«, sagte Frank. »Vielleicht sehen wir uns ja mal.«

»Ja«, sagte Wolli und warf die Tür zu.

Frank startete den Wagen, schaltete den Scheinwerfer ein und fuhr schnell weg, bevor Wolli es sich noch anders überlegen konnte.

# 4. PLENUM

»Ist Manfred da?« fragte Frank, als der Kumpel seines Bruders, den er schon in Bremen kennengelernt hatte, an dessen Namen er sich aber nicht mehr erinnern konnte, die große Stahltür öffnete; es war der Typ, den Frank von Anfang an nicht gemocht hatte, weil er, daran erinnerte er sich noch ganz genau, ein arrogantes, eingebildetes Arschloch gewesen war, kein Wunder, dachte er, daß man von so einem den Namen vergißt.

»Mensch Erwin, das glaubst du nicht!« rief der andere über die Schulter in die Fabriketage hinein, die zu finden Frank einige Mühe gekostet hatte, weil er nicht gewußt hatte, daß die Buchstaben HH auf dem Zettel, den Manni ihm einst gegeben hatte, für Hinterhaus standen. Der Einheimische, den Frank schließlich gefragt hatte, hatte so getan, als sei Frank ein totaler Idiot, und deshalb war Frank jetzt auch etwas gereizt, und das letzte, was er gebrauchen konnte, war einer, der bei seinem Anblick »Mensch Erwin, das glaubst du nicht!« rief.

»Mensch Erwin, das glaubst du nicht!« rief der andere noch einmal.

»Nein, Erwin glaubt das nicht«, sagte Frank. »Aber ich will eigentlich zu Manfred.«

»Erwin«, rief der andere noch einmal ungerührt über

die Schulter, »das ist ja voll der Hammer: Freddies Bruder ist hier!«

»Wieso der Hammer?« konnte Frank sich nicht verkneifen zu fragen. »Was soll denn daran der Hammer sein?«

»Und er fragt nach Freddie!« rief der andere.

»Ja, macht er«, sagte Frank, der keine Lust mehr hatte, freundlich oder zurückhaltend zu sein, denn das hatte er sich eigentlich fest vorgenommen, freundlich und zurückhaltend zu sein, bis er zu Manni vorgedrungen war, aber hier halfen keine freundlichen und zurückhaltenden, hier halfen nur klare Worte, fand er, und er sagte: »Laß mich mal rein, draußen ist es kalt.«

»Ja klar, komm rein«, sagte der andere unerwartet freundlich, geradezu herzlich, so als ob er sich wirklich freute, ihn zu sehen. »Komm rein, Mann. Aber Freddie ist nicht da.«

»Aha«, sagte Frank und trat ein. »Das ist schlecht.«

»Du bist doch, wie heißt du nochmal?«

»Frank. Ist doch nicht schwer zu merken, Frank!«

»Ja logo, Frank! Ich bin Karl.«

»Ich weiß«, sagte Frank, »wir haben uns ja in Bremen gesehen.«

»Genau! Schau dir das mal an, Erwin!«

Erwin war jetzt zu ihnen gestoßen. »Hallo«, sagte er. Er war klein und mager und hatte sehr lange, dünne Haare. Er kam Frank alt vor, viel älter als Karl oder er selbst, er war sicher schon dreißig oder älter. »Na sowas!« Er lächelte Frank an, und Frank wunderte sich etwas, daß die hier alle so nett waren, und er nahm sich vor, auch mal wieder etwas netter zu sein.

»Wohnst du auch hier?« fragte er, um gleich mal etwas freundliches Interesse zu zeigen.

»Auch hier, ha! Das ist meine Wohnung«, sagte Erwin, und er hatte einen schwäbischen Singsang in der Stimme. »Wenn, dann wohnen ja wohl die anderen auch hier, Kerle!«

»Ach so«, sagte Frank.

»Und Freddie ist dein Bruder, ja? Naja, Freddie wohnt auch hier. Und der da, der Vogel«, Erwin zeigte auf Karl, »der wohnt auch hier. Und der andere Vogel auch, aber der ist auch nicht da!« fügte er etwas rätselhaft hinzu.

»Das darfst du Erwin nicht übelnehmen«, sagte Karl. »Wir haben gerade Plenum, da ist er immer hart drauf, da hat er immer Tabasco auf der Eichel.«

»Wo ist denn überhaupt …«, Frank zögerte etwas: Manfred zu sagen war schon schwer genug, war sein Bruder doch, so lange er denken konnte, Manni gewesen, aber Freddie, wie sie seinen Bruder hier nannten, war noch schwerer auszusprechen, mit dem Namen Freddie bekam er seinen Bruder nicht zusammen, zu Freddie fielen ihm nur Seemannslieder ein, und gar nicht mal gute, wie er fand, aber dann sagte er es doch, denn das bringt ja nichts, dachte er, wenn ihn die ganze Stadt hier Freddie nennt, dann braucht man gar nicht erst seine Energie daran zu verschwenden, dagegen anzustinken, dachte er, dann kann man es gleich selbst mal aussprechen, dann hat man's hinter sich, dachte er und sagte: »… Freddie? Ist er für länger weg? Ich meine, ist er in Berlin oder ist er aus der Stadt raus oder was?«

»Keine Ahnung«, sagte Erwin.

»Scheiße«, sagte Frank. »Das ist jetzt aber echt Scheiße!«

»Wieso denn?« fragte Erwin.

»Erwin«, sagte Karl und streichelte Erwin über den Kopf. »Das ist doch sein Bruder. Der kommt aus Bremen. Jetzt ist er hier, um Freddie zu besuchen, und Freddie ist nicht da. Da hat er doch wohl ein Recht, mal Scheiße zu sagen.« Erwin schlug ihm die Hand weg. Karl lachte. »Aber wir haben Glück, Erwin. Oder, besser gesagt: du hast Glück. Jetzt können wir das Plenum mit ihm machen, er ist ja blutsverwandt, sogar ersten Grades oder erste Linie oder wie das heißt, da kann er ja Freddie vertreten auf deinem Plenum.«

»Das ist nicht mein Plenum. Ein Plenum gehört niemandem. Außerdem habe ich von Plenum gar nichts gesagt, ich muß doch bloß mit euch was besprechen! Außerdem kann das kein Plenum sein, wenn zwei Leute fehlen.«

»Darum ja, Erwin, darum ja die Sache mit Frank hier, das ist Freddies Bruder, dann fehlt nur noch H.R., und der redet doch eh immer nur Scheiße, jetzt entspann dich doch mal.«

»Ich bin ja entspannt. Aber ich muß das mit euch besprechen!«

»Eben, Erwin, eben. Darum ist Frank jetzt ja da.«

»Ich weiß nicht«, sagte Erwin und sah Frank zweifelnd an. »Das geht schon irgendwie auch mal um was Persönliches, was ich jetzt mit euch besprechen wollte, ich meine, ich kenn den ja gar nicht, da kann man doch nicht einfach so … – außerdem: Weiß Freddie denn überhaupt, daß der da ist? Ich meine, wieso kommt der gerade zu Besuch, während Freddie nicht da ist? Und wieso weiß der das nicht mit Freddie?«

»Weiß was nicht mit Freddie?« fragte Frank mißtrauisch, ihm kam das irgendwie komisch vor, was dieser Erwin da redete.

»Daß der nicht da ist, Kerle, was denn sonst? Oder wo er ist!«

»Wo ist er denn?«

»Das mußt du doch wissen, du behauptest doch, du wärst sein Bruder!«

»Das ist wirklich Freddies Bruder, ich kenn den aus Bremen, Erwin!«

»Wieso soll ich das wissen? Ich komme doch gerade aus Bremen!« sagte Frank. Er war verwirrt, aber nicht böse. Irgendwie machte er sich jetzt und hier und mit den beiden Blödelfritzen, denn das waren sie in seinen Augen, keine großen Sorgen mehr, obwohl er doch eigentlich, darüber war er sich schon im klaren, allen Grund dazu gehabt hätte: Bisher war er immer davon ausgegangen, daß Freddie in der Stadt war, und nur so weit war auch sein Plan gegangen, Freddie (jetzt denke ich schon Freddie, dachte Frank, das ging ja schnell!) zu treffen und ihm alles zu erzählen und dann mal weiterzusehen. Statt dessen steht man, dachte er, hier mit den zwei Pfeifen herum, nennt seinen Bruder Freddie, und keiner weiß, wo der ist, außerdem, dachte Frank, hat man keine Wohnung, kaum Geld, draußen ist's kalt, und, dachte er dann auch noch kurz und soldatisch wirr, man hat noch nicht einmal sein Kochgeschirr und seine halbe Zeltplane dabei. Aber trotzdem war ihm seltsam leicht zumute, irgendwie beruhigte ihn der Quatsch, der hier geredet wurde, solange die beiden Unsinn reden, dachte er, ist alles halb so schlimm.

»Vielleicht sollte man mal Bier holen«, sagte Karl, »dann geht das gleich wie geschmiert mit dem Plenum.«

»Hör doch mal mit dem Plenumscheiß auf, Kerle, keiner hat was von Plenum gesagt«, sagte Erwin. »Außerdem kann ich jetzt kein Bier trinken, Helga kommt nachher.«

»Ich geh mal was holen. Kommst du mit?« wandte sich Karl an Frank.

Frank nickte. »Warum nicht.« Er wollte jedenfalls nicht mit Erwin allein bleiben, Karl kannte er wenigstens schon ein bißchen, und auch wenn er ihn eigentlich nicht besonders leiden konnte, war das doch immer noch besser als gar nichts.

»Erwin, mach doch schon mal eine Tagesordnung«, sagte Karl und hob eine Jacke vom Boden auf. »Wir sind gleich wieder da, dann brauchen wir eine Tagesordnung.«

»Ah, leck mich«, sagte Erwin, und dann gingen sie.

Sie gingen die Treppe hinunter und über den Hof auf die Straße. Die Luft war kalt und roch nach Rauch. Anfangs schwiegen sie, jeder in seine eigenen Gedanken versunken, aber das scheint nur so, dachte Frank, als sie auf die Straße traten, hier denkt überhaupt niemand irgendwas, dachte er, der nicht und ich nicht, wir tun nur so, weil es nichts zu sagen gibt. Und deshalb sagte er schließlich: »Ich wußte gar nicht, daß ihr beide zusammenwohnt. Ich meine jetzt Freddie und du. Ich hab gedacht, du bist nur so 'ne Art Hiwi von ihm oder so.«

»Hähä!« lachte Karl meckernd und sah mit einer Grimasse zu ihm hinunter. Er war um einiges größer als Frank. »Der war gut!«

»Passiert das öfter, daß Freddie einfach so verschwindet?«

»Was heißt schon einfach so verschwindet?« erwiderte Karl und blieb ohne ersichtlichen Grund stehen. »Mann, die Reichenberger Straße ist wirklich die Pißrinne von Kreuzberg«, sagte er, »echt mal, das ist die beschissenste Straße überhaupt, in der Gegend hier kann man eigentlich gar nicht wohnen!«

»Einfach so verschwindet heißt: einfach so verschwindet. Daß keiner weiß, wo einer ist«, beharrte Frank auf seiner Frage.

»Wieso verschwindet, was heißt verschwunden?!« sagte Karl. »Ich weiß nicht, wie das bei euch Soldaten da läuft, aber das ist hier keine Kaserne, hier muß sich keiner an- und abmelden. Ich meine, wir haben ihn jetzt ein paar Tage nicht gesehen und wissen nicht, wo er gerade ist. Wieso muß er da gleich verschwunden sein?«

Karl ging weiter und betrat einen kleinen, vollgestellten Döner-Imbiß. Vollgestellt vor allem mit Sechserpacks Bier, wie Frank bemerkte. Sie waren überall, sie stapelten sich an allen Wänden, vor und hinter dem Tresen, im Schaufenster, sogar oben auf dem Glastresen standen aufgereiht die Sechserpacks, so daß der kleine Türke mit dem langen Dönermesser, mit dem er ihnen beim Eintreten grüßend zuwinkte, dahinter kaum zu sehen war.

Karl nahm einen Sechserpack der Firma Schultheiss – es waren ausschließlich Sechserpacks der Firma Schultheiss im Angebot – vom Tresen, schaute durch die so entstandene Lücke auf den Mann und sagte: »Wieviel?«

»Fünf«, sagte der Mann. »Wie immer.«

»Hast du mal fünf Mark?« sagte Karl zu Frank.

Frank gab dem Mann fünf Mark, und sie gingen wieder hinaus auf die Straße.

»Reicht denn ein Sechserpack?« fragte Frank.

»Naja«, sagte Karl und grinste, »Helga kommt nachher, hast du ja gehört, da will Erwin keins. Sagt er. Bist du eigentlich für länger hier oder nur fürs Wochenende?«

»Ist heute nicht Mittwoch?«

»Ach so!«

Sie schwiegen eine Weile.

»Darfst du denn hier überhaupt her? Ich dachte, die Bundeswehr darf hier gar nicht rein, wegen den Alliierten oder Russen und so.«

»Ich bin nicht in Uniform«, sagte Frank. »Ich dürfte auch herkommen, wenn ich noch beim Bund wäre, aber nur in Zivil und nur mit dem Flugzeug.«

»Bist du hergeflogen? Ich kenn einen, der hat das auch mal gemacht, der hätte fast gekotzt, die fliegen ja die ganze Scheiß-DDR lang immer genau auf Wolkenhöhe, hat er gesagt, das war vielleicht ein Scheiß, das mach ich …«

»Nein, ich bin mit dem Auto gekommen«, unterbrach ihn Frank und fügte widerstrebend, weil er eigentlich zuerst seinem Bruder davon hatte erzählen wollen, hinzu: »Ich bin nicht mehr beim Bund. Die haben mich entlassen.«

»Echt? Wieso das denn?«

»Ich bin untauglich.«

»Wieso, du warst doch schon da, wir haben dich doch in der Uniform gesehen, neulich in Bremen!«

»Ja, ich war beim Bund, aber sie haben mich heute morgen entlassen.«

»Wieso denn?«

»Weil sie jetzt erst gemerkt haben, daß ich untauglich bin.«

»Aha …«

Sie bogen wieder durch das große, offene Tor in den Hinterhof ein, in dem die Fabriketage lag.

»Verstehe ich nicht«, sagte Karl.

»So psychisch«, sagte Frank widerstrebend. »Hatte keinen Bock mehr. Hab mich rausgehauen.«

»Wie denn?«

»Selbstmordversuch.«

»Echt? Voll der Hammer. Womit denn? Siehst du deshalb im Gesicht so kaputt aus?«

»Ja, bin voll auf die Schnauze gefallen. Hab Mandrax genommen.«

»Mandrax? Wie geht das nochmal?«

»Wie, wie das geht?«

»Wie wirkt das?«

»Da fällt man stumpf um.«

»Das hab ich noch nie genommen«, sagte Karl.

Sie stiegen die Treppe hinauf, und Karl wechselte das Thema. »Wegen dem Plenum«, sagte er, »da mußt du dir nichts bei denken, das macht Erwin dauernd und überall. Das darfst du nicht persönlich nehmen.«

»Wieso persönlich?« sagte Frank.

»Ja eben nicht«, sagte Karl. »Ich weiß ja auch nicht,

worum es diesmal geht, aber ich glaube, es ist besser, wenn du einfach den Kopf unten behältst und mich das machen läßt.«

»Was denn machen?«

»Keine Ahnung«, sagte Karl, »ich weiß ja nicht, worum es geht.«

»Schon klar«, sagte Frank, der überhaupt nicht verstand, wovon der andere redete. »Und du weißt wirklich nicht, wo Manni ist, ja? Ich meine, Freddie?!«

»Nee, wahrscheinlich ist der irgendwie in Westdeutschland, wo soll er denn sonst sein, in Neukölln?!«

»Und dann erzählt er euch gar nichts davon?«

»Nee, sag ich doch«, sagte Karl. »Hier muß sich keiner an- und abmelden, das ist hier keine Kaserne.«

Frank hätte Karl gerne gefragt, wie es angehen konnte, daß er, Karl, erst noch vor zwei Wochen oder so mit Manni als ein Herz und eine Seele in Bremen hatte auftauchen und sich als wer weiß was für ein enger Vertrauter von Manni hatte aufspielen können, nur um jetzt so zu tun, als ob sie sich so flüchtig kannten wie zwei Leute, die zufällig jeden Morgen mit demselben Bus fuhren. Das wäre gut, das mit dem Bus zu bringen, dachte Frank, das mit dem Bus ist nicht schlecht und vor allem, dachte er, während Karl an die Tür hämmerte, sogar selbst ausgedacht, aber er sagte nichts dergleichen, denn er fand es nicht opportun, direkt vor dem Plenum einen Streit mit Karl anzufangen, was immer das jetzt für ein Plenum war, er würde sich dort erklären müssen, denn auf jeden Fall wollte er hier eine Zeitlang wohnen, und Freddie, jetzt denke ich schon wieder Freddie, dachte er, war nicht da, da konnte er keine Feinde gebrauchen.

»Was soll denn das«, sagte Erwin, als er die Tür öffnete.

»Schlüssel, kein Schlüssel«, sagte Karl und hielt Erwin den Sechserpack Bier, der in seinen großen Händen wie Kleinkram aussah, vor die Nase. »Was trinken wir? Schultheiss-Bier!«

»Mein Gott«, sagte Erwin und trat beiseite, damit sie eintreten konnten, »jetzt habe ich schon drei Kneipen, und in allen wird vernünftiges Bier ausgeschenkt, und bei mir zu Hause muß ich Schultheiss trinken!«

»Schön, daß du auch mal diesen Widerspruch bemerkst, Erwin«, sagte Karl fröhlich. »Wir können ja beim Plenum darüber reden, was man da machen kann, wo da der Haken ist, Erwin. Was da schiefgelaufen ist. Wo's klemmt, Erwin. Wo da der Denkfehler ist. Ich freu mich drauf!«

Frank ging mit den beiden an mehreren in die Fabriketage hineingebauten Zimmern vorbei, bis sie eine offene Küchenecke erreichten, in der sich ein großer Tisch befand, an dem auf einer Bank ein junges Mädchen saß. Sie hatte buntgefärbte Haare und trug nur ein sehr langes T-Shirt, sie saß dort mit angezogenen Beinen und hatte sich das T-Shirt über die Knie bis auf die Füße hintergezogen und trank aus einer Suppenschale irgend etwas Heißes.

»Herrgott, Chrissie, nun zieh dir doch endlich mal was an«, herrschte Erwin sie an. »Ich hab dir doch gesagt, daß gleich die Jungs wiederkommen, da muß man doch hier nicht so rumsitzen.«

»Ja, gleich, Onkel Erwin«, sagte Chrissie und schlürfte weiter an ihrem Getränk herum.

Karl lachte.

»Lach nicht, Kerle«, sagte Erwin. »Das ist Chrissie«, wandte er sich an Frank, »das ist meine Nichte, die ist hier gerade zu Besuch!«

»Hallo«, sagte Frank, aber Chrissie reagierte nicht.

»Okay, Leute«, sagte Erwin, »ich hab ja gesagt, ich muß mal mit euch was besprechen.«

Sie setzten sich alle an den Tisch, Erwin neben Chrissie, Karl und Frank ihnen gegenüber. Der Tisch dazwischen war vollgestellt mit Frühstücksflocken, Flaschen, Tassen, Tellern und einer Weinflasche, in der eine einzelne Rose vor sich hin welkte.

»Und was ist denn jetzt mit dir?« sagte Erwin zu Frank. »Bist du wirklich der Bruder von Freddie?«

»Ja klar«, sagte Frank. »Willst du meinen Ausweis sehen?«

»Das ist wirklich sein Bruder«, sagte Karl, »das hatten wir doch eben schon, Erwin, echt mal! Ich war doch neulich erst mit Freddie in Bremen, da habe ich ihn kennengelernt, das ist hundertprozentig sein Bruder.«

»Ich mein nur, weil er Freddie überhaupt nicht ähnlich sieht!«

»Jetzt hör mal auf, Erwin, der sieht Freddie total ähnlich, das sind nur die Klamotten und die Haare, ansonsten sieht der doch total wie Freddie aus.«

»Ich hab meinen Ausweis dabei, wenn euch das beruhigt«, sagte Frank gallig.

»Nee, schon gut«, sagte Erwin ernsthaft. »Glaub ich schon. Wußte Freddie denn nicht, daß du kommst?«

»Nein«, sagte Frank. »Aber er hat neulich in Bremen gesagt, ich könnte ihn jederzeit besuchen. Ich hab auch mehrmals angerufen, aber das Telefon geht ja hier wohl nicht.«

»Wie?« sagte Erwin. »Kann man da jetzt auch nicht mehr angerufen werden? Kein Wunder, daß das nie klingelt!«

»Das ist doch immer so«, sagte Karl, »erst kann man nicht mehr anrufen, und dann kann man auch irgendwann nicht mehr angerufen werden.«

»Scheiß Freddie«, rief Erwin aus. »Der verdammte Arsch. Erst kassiert er das Geld, und dann zahlt er's nicht ein, verdammte Scheiße.«

»Vielleicht hat er's nur vergessen«, sagte Karl, »ist doch normal!«

»Ich würde auch gerne mal telefonieren«, sagte Chrissie.

»Du zieh dir mal lieber was an«, sagte Erwin.

»Können wir jetzt mal mit dem Plenum anfangen?« sagte Karl. »Ich hab noch was vor, ich will nachher noch in die Zone.«

»In die Zone?«

»Die Zone in der Oranienstraße, Erwin, was hast du denn gedacht? Die Ostzone?«

»Ich kenn die Zone, du Vogel. Da muß ich später auch noch hin.«

Frank verstand nur Bahnhof. Vor ihm auf dem Tisch lag ein zerknittertes Päckchen Tabak.

»Kann ich mir mal eine drehen?« sagte er in die Runde. Eigentlich hatte er schlimmen Hunger, er hatte seit der Suppe, die ihm seine Mutter am Mittag gegeben hatte, nichts mehr gegessen.

»Keine Ahnung, wem das gehört«, sagte Karl. »Ist doch auch egal.«

»Das ist mein Tabak«, sagte Chrissie, »das ist überhaupt nicht egal, der gehört mir, das ist mein Tabak!«

Frank schätzte sie auf etwa sechzehn oder siebzehn, ganz sicher konnte man sich da nicht sein, jedenfalls kam sie ihm viel jünger vor als er selbst, sehr jung und sehr mager war sie, und sie schaute drein wie jemand, der gleich seine Schularbeiten machen mußte.

»Kann ich mir mal eine drehen?« fragte er sie.

»Mir doch egal«, sagte Chrissie und zupfte sich in ihrem blondierten und buntgefärbten Haar herum. »Ist mir doch total scheißegal.«

Karl brach zwei Bierflaschen aus dem Karton des Sechserpacks heraus, öffnete sie mit einem Plastikfeuerzeug und schob sie zu Erwin und Frank über den Tisch.

»Ich will auch eine«, sagte Chrissie.

»Nix!« sagte Erwin. »Du hast schon was zu trinken.«

»Ich will auch eine.«

»Du bist doch gerade erst aufgestanden, wie willst du denn jetzt schon ein Bier runterkriegen! Mein Gott, wenn das Susi wüßte.«

»Kannst sie ja anrufen!« sagte Chrissie.

»Nein, kann ich eben nicht!«

»Nun schieß schon los, Erwin«, sagte Karl. »Sie ist doch alt genug.«

»Mit siebzehn hab ich morgens noch kein Bier getrunken«, sagte Erwin.

»Ich bin schon achtzehn«, sagte Chrissie. »Und wieso morgens, das ist doch schon abends!«

»Du bist ja auch Spätentwickler, Erwin«, sagte Karl und mußte darüber lachen. Er schob Chrissie eine Flasche Bier über den Tisch.

»Die ist ja noch zu!«

»Mußt sie halt aufmachen, Chrissie!«

»Mach du die mal auf. Die von den anderen hast du ja auch aufgemacht!«

Karl seufzte und öffnete Chrissies Bierflasche. Chrissie stellte die Flasche vor sich hin und nahm wieder ihre Suppenschale mit dem Heißgetränk auf. »Arschloch!« murmelte sie.

»Nun fang endlich an, Erwin, bevor ich einschlafe!«

»Und was ist mit H.R.? Weiß bei dem auch keiner, wo der ist?« sagte Erwin.

»Der ist wahrscheinlich schon in der Zone, ich kann ihm dann ja nachher alles erzählen. Oder du oder was weiß ich, du kannst mit H.R. sowieso kein Plenum machen!«

»Der geht mir sowas von auf die Nerven!«

»Wem nicht, Erwin. Umso besser, daß er nicht da ist.«

Während die beiden so redeten, bemerkte Frank, daß Chrissie ihn über ihre Suppenschüssel hinweg anstarrte. Frank starrte zurück. »Ihr seid doch alles Wichser«, sagte sie und wendete den Blick ab.

»Nun erzähl schon, was du zu erzählen hast, Erwin! Plenum, Erwin!« sagte Karl.

»Hör doch mit dem Plenumscheiß auf, Kerle. Okay, dann kannst du das ja H.R. erzählen, und der da erzählt das Freddie, wenn er wiederkommt. Wegen Freddie habe ich eh noch was zu sagen!«

»Oh, oh!« sagte Karl und schüttelte seine Hand, als hätte er sie sich verbrüht. »Viel Spaß!« fügte er, an Frank gewandt, hinzu.

»Wobei?!« sagte Frank. »Und Frank ist der Name. Frank. Nicht er und nicht der da und nicht du da! Daß das gleich mal klar ist.« Er fragte sich langsam, ob es überhaupt angehen konnte, daß sein Bruder hier wohnte, ob das nicht alles ein Irrtum war, ein Streich aus dem Paralleluniversum oder sowas, die sind doch alle total bekloppt, dachte er. Er zündete sich die fertiggedrehte Zigarette an und würgte, um die Leere im Magen zu bekämpfen, einen Schluck Bier hinunter.

»Jedenfalls müßt ihr alle ausziehen!« sagte Erwin unvermittelt. »Ich brauch jetzt die ganze Wohnung.«

»Hä?« Karl hob die Flasche und stieß mit ihr gegen die von Frank, daß es schepperte. »Immer schön anstoßen, scheißegal worauf«, fügte er hinzu. Dann trank er die Flasche in einem Zug halbleer. »Du hast sie ja nicht alle, Erwin!«

»Wieso, das ist meine Wohnung, ich hab den Mietvertrag, und ich kann euch hier nicht mehr gebrauchen, ich brauch das jetzt alles für mich.«

»Erwin! Das sind 260 Quadratmeter Fabriketage mit fünf eingebauten Zimmern, was willst du hier aufmachen, einen Puff? Eine Billardhalle? Oder was?«

»Helga ist schwanger«, sagte Erwin. »Die zieht dann hier ein, und dann kommt das Kind und so weiter und so fort!« Er wedelte mit den Händen, wie um

»und so weiter und so fort« angemessen zu illustrieren.

»Na herzlichen Glückwunsch auch, Erwin!« sagte Karl und lachte. Er hörte gar nicht mehr auf. »Super, Erwin! Glück und Segen auf allen Wegen«, stieß er hervor und krümmte sich dabei.

»Ist mir scheißegal, wie du das findest«, sagte Erwin.

»Ich dachte, ihr seid nicht mehr zusammen«, sagte Chrissie. »Wie kann die dann schwanger sein.«

»Sei du doch mal still, was hast du denn damit zu tun?!«

»Na immerhin wohne ich auch hier!«

»Wieso das denn?« rief Erwin. »Seit wann wohnst du hier? Ich dachte, du bist nur während der Ferien zu Besuch. Das hast du doch gesagt!«

»Ferien, Ferien, im November sind doch keine Ferien!« sagte Chrissie.

»Hast du aber gesagt!«

»Naja, irgendwie schon. Aber Ferien sind keine«, sagte Chrissie. »Ich dachte, ich könnte noch ein bißchen bleiben. Aber Helga, du liebe Güte!«

»Das ist aber alles schon geregelt!« sagte Erwin. »Ich hab schon was Neues für euch. Jedenfalls ist Helga schwanger und zieht hier ein, das muß alles vorher noch umgebaut werden, und diskutieren tu ich darüber nicht. Und mit wem ich zusammen bin, das geht dich gar nichts an, Chrissie. Ich ruf nachher erstmal Susi an, das hätte ich schon lange machen sollen, bist du von zu Hause abgehauen oder was?!«

»Puh, Erwin!« Karl hob seine Flasche wieder. »Tut mir leid, ich hätte nicht so blöd lachen sollen, herzlichen

Glückwunsch, ehrlich.« Er trank einen Schluck, mußte wieder lachen und spuckte das Bier über den Tisch. »Entschuldigung, Leute, ich bin heute ein bißchen albern.«

Erwin sagte nichts. Er sah plötzlich sehr müde aus.

»Bin ich dann Tante?« sagte Chrissie.

»Hä?« sagte Erwin.

»Bin ich dann die Tante von dem Kind?«

»Nein, du bist die Cousine, blöde Kuh! Und morgen fährst du nach Hause.«

»Ich bin volljährig, Onkel Erwin, du kannst mich nicht einfach nach Hause schicken, ich kann sein, wo ich will.«

»Du bist siebzehn!«

»Nein, achtzehn!«

»Siebzehn!«

»Achtzehn!«

»Du bist 63 geboren, da kannst du noch gar nicht achtzehn sein.«

»62!«

»Dann setz ich dich auf die Straße! Und hör mit dem Onkelscheiß auf, für dich bin ich Erwin und sonst gar nichts. Dann setz ich dich auf die Straße, dann wirst du schon von selbst wieder nach Hause fahren.«

»Dann guck ich, daß ich irgendwo in einem besetzten Haus unterkomme!«

»Hm«, sagte Karl und machte sich ein neues Bier auf, »bei euch klappt der Dialog der Generationen ja schon ganz gut, Erwin. Wenn du als Vater so begabt bist wie als Onkel, dann kann die Welt ruhig schlafen.«

Erwin sagte gar nichts mehr. Er starrte nur auf die Bierflasche, die noch unangebrochen vor ihm stand.

Frank tat er irgendwie ziemlich leid. »Nun hört doch mal auf, alle über ihn herzuziehen«, hörte er sich sagen, obwohl er sich gerade vorgenommen hatte, hier erstmal die weitere Entwicklung abzuwarten und sich rauszuhalten. Man kann aber nicht immer nur die weitere Entwicklung abwarten, dachte er in diesem Moment, man muß auch mal die Initiative ergreifen, zuschlagen, den Feind überraschen – obwohl ihm hier überhaupt nicht klar war, wer eigentlich der Feind war, ich denke zu militärisch, dachte er, man muß auch einfach so mal was für seine Mitmenschen tun. »Er hat doch völlig recht«, sagte er. »Wenn das seine Wohnung ist und er die für Frau und Kinder braucht ...«

»Jetzt sind es schon mehrere, hört, hört!« rief Karl spöttisch, aber Frank ließ sich nicht unterbrechen.

»... für Frau und Kinder braucht«, wiederholte er umso lauter, »dann kann man nichts machen.«

Daraufhin schwiegen alle, und Frank mochte nicht entscheiden, ob das ein betretenes oder ein peinlich berührtes Schweigen war. Es dauerte jedenfalls eine ganze Weile. Frank rauchte derweil erst einmal die Zigarette zu Ende. Irgendwas ist da dran an der Sache mit dem Nikotin, dachte er, und dann dachte er: Das war ein verdammt langer Tag. Und dann trank er das Bier aus und nahm sich ein neues, hier muß man sich ranhalten, es sind ja nur sechs Flaschen da, dachte er.

Dann sagte endlich Erwin etwas, nachdem er sich ausführlich geräuspert hatte. »Ihr könnt ab morgen abend in die Wohnung überm Einfall rein!«

»Soso ...«, sagte Karl. »Was heißt denn das praktisch?«

»Was soll das schon praktisch heißen?! Ist doch klar, was das heißt: Ab übermorgen könnt ihr theoretisch umziehen. Ich hab schon Kartons besorgt!«

»Theoretisch? Was heißt denn hier theoretisch, Erwin, du bist ein Arschloch vor dem Herrn, ehrlich mal«, sagte Karl. »Was ist denn daran theoretisch? Du kannst uns doch nicht von einem Tag auf den anderen rausschmeißen!«

»Wieso rausschmeißen? Ich schmeiß doch keinen raus, ich habe euch eine andere Wohnung besorgt, das ist heute klargegangen, ich hab dem Arsch dreitausend Mark gegeben, wenn er sofort rausgeht und ich den Mietvertrag kriege.«

»Welcher Arsch denn jetzt?« fragte Frank.

»Der überm Einfall wohnt und immer Ärger macht wegen Lärm und so«, sagte Karl ungeduldig. »Das ist doch Scheiße, Erwin. Du kannst uns doch nicht einen Tag vorher Bescheid sagen, und jetzt ist Freddie auch überhaupt nicht da, was soll denn die scheiß Hektik überhaupt?«

»Fünfter Monat«, sagte Erwin.

»Scheiße, und ich hab mich schon gefragt, ob Helga jetzt so fett geworden ist oder was«, sagte Karl.

»Paß auf, was du sagst!«

»Ja, ja, ist ja schon gut. Wie groß ist denn die Wohnung überm Einfall?«

»Die hat viereinhalb Zimmer«, sagte Erwin. »Die ist riesig. Und billig ist die auch, ich mach sie euch billiger!«

»Und kommt die da mit? Muß die auch raus?« sagte Karl und zeigte auf Chrissie.

»Ja, logisch, sag ich doch«, sagte Erwin. »Was meinst du wohl, was hier noch alles gemacht werden muß!«

»Und ihr wollt hier ganz alleine wohnen?«

»Nein, weiß nicht, vielleicht, Helga meint, vielleicht mit anderen Leuten, aber dann halt andere, mal sehen, aber ihr sollt auf jeden Fall erstmal raus, haben wir beschlossen.«

»Vielen Dank auch, Erwin«, sagte Karl. »Da ziehen wir gerade erst vor einem halben Jahr hier ein, weil Helga nicht mehr mit dir zusammen ist, und jetzt können wir gleich wieder ausziehen.«

»Jetzt ist aber mal gut«, raffte sich Erwin wieder auf. »Jetzt ist aber mal gut, Karl Schmidt. Ihr habt beide dringend was gebraucht, du und Freddie, und bezahlt habt ihr auch mal ja, mal nein. Ich krieg von Freddie immer noch dreihundert Mark für diesen Monat, von der Scheiße mit dem Telefon mal ganz zu schweigen, wenn man einmal nicht alles selber macht!«

»Und was ist mit mir?« sagte Frank. »Ich meine, okay, Manni ist nicht da, aber ich wollte ihn besuchen, er hat mich eingeladen, ich bin sein Bruder, ich würde eigentlich gerne in seinem Zimmer wohnen.«

»Wer ist Manni?« fragte Erwin.

»Freddie«, sagte Karl. »Das ist so ein Insiderwitz!«

»Jedenfalls muß ich ja irgendwo wohnen! Und einer muß ja für ihn den Umzug machen, falls er bis übermorgen nicht wieder da ist!«

»Moment mal«, sagte Karl entschieden, »das mit übermorgen und umziehen und so, das sehe ich noch gar nicht so richtig, ehrlich mal!«

»Ab übermorgen wohnt Helga hier. Und wir lassen das hier umbauen, das ist alles schon geplant.«

»Ach du Scheiße, Helga!« sagte Chrissie. »Da bleib ich aber auf keinen Fall hier!«

»Ich auch nicht«, sagte Karl.

»Ich würde gerne heute nacht und morgen hier wohnen, und wenn Freddie bis dahin nicht da ist, würde ich den Umzug für ihn machen«, sagte Frank zu Erwin.

»Das muß drin sein, Erwin!« sagte Karl. »Dann haben wir auch gleich einen mehr für die Schlepperei!«

»Soso«, sagte Erwin. »Ich weiß nicht, du meinst, wir können ihn einfach so in Freddies Zimmer lassen?«

»Ja logo, er ist doch sein Bruder, verdammt noch mal!«

»Das hat nichts zu sagen«, sagte Erwin und zeigte auf Chrissie. »Die da ist meine Nichte, und die würde ich in tausend Jahren nicht in mein Zimmer lassen. Mich hat ja sowieso keiner gefragt!«

»Mich hat auch keiner gefragt!« sagte Chrissie. »Kann ich mal meinen Tabak haben?«

»Wieso hat dich keiner gefragt?« sagte Erwin. »Was soll das heißen, daß dich keiner gefragt hat? Wieso hätte dich einer was fragen sollen? Und was überhaupt?«

»Weiß ich doch nicht!«

»Ha!«

»Was ist denn nun?« sagte Frank und warf Chrissie ihren Tabak rüber.

»Komm schon, Erwin, er ist Freddies Bruder, ich hab die beiden in Bremen erlebt, die sind ein Herz und eine Seele, die teilen sich praktisch ein Gehirn!« sagte Karl, und Frank fing langsam an, ihn sympathisch zu finden.

Karl stand auf, warf sich quer über den Tisch und nahm die Flasche Bier, die vor Chrissie stand, an sich. »Die braucht sie ja wohl doch nicht, die Jeunesse dorée von Reutlingen!« sagte er.

»Hm …«, sagte Erwin. »Natürlich kann er hier wohnen, wenn er Freddies Bruder ist. Immer mal vorausgesetzt, immer mal vorausgesetzt, äh …« – Erwin machte eine Pause, in der er einen Schluck Bier nahm und einen gepflegten kleinen Rülpser abließ, was Chrissie mit einem lauten »Du Sau!« kommentierte, ohne daß Erwin daraufhin auch nur in ihre Richtung guckte – »immer mal vorausgesetzt, der liebe Freddie darf überhaupt hier wohnen, so ist das nämlich.«

»Was soll das denn jetzt heißen«, sagte Karl.

»Das soll heißen, das soll heißen«, sagte Erwin, »das soll heißen, er schuldet mir noch die Miete für diesen Monat, und wenn er nicht da ist, und wenn sein Bruder ihn hier auf dem Plenum …«

»Wußte ich doch, daß es ein Plenum ist«, freute sich Karl, »ist es mit Menschen, ist es ein Gespräch, ist es mit Erwin, ist es ein Plenum!«

»Ist doch redundant jetzt, ob das Plenum heißt oder was auch immer, jedenfalls wenn er seinen Bruder hier vertreten will, dann kann er auch gleich seine Mietschulden bezahlen, und dann kann er wegen mir hier und überm Einfall so lange wohnen, wie er will.«

»Redundant, das ist stark, Erwin, wirklich stark!«

»Wie sieht's aus?«

Erwin, der Frank noch vor wenigen Minuten leid getan hatte, war wieder obenauf, und Frank war beeindruckt.

Das ist auf jeden Fall auch einer, den man nicht unterschätzen sollte, dachte er. »Wieviel?« fragte er.

»Dreihundertfünfzehn«, sagte Erwin.

»Nix«, sagte Frank, »vorhin waren das noch dreihundert, ich bin doch nicht blöd.«

»Die fünfzehn sind wegen dem Telefon. Und dazu noch die Einheiten von Freddie!«

»Das Telefon ist mir scheißegal, das kann wegen mir ausbleiben«, sagte Frank. Dreihundert Mark waren der größte Teil seines Geldes, da blieb nicht mehr viel übrig, vielleicht hundert Mark, aber die Sache erschien ihm fair, und er mußte ja irgendwo wohnen. »Dreihundert Mark kannst du haben. Und dann wohne ich hier und dann mache ich auch den Umzug in die andere Wohnung, wenn Manni, Freddie bis dahin nicht zurück ist.« Er holte sein Portemonnaie raus und legte das Geld auf den Tisch.

»Alles klar«, sagte Erwin.

Karl nahm das Geld, faltete es zu einem kleinen Päckchen zusammen und warf es quer über den Tisch. »Ich liebe dich, Erwin«, sagte er. Dann hob er seine Flasche und prostete Frank zu. »Hauptsache Lehmann«, sagte er, »Freddie oder Frank, was macht das schon …«

»Vielen Dank!« sagte Erwin trocken. Er entfaltete das Geld, strich es glatt, rollte es zusammen und steckte es in seine Hosentasche.

»Schon gut«, sagte Frank.

»So«, sagte Karl und stand auf, »und jetzt zeige ich dir mal dein neues Zimmer! Jedenfalls das bis übermorgen!«

»Weiß gar nicht, ob man das einfach so machen kann«, sagte Karl, als er die Tür zu Freddies Zimmer öffnete, das eigentlich ein kleines, kubisches, an die Wand der Fabriketage gebautes Haus war, wie Frank dachte – und dazu noch eines mit Wänden aus Pappe, wie es schien, Frank klopfte kurz gegen die Wand neben der Tür, als er im Zimmer stand, und das klang sehr nach Pappe oder etwas Ähnlichem.

»Das ist Rigips«, sagte Karl, seine Gedanken erratend. »Das haben die mit Rigips gemacht.«

»Wer?«

»Ehemalige Freunde von Erwin, Künstler, die haben das irgendwann alles gemacht, und dann sind die raus, und er hat das übernommen. Die nannten das: Wohnen wie in Mexiko.«

»Aha!«

»Wie gesagt, ich weiß gar nicht, ob man das einfach so machen kann«, wiederholte Karl, »dir hier einfach Freddies Zimmer geben und so.«

»War die Tür abgeschlossen?«

»Nein.«

»Bin ich sein Bruder?«

»Ja.«

»Habe ich die Miete bezahlt?«

»Ja.«

»Na also«, sagte Frank, und Karl schien es auch zufrieden, denn er ging in die Hocke und knipste eine kleine Stehlampe an.

Frank sah sich um. Viel war nicht in dem Zimmer, eine Matratze, ein Kleiderständer von der Sorte, wie man sie aus Bekleidungsgeschäften kannte, ein Stapel Bücher, die Stehlampe, ein großer Kassettenrekorder, einige Schuhkartons, ein kleiner Fernseher und an der Wand aufgereiht einige Paar Schuhe. Frank war irgendwie gerührt – dieses Zimmer war genauso spartanisch oder jedenfalls funktional eingerichtet wie sein eigenes, verlorengegangenes Zimmer im Ostertorsteinweg in Bremen, nur daß er nicht so einen Kleiderständer, sondern eine Teekiste für seine Klamotten gehabt hatte. Freddies Kleider waren allerdings auch anders als seine: Es waren alles Anzüge, richtige Anzüge, keine teuren zwar, das konnte Frank gleich erkennen, als er sie genauer betrachtete, sie waren alle schon etwas abgeschabt, wahrscheinlich aus zweiter Hand gekauft, aber Anzüge immerhin, und dazwischen hingen an dem Ständer auch Hemden, viele davon ziemlich bunt. Die Schuhe an der Wand waren alle schwarz, glänzend und vorne sehr spitz. Aber das war ihm ja schon in Bremen aufgefallen, daß in modischer Hinsicht bei seinem Bruder einiges aus dem Ruder gelaufen war. Frank selbst hatte seit seinem letzten Arbeitstag in der Spedition nie wieder einen Anzug getragen.

»Wo ist dein Gepäck? Hast du kein Gepäck?« sagte Karl.

»Ja klar, im Auto«, sagte Frank. Viel war es nicht, ein paar Klamotten und ein Buch, das konnte man nicht ernsthaft Gepäck nennen, fand er, und die Klamotten waren allesamt ungewaschen.

»Ach so, du bist mit dem Auto gekommen«, sagte Karl. »Stimmt ja, du hast ja ein Auto, jetzt erinnere ich mich!«

Frank hätte gerne irgendwas zur Hand gehabt, das er in das Zimmer stellen konnte, nur um deutlich zu machen, daß er jetzt hier wohnte, nur um dem Zimmer seinen eigenen Stempel aufzudrücken. Er trank die vom Küchentisch mitgenommene Bierflasche aus und stellte sie neben die Matratze. Jetzt sah es schon besser aus, irgendwie persönlicher.

»Was ist eigentlich mit Freddies Kunst?« sagte er.

»Was soll damit sein?«

»Er macht doch diese Eisenskulpturen und den ganzen Kram, wo macht er das denn? Hier ja wohl nicht.«

»Nee, hier doch nicht. Hier ist überhaupt nichts von ihm.«

»Warum eigentlich nicht? Bilder hat er doch auch gemalt! Warum hängen hier keine?«

»Bilder, ha!« Karl steckte sich eine selbstgedrehte Zigarette in den Mund.

»Kann ich mal den Tabak haben?« sagte Chrissie, die plötzlich in der Tür stand.

»Oh ja«, sagte Karl und schaute auf die Tabakpackung, als sähe er sie zum ersten Mal. »Das ist ja deiner!«

»Ja, genau«, sagte Chrissie. »Dreh mir mal eine.«

»Erst bitte sagen«, sagte Karl.

»Ja, ja«, sagte sie. »Ganz schön ordentlich hier. Hätte ich nicht gedacht, daß Freddie so ordentlich ist.«

»Was weißt du schon über Freddie, du kennst ihn ja kaum«, sagte Karl, »wie lange kennst du ihn schon, doch erst zwei Wochen oder was …!«

»Hätte ich trotzdem nicht gedacht«, sagte Chrissie. »Freddie kam mir nicht vor wie einer, der ordentlich ist, eher im Gegenteil.«

»Wo macht er denn nun seinen Kunstkram?« sagte Frank.

»Kunstkram? Du nennst das Kunstkram, was Freddie macht?!« sagte Karl. »Das ist ja wohl das Kaputteste, was ich je gehört habe, daß einer zu dem, was Freddie macht, Kunstkram sagt, das ist ja wohl total kaputt!«

»Ja, ja, geschenkt«, sagte Frank. »Ich will ja bloß wissen, wo …«

»Und dann noch sein eigener Bruder! Ich meine, weißt du eigentlich, was dein Bruder für ein Typ ist? Was der draufhat? Was der da für unglaubliche Dinge macht? Ich meine, weißt du das eigentlich?«

»Nein, wahrscheinlich nicht«, gab Frank zu. »Ich weiß vieles nicht. Deshalb frage ich ja. Und weil ich mich wundere, daß er nicht da ist und keiner weiß, wo er ist. Ich meine, warum weißt du das nicht, wenn du so dicke mit ihm bist?«

»Ich habe überhaupt nicht gesagt, daß ich dicke mit ihm bin! Ich habe gesagt, daß du keine Ahnung hast, was dein Bruder für ein Genie ist, das habe ich gesagt. Ich meine, der ist ein Genie, dein Bruder, und du fragst hier nach seinem Kunstkram, als ob das irgend so ein Plunder wäre, irgend so ein scheiß Hobby oder was!«

»Und du tust immer so, als ob du wer weiß wie dicke mit ihm wärst«, gab Frank zurück, während Chrissie einen Schritt näher kam und sich aus dem Tabakpäckchen, das Karl immer noch in der Hand hielt, etwas Tabak und ein Blättchen herausfummelte. Karl schaute ihr dabei schweigend zu.

»Hast du mal Feuer?« fragte Chrissie, als sie fertig war. Karl holte ein Feuerzeug aus seiner Hosentasche und zündete ihr die Zigarette an.

»Kann ich auch eine haben?« sagte Frank.

»Ja klar«, sagte Karl und hielt ihm den Tabak hin.

»Bist ja ganz schön großzügig mit meinem Tabak«, sagte Chrissie.

Frank nahm den Tabak. »Wo macht er denn jetzt diese Dinger, diese Skulpturen?«

»Scheiße, laß uns was trinken gehen, ich will nachher sowieso noch in die Zone, da ist auch H.R., mit dem muß ich ja auch noch reden!« sagte Karl. »Ich hab euch alle ganz doll lieb, wirklich, ich will keinen Streit, ich werde auch alle Fragen beantworten, aber laßt uns hier rausgehen, wenn ich hier noch lange rumhänge, dann muß ich ins Bett!«

»Ich hab Hunger«, sagte Chrissie. »Hier gibt's ja nie was zu essen.«

»Ja«, sagte Karl, »weil nie einer was kocht, Chrissie. So einfach ist das.«

»Was erzählst du mir das? Soll ich euch etwa was kochen? Weil ich 'ne Frau bin, oder was? Wie bist du denn drauf?!!«

»Ich hab auch Hunger«, sagte Frank.

»Ich hab auch Hunger«, sagte Karl. »Auf der Wiener Straße ist ein Grieche.«

»Willst du einfach in dem Bett von deinem Bruder schlafen?« fragte Chrissie.

»Das ist sein Bruder, Chrissie«, sagte Karl. »Die sind zusammen aufgewachsen und so.«

»Beim Griechen essen, muß das sein?« wechselte Frank das Thema.

»Ja logo«, sagte Karl.

»Ich komm auch mit«, sagte Chrissie.

»Aber eins muß klar sein«, sagte Karl und hob einen Zeigefinger. »Der nächste, der zu Freddies Kunst Plunder sagt, fliegt ohne Ouzo raus.«

»Ich habe doch gar nicht …«, sagte Frank.

»Nix!« unterbrach ihn Karl. »Fliegt raus. Ohne Ouzo.«

»Trink ich sowieso nicht«, sagte Chrissie.

»Dann nehm ich deinen«, sagte Karl, »das ist das einzig Gute in dem Schweineladen!«

In der Taverna Akropolis, dem Schweineladen, war Karl kein Neuling, soviel war sicher, man klopfte ihm auf die Schulter, als er eintrat, und er verlangte den »Tisch wie immer«. Das war ein Tisch wie alle anderen auch, in der Mitte des schlauchförmigen Raums gelegen, und er war ebenso frei wie alle übrigen Tische außer einem, an dem saß ein alter Mann mit dem Rücken an der Wand und guckte auf einen Fernseher, in dem Menschen zu

Folklore-Musik Teller zerschlugen. »Guck dir das an!« sagte Karl und lachte.

Nachdem sie bestellt hatten – Frank Gyros mit Krautsalat, Chrissie nur einen Teller Backkartoffeln und Karl »einmal das ganze Programm rauf und runter wie immer, du weißt schon!« – versuchte Frank es noch einmal mit seiner Frage: »Wo macht er denn jetzt seine Skulpturen und Bilder und so.«

»Bilder schon mal gar nicht«, sagte Karl, »Bilder macht Freddie nie. Das ist was für Polymorph-Perverse.«

»Früher, als er noch in Bremen war, hat er viel gemalt«, sagte Frank.

»Früher, als er noch in Bremen war«, äffte Karl ihn nach. »Das war ja auch früher, als er noch in Bremen war. Freddie malt schon lange nicht mehr. Freddie ist der neue heiße Scheiß im Objektbereich, Alter, da wird er sich doch die Finger nicht mit Farbe bekleckern.«

»Und wo objektet er so?« sagte Frank.

»Mann, ist das ein Zeug«, sagte Karl, während er ihnen allen was von dem Wein eingoß, den der Wirt in einer zylindrischen Alukanne auf den Tisch gestellt hatte. »Dieser Retsina hier ist wirklich die übelste Schweinerei, die die Menschheit kennt. Was ist das für ein Zeug, was die da reinmachen, Harz, was für ein Harz ist das, das ist ja Wahnsinn?! Ich trink das hier immer!«

»Das ist schön«, sagte Frank. »Wo ist das Atelier von Freddie?«

»In der ArschArt-Galerie«, sagte Karl in sein Glas hinein.

»Wo?«

»In der ArschArt-Galerie.«

»Wo?«

»In der ArschArt-Galerie, verdammt nochmal.«

»Ja, ja, gehört hab ich's schon«, sagte Frank bissig, während Chrissie zu kichern anfing, »aber ich kann's kaum glauben: ArschArt-Galerie, ja? Ich meine, ich darf nicht Kunstkram oder so sagen, ohne eine Ouzosperre zu kriegen, aber Freddie macht den Kunstkram in der ArschArt-Galerie, ja?«

»Was weißt du denn von der ArschArt-Galerie, das sind keine Witzbolde oder so, das ist von allen Galerien in Kreuzberg die Angesagteste, ihr habt doch beide überhaupt keine Ahnung. Hab mir schon gedacht, daß du das nicht kapierst.«

»Ich sag ja überhaupt nichts gegen die ArschArt-Galerie. Ich kenn die ja nicht. Ich meine bloß, erst werde ich beschimpft, weil ich von meinem Bruder nicht so rede, als ob er der Papst ist oder was, und dann ist er bei der Arsch-Art-Galerie untergekommen! Und wieso hat er bei einer Galerie sein Atelier? Ich denke, in einer Galerie stellt man bloß aus?«

»Das ist ja nicht wirklich eine Galerie, das ist eine Künstlergruppe, die auch Ausstellungen macht, die machen da alles selber und so, und Freddie ist mit dem Oberboß befreundet, und da haben die ihm einen Raum gegeben. Die haben ein Haus in der Naunynstraße, das sind mehr so fiese Hippie-Arschlöcher.«

»Hippie-Arschlöcher?« sagte Chrissie. »Wieso sind Hippies Arschlöcher? Und was ist eigentlich polymorph-pervers?«

»Prost«, sagte Karl und hob sein Retsina-Glas. »Nicht den Retsina vergessen, ist noch so viel von da!«

»Was ist denn jetzt polymorph-pervers?«

»Ist doch scheißegal, irgendwas mit Windeln und so.«

»Quatsch«, sagte Frank, obwohl er es auch nicht so genau wußte. »Irgendwas mit Freud.«

»Ihr seid doch bloß Wichser«, sagte Chrissie.

Der Mann brachte Gyros mit Krautsalat für Frank, Backkartoffeln für Chrissie und eine riesige Vorspeisenplatte für Karl.

»Können wir schon mal den Ouzo haben?« sagte Karl.

»Welchen Ouzo?« sagte der Mann.

»Den Ouzo, den es immer am Ende gibt, den Umsonst-Ouzo, können wir den jetzt schon mal haben?«

»Ouzo umsonst gibt es nur am Ende«, sagte der Mann. »Sonst ergibt das keinen Sinn, das hatten wir doch schon mal.«

»Aber und ob das Sinn macht. Wie soll man sowas essen, wenn man vorher keinen Ouzo trinkt?«

»Willst du Ouzo? Kein Problem.«

»Klar, drei Ouzos. Aber die Umsonst-Ouzos.«

»Bist du Student oder was?«

»Nein, okay, dann einfach drei Ouzos!«

»Drei Ouzos, kommt sofort.«

»Und wir brauchen noch mehr Retsina«, rief Karl ihm hinterher und schwenkte die noch halbvolle Kanne, daß es spritzte. Dann goß er ihnen wieder ein. »Du hast ja einen ganz schönen Zug drauf«, sagte er zu Chrissie, deren Glas leer war. »Nicht schlecht für dein Alter.«

»Haha!« sagte Chrissie. »Sehr witzig. Das ist außerdem Kiefernharz, was da in dem Retsina drin ist.«

»Und woher willst du das wissen?«

»Aus der Schule.«

»Was ist das denn für eine Schule? Die Alkoholiker-Oberschule, oder was?«

»Ich war auf der Hauswirtschaftsfachschule.«

»Was ist das denn für eine Hauswirtschaft, wo man sowas wissen muß?!«

»Ist doch egal, du hast doch sowieso keine Ahnung.«

»Naunynstraße«, sagte Frank, »da kenn ich einen, der wohnt da jetzt in einem besetzten Haus, der ist aber kein Hippie, der ist Punk.«

»Punks sind auch Hippies«, sagte Karl und stach mit der Gabel in verschiedene Vorspeisen hinein. »Hier, die Weinblätter müßt ihr mal probieren.« Dann begann er, wahllos alles in sich hineinzustopfen.

Frank nahm ein gefülltes Weinblatt von dem Vorspeisenteller und aß es auf.

»Und? Wie ist es?« sagte Karl.

»Weiß nicht«, sagte Frank. »Ist das ein besetztes Haus, wo die da drin sind in der Naunynstraße? Diese ArschArt-Leute?«

»Wie man's nimmt, egal, das sind doch alles Hippies.«

»Wenn das Punks sind, dann sind das doch keine Hippies«, sagte Chrissie.

»Da steht irgendwo ArschArt dran«, sagte Karl mit vollem Mund. »Die haben da auch so ein Transparent draußen.«

»Steht da irgendwas mit Oktopus drauf?«

»Was weiß ich denn, was da draufsteht, die schmieren ja immer alles voll, die Hippies, und Transparente hängen auch überall. Irgendwie eklig. Nehmt noch mehr von den Weinblättern, ich mag die nicht so gerne.«

»Wieso sind das Hippies, wenn das Punks sind?« blieb Chrissie hartnäckig und hielt dazu anklagend eine aufgespießte Kartoffel in die Luft. »Du redest doch nur Scheiße!«

»Das ist halt so, da kann ich mich jetzt nicht mit dir drüber streiten, Chrissie, ich muß das Zeug hier aufessen, bevor der mit dem Giuwetsi kommt. Nimm du auch mal so ein Weinblatt, du bist doch mehr so der vegetarische Typ!«

»Das wär natürlich der Hammer«, sagte Frank, »wenn Wolli im Hinterhaus wohnt, wo mein Bruder vorne die Werkstatt hat.«

»Jeder wohnt irgendwo im Hinterhaus, wo irgendeiner vorne die Werkstatt hat. Außer daß es meist umgekehrt ist«, sagte Karl, »ah, da kommt ja schon das Meisterwerk! Und heiß ist das!«

Der Wirt brachte eine dampfende Auflaufform und stellte sie vor Karls Teller ab. »Giuwetsi!« sagte er. »Und Ouzo!« Er öffnete seine rechte Faust über dem Tisch, und drei Ouzogläser landeten wackelnd neben dem Aschenbecher. »Daran hat er jahrelang geübt«, sagte Karl. Er fuhrwerkte mit der Gabel in einem großen Haufen Reisnudeln herum und zog darunter einige Fleischbrocken hervor. »Was für Genies denken sich bloß so ein Essen aus?!! Wollt ihr auch was?«

Frank verneinte, aber Chrissie sagte: »Ja logo!«

Sie hielt ihm den kleinen Teller hin, auf dem ihre Backkartoffeln gewesen waren, und Karl tat ihr ein Stück Fleisch und einige Nudeln drauf. »Die Nudeln sind gut«, sagte sie. »Ich will noch mehr von den Nudeln.«

»Hat dir dein Onkel Erwin nicht beigebracht, daß man ›möchte‹ sagt statt ›will‹?«

»Nein.«

»Das habe ich mir gedacht.« Karl schaufelte Chrissie so lange Reisnudeln auf den Teller, bis sie links und rechts herunterfielen. »Übrigens, von wegen ArschArt-Galerie: Die kannst du gleich alle kennenlernen, die sind auch alle in der Zone.«

»Was für eine Zone?«

»Was für eine Zone, was für eine Zone?! Die Zone, wo wir gleich noch hingehen, habe ich doch schon gesagt, die Zone, das kennt man doch!« Karl kippte einen Ouzo hinunter.

»Die Zone kennt doch jeder«, bestätigte Chrissie mit vollem Mund. »Überall kennen die Leute die Zone!«

»Heute abend ist da Weihnachtsmesse«, sagte Karl, ohne Chrissie zu beachten. »Da sind sie wieder alle da und machen ihren Kack! Das geht wahrscheinlich schon seit Stunden, und das geht auch noch Stunden weiter.«

»Weihnachtsmesse? Wir haben November!«

»Mit sowas kann man nicht früh genug anfangen, das ist irgend so ein Punk-Avantgardescheißkonzertkram, das heißt eigentlich Bettnässers Weihnachtsmesse, was weiß ich denn?!« sagte Karl und verteilte den letzten Rest Retsina auf die Gläser. »Retsina, wir brauchen Retsina«, rief er in den Raum. Aber niemand kam. »Bettnässers Weihnachtsmesse, mein Gott, diese ganzen Hippie-Avantgar-de-Arschlöcher sind doch froh, wenn ihnen überhaupt noch irgendwas als Motto einfällt für ihre Kacke.«

»Und die ArschArt-Galerie?« sagte Frank. »Was machen die Leute von der ArschArt-Galerie da, wenn das ein Konzert ist?«

»Das ist nicht einfach ein Konzert, das ist Bettnässers Weihnachtsmesse. Das ist wahrscheinlich wieder alles durcheinander, das lieben die da, H.R. veranstaltet das, der veranstaltet dauernd so einen Scheiß, außerdem haben die von der ArschArt-Galerie auch eine Rockgruppe, Dr. Votz, da spielt auch P. Immel mit, der Obermufti von denen, mein Gott, das ist ja schon widerlich, wenn man nur davon erzählt!« Karl strahlte über das ganze Gesicht und kippte den zweiten Ouzo hinunter. Frank nahm sich schnell den dritten und tat es ihm nach.

»Und wieso gehen wir dann da hin?« sagte Chrissie.

»Was willst du denn sonst machen, Chrissie? Fernseh-gucken? Einen Kuchen backen? Ein gutes Buch lesen?«

Der Wirt kam und brachte neuen Ouzo.

»Retsina, wir brauchen auch noch Retsina!«

»Das ist jetzt der Ouzo umsonst«, sagte der Wirt.

»Jetzt schon? Ich krieg doch noch Kalamares! Und Bif-teki Gemisto!«

»Kommt schon. Kommt alles.«

»Jedenfalls«, sagte Karl, während er dem Wirt die Ou-zos aus der Faust nahm, »immer schön vorsichtig«, sagte er dabei, »jedenfalls«, nahm er den anderen Faden wieder auf, »jedenfalls sind da alle! Und deshalb, liebe Chrissie, sind wir da auch, denn wo die Avantgarde ist, da wollen auch wir sein, und wenn wir da nicht wären, dann wäre da auch nicht die Avantgarde, und dann kann der liebe Frank auch gleich mal P. Immel und seine fiesen Freunde kennenlernen, und H.R. und die ganzen anderen Strolche, mein Gott«, wandte er sich direkt an Frank, »wenn ich du wäre, würde ich lieber einen Kuchen backen, ehrlich mal.« Er verteilte die Ouzos. »Runter damit, bevor die fritierten Vorhäute kommen!«

»Mein Gott, bist du eklig!« sagte Chrissie.

»Ja, du denkst, ich wäre eklig«, sagte Karl. »Aber wenn du erstmal P. Immel kennst, dann weißt du, was eklig ist.«

»Kenn ich schon lange«, sagte Chrissie und nahm sich noch was von den Nudeln. »Die sind super, dabei sehen die gar nicht aus wie Nudeln, die sehen ja aus wie …« Sie stutzte.

»Reis, Chrissie, die sehen aus wie Reis. Darum heißen sie ja auch Reisnudeln!«

»Arschloch.«

»Und ihr glaubt«, sagte Frank, »daß von denen einer weiß, wo Freddie ist?«

»Vielleicht ist Freddie ja auch schon da«, sagte Karl. »Wenn er in der Stadt ist, dann ist er normalerweise bei so einem Scheiß wie Bettnässers Weihnachtsmesse dabei, weil ja alle dabei sind. Obwohl, Freddie dann vielleicht gerade wieder nicht, was weiß ich, denn wenn alle dabei sind, dann kann es gut sein, daß Freddie deshalb gerade nicht dabei ist oder vielleicht gerade doch, schlimm, wer blickt da durch?! Aber ich glaube, er ist irgendwo in Westdeutschland, vielleicht wegen einem Galeristen oder so.«

»Glaube ich auch«, sagte Chrissie.

»Wieso glaubst du das auch?« sagte Frank. »Ich dachte, du kennst ihn kaum.«

»Natürlich kennt sie ihn kaum«, warf Karl ein.

»Wenn einer sein Zimmer so ordentlich macht wie dein Bruder«, sagte Chrissie, »dann ja wohl, weil er eine Weile weg sein wird, oder? Ich meine, normalerweise ist das doch in so einem Zimmer nicht so ordentlich, nicht mal bei Erwin.«

»Onkel Erwin!« rief Karl. »Soviel Zeit muß sein, Chrissie!« Er lachte. Der Wirt kam wieder, mit noch mehr Wein, fritierten Kalamaresringen und einem Hackfleischklumpen, den Karl sofort zerteilte, um Frank und Chrissie die Käsefüllung zu zeigen, während der Wirt allen noch mehr Retsina eingoß.

»Mir macht griechisches Essen immer Mut«, sagte Karl, als der Wirt außer Hörweite war. »Was für ein Mampf das ist, und was für ein weltweiter Erfolg trotzdem, ich meine, die sitzen überall auf der Welt und machen so einen Schweinkram zurecht, und die Leute essen das wirklich, das ist doch wunderbar!!« Er spießte ein paar Kalamaresringe auf seine Gabel und hielt sie nacheinander Frank und Chrissie hin, die beide mit dem Kopf schüttelten.

»Ich nehme lieber was von dem Klops da!« sagte Chrissie und hob sich eine Hälfte des Hackfleischklumpens auf ihren Kartoffelteller.

»Willst du vielleicht die andere Hälfte?« fragte Karl Frank. »Ich kann den Scheiß nicht leiden, weiß auch nicht, warum ich das immer bestelle!«

Aber Frank konnte nicht antworten. Er fühlte sich

plötzlich einsam, so einsam wie nie zuvor in den letzten Wochen, einsamer als nachdem Sibille ihm gesagt hatte, daß sie in einen anderen verliebt war, einsamer als nachdem Martin Klapp und Ralf Müller ihn aus der Wohnung im Ostertor geschmissen hatten, und sogar einsamer als im San-Bereich der Kaserne Vahr, wo man ihn als Pseudo-Selbstmörder von allen anderen isoliert und permanent beobachtet hatte. Die Ansage seines Bruders, er könne jederzeit zu ihm nach Berlin kommen und die ganze Scheiße hinter sich lassen, hatte ihn immer aufrecht und bei Laune gehalten, und jetzt dämmerte ihm langsam, daß sein Bruder wirklich nicht da war, und er fehlte ihm so sehr, daß er am liebsten geheult hätte.

»Was ist los? Stimmt was nicht?« Karl beugte sich vor und versuchte, Frank in die Augen zu blicken. »Ist irgendwas?«

»Nein, wieso?« Ich muß mich mehr zusammenreißen, dachte Frank, das merken die hier sofort, wenn man Schwäche zeigt, das kommt alles nur von dem scheiß Mandrax, dachte er, das spukt noch lange in einem herum, das kommt immer mal wieder durch. »Nee, ich hab nur gerade einen toten Punkt, ich bin heute morgen früh raus!«

»Ach so! Mokka!« rief Karl in die Tiefe des Lokals hinein. »Wir brauchen mal schnell drei so griechische Mokkas, Elleniki oder wie die heißen, du weißt schon, Costa!« Costa war nirgends zu sehen, aber das störte Karl nicht. »Elleniki, so heißen die doch, oder was? Oder war das der Salat?« redete er weiter in das leere Lokal hinein. »Heißt der Mokka Elleniki?« fragte er den alten Mann an der gegenüberliegenden Wand, aber der schaute nur weiter auf den Fernseher, in dem jetzt ein Karatefilm mit griechischen Untertiteln lief. »Was ist denn mit dem, ist der vielleicht schon tot«, sagte Karl leise. »Vielleicht haben sie den ausgestopft?!«

»Geht schon wieder«, sagte Frank. »Eilt nicht mit dem Mokka. Der Wein hier tut's auch.« Er kippte einen Ouzo runter und spülte mit einem großen Schluck Retsina nach.

»So ist's recht, der Scheiß muß ja weg, und in der Zone gibt's ja wieder nur Schultheiss in Dosen von Klaus, na das wird was, da sollte man gleich mal hingehen, bevor wir hier alle einpennen.«

»Ja«, sagte Frank, und er merkte plötzlich, daß er Karl ganz gern mochte. Aber vielleicht ist das auch nur, weil Freddie nicht da ist, dachte er, vielleicht hat man deshalb keine andere Wahl.

»Einer von den Ouzos war für mich«, sagte Chrissie.

»Ich dachte, du wolltest keinen.«

»Das war der Umsonst-Ouzo!«

»Ich dachte, du wolltest keinen.«

»Das war aber meiner!«

»Ja, aber ich dachte, du wolltest keinen!«

»Wollte ich auch nicht!«

»Na also!«

»Das war aber meiner. Hättest mich wenigstens fragen können.«

»Darf ich deinen Ouzo haben, Chrissie?«

»Hast du ja schon.«

»Soll ich dir einen bestellen?«

»Nein, will ich nicht.«

Karl seufzte. Sie schwiegen alle drei eine Weile. Dann sagte Karl:

»Wollen wir die Rechnung durch drei teilen? So machen die das immer in Griechenland. Das heißt sogar so: griechische Rechnung heißt das!«

Chrissie schnaubte.

»Schon gut«, sagte Karl und hob die Hände, »schon gut! Sollte nur ein Witz sein!«

# 6. SCHOCK

Der Weg zur Zone war nicht weit, nur die Straße, an der der Grieche lag, hinunter und unter der Hochbahn durch, dann waren sie auch schon bei der Zone. Karl lief so schnell voran, daß Frank und Chrissie Probleme hatten, mitzukommen.

»Renn doch nicht so, du Arsch«, rief Chrissie mehrmals, aber Karl lachte immer nur und rief, ohne sich umzudrehen: »Trödel doch nicht so, du kleine Nichte« in den Nachthimmel. Frank wunderte sich ein bißchen, daß Chrissie so hartnäckig versuchte, an Karl dranzubleiben, sie könnte doch auch alleine gehen, wenn sie ihn für einen Arsch hält, dachte er, oder mit mir, dachte er, obwohl, eigentlich kennen wir uns ja überhaupt nicht, dachte er, da wäre es komisch, wenn sie mit mir ginge, ohne daß Karl dabei wäre, obwohl, irgendwie scheint das auch egal zu sein, dachte er, hier kennt ja offensichtlich sowieso keiner keinen, dachte er, sie wissen ja nicht einmal, wo Freddie ist, obwohl sie alle seine Freunde sein wollen oder was, und vielleicht, dachte er, will sie ja wirklich eigentlich mit mir gehen und muß sich dann bloß deshalb so beeilen und Karl beschimpfen, weil ich an Karl dranbleiben will, was dann irgendwie ziemlich ungerecht wäre, dachte er, und dann rief Chrissie wieder »Renn doch nicht so, du Arsch«, und Karl lachte wieder und rief »Trödel doch nicht so, du kleine Nichte« in das Eisengeflecht der Hochbahnbrücke, und irgendwie, dachte Frank, ist dann ja auch mal alles scheißegal, und dann kamen sie auch schon vor der Zone an, aber Karl kümmerte sich nicht darum, er marschierte an dem Hofeingang, über dem groß das Wort »Zone« auf ein Bettlaken gesprüht war und in dem sich ein Haufen Leute drängelte, vorbei.

»Ich denk, wir gehen in die Zone«, schrie Chrissie, die vor dem Eingang stehengeblieben war, hinter ihnen her, »Karl, du Arsch, ich denke, wir gehen in die Zone!«

»Bin gleich wieder da, kleine Nichte!« rief Karl. »Das ist das Problem mit den Verwandten von Erwin«, sagte er zu Frank, der jetzt zu ihm aufgeschlossen war. »Die sind genau wie Erwin. Auf diese Weise hat man nie Feierabend irgendwie!«

Er betrat einen Döner-Imbiß und begrüßte den Besitzer mit Handschlag. »Gib mal erst mal eine Palette«, sagte er zu ihm.

Der Imbißmann nickte und reichte ihm eine Palette Dosenbier über den Tresen. Karl gab ihm Geld, und sie gingen wieder auf die Straße.

»Was willst du denn damit?« fragte Frank.

»Ist für Klaus«, sagte Karl. »Erklär ich dir später. Wo ist denn Chrissie jetzt schon wieder?«

Sie fanden sie nach kurzem Suchen in der Menge vor dem Eingang der Zone.

»Ist ausverkauft«, sagte Chrissie.

»War doch klar«, sagte Karl. Er ging voran und drängelte sich durch die Leute bis zum Einlaß, wo er die Türsteher mit »Hallo Jungs!« und »Nachschub für Klaus!« begrüßte, woraufhin sie ihn durchließen und, nachdem er »Die wollen auch zu Klaus, haha!« hinzugefügt hatte, auch Frank und Chrissie.

»Verdammtes Hippiepack«, sagte Karl, als sie durch waren und unter seiner Führung einen Innenhof durchquerten. »Die wollen und wollen das einfach nicht kapieren!«

»Was jetzt? Welches Hippiepack? Die Leute vom Einlaß?«

»Nein, die anderen, die da herumstehen und reinwollen. Was sind das für Leute? Was stehen die da rum? Worauf warten die? Sind die blöd?«

Er steuerte auf eine Tür zu, hinter der, das konnte man auch hier draußen gut hören, ordentlich laut Musik gemacht wurde. Karl öffnete sie, und sie standen vor einer Wand aus Menschen, die ihnen den Rücken zukehrte und auf Zehenspitzen stand.

»Und ob das ausverkauft ist!« brüllte Karl gegen die Musik an. »Wir müssen erstmal zu Klaus!«

Sie warfen sich in den Saal, und Chrissie verschwand gleich irgendwo im Gewühl. Frank blieb bei Karl, und der zeigte nach vorn und rief: »Schau mal, da spielen ja schon Dr. Votz!«

Frank schaute auf die Bühne. Da arbeiteten sich fünf oder sechs Musiker an der Musik ab, genau war das nicht zu erkennen, es ging da ziemlich drunter und drüber, vielleicht waren es auch nicht alles Musiker, einige spielten Instrumente, aber da war auch einer, der nur rechts am

Bühnenrand stand und mit beiden Armen in die Menge hineindirigierte, die ihn mit Bierdosen bewarf, während neben ihm der Sänger mit heruntergelassener Hose in sein Mikrofon brüllte.

»Welcher ist P. Immel?« fragte Frank.

»Der Sänger«, schrie Karl. »Gleich zeigt er seinen Genitalschmuck!«

»Seinen was?« schrie Frank.

»Seinen Pimmel-Ohrring. Er hat einen Ohrring im Pimmel, den zeigt er gleich, das macht er immer irgendwann!« schrie Karl.

In diesem Moment taumelte der Bassist von hinten gegen den Sänger, der dadurch fast von der Bühne fiel. Der Sänger drehte sich um und schlug den Bassisten mit der Faust ins Gesicht, der taumelte ein paar Schritte zurück und spielte dabei immer weiter auf seinem Baß herum. Der Mann am Bühnenrand dirigierte dazu im Bierdosenhagel die Menge oder ein unsichtbares Orchester oder was auch immer, und nur ab und zu traf ihn eine leere Dose oder ein Plastikfeuerzeug.

Karls Weg endete an einem Tisch, hinter dem ein kleiner, dünner Typ stand und Dosenbier verkaufte, und als Karl mit seiner Palette dazukam, rief der kleine, dünne Typ »Endlich!«, obwohl hinter ihm noch viele Paletten Dosenbier derselben Sorte aufgestapelt waren. Dann gab er Karl Geld und Karl schrie ihm irgendwas ins Ohr, und Frank schaute lieber wieder zur Bühne, wo sich das Programm nicht groß geändert hatte, die Band spielte ihre brüllend laute Musik, und der Typ am Bühnenrand dirigierte ins Leere und die Menge bewarf das alles mit leeren Bierdosen.

»Das ist Freddies Bruder«, brüllte Karl und klopfte Frank dabei auf die Schulter, »Frank, sag mal Hallo zu Klaus«, und Frank drehte sich um und sagte »Hallo« und schaute dann wieder zur Bühne, er konnte nicht anders, er mußte da immer wieder hingucken, es sah so grotesk aus, was da lief, und jetzt eskalierten die Dinge auch ein wenig, es flogen nun andere Dinge als nur leere Bierdosen, ein Schuh zum Beispiel, und langsam begann der Dirigent auf der Bühne auch richtig sauer zu werden, er hörte auf zu dirigieren und kickte wie wild die vielen auf der Bühne herumliegenden Bierdosen zurück ins Publikum, und dann nahm er den Mikrofonständer des Sängers und warf ihn hinterher, und der Sänger hörte daraufhin auf zu singen und schrie den Dirigenten an, woraufhin der von der Bühne sprang, den Mikrofonständer zwischen den Leuten aufsammelte, wieder hochwarf und dann zurück auf die Bühne stieg, was Frank sehr rätselhaft fand, warum hauen sie ihn nicht um, wenn sie ihn so hassen, fragte er sich, warum lassen sie ihn in Ruhe, wenn er unten ist, aber bewerfen ihn, wenn er oben steht, das ist doch widersinnig, dachte er, und er spielte mit dem Gedanken, ganz nach vorne zu gehen, um sich das mal alles etwas genauer anzusehen, als plötzlich Chrissie neben ihm stand.

»Das ist H.R.«, schrie sie in sein Ohr. »Das ist H.R.«, wiederholte sie, »das Arschloch da auf der Bühne.«

»Welches Arschloch?«

»Der da rumhampelt!« Chrissie drehte sich zu Karl und Klaus um. »Ich will mal ein Bier!« schrie sie.

»Zwei Mark«, brüllte Klaus.

»Du spinnst wohl!« schrie Chrissie zurück. »Gib mir ein Bier oder ich erzähl alles Erwin!«

Klaus zuckte mit den Schultern und warf ihr eine Bierdose zu.

Chrissie öffnete die Dose, nahm einen Schluck und schrie dann in Franks Ohr: »Der andere, der da singt, das ist P. Immel!«

»Ich weiß!«

Die Musik brach ab, nur der sturzbetrunkene Bassist hämmerte weiter auf seinem Instrument herum und torkelte dabei wieder nach vorne an den Bühnenrand. P. Immel gab ihm von hinten einen Tritt, und er fiel ins Publikum und verschwand. Der Dirigent versuchte, die Situation auszunutzen und dem Sänger den Mikrofonständer wieder wegzunehmen, aber der wollte ihn nicht hergeben, und so rangen die beiden unter dem Gejohle des Publikums, aber ohne Musikbegleitung miteinander herum, wobei P. Immel durch seine heruntergelassene Hose eindeutig im Nachteil war. Der Rest der Band mischte sich nicht ein.

Anders Chrissie: Sie nahm einen Schluck aus ihrer Bierdose, stieß ein Geheul aus und warf sie dann mit einer ungeahnten Wucht auf die Bühne, wo sie dem Dirigenten auf die Brust klatschte und dabei weißen Schaum verspritzte. Der Sänger lachte. Der Dirigent ließ von ihm ab, hob die Bierdose auf und schleuderte sie zurück ins Publikum, genau in Franks und Chrissies Richtung. Das Geschoß kam in hohem Bogen herangesegelt, so hoch, daß Frank sicher war, daß es über ihn hinweggehen würde, aber er duckte sich vorsichtshalber dennoch, im Feld darf man kein Risiko eingehen, erinnerte er sich der Worte eines Fahnenjunkers aus seinem früheren Leben, und tatsächlich, die Büchse senkte sich über ihm ziemlich schnell ab, und im Umdrehen konnte Frank gerade noch sehen, wie sie Klaus, der gerade ein Bier verkaufte, kurz über dem Auge an der Stirn traf, und zwar mit solcher Wucht, daß sich sofort eine Platzwunde auftat und ihm Blut über das Gesicht schoß, bevor er auch nur die Hand davortun oder gar schreien konnte.

Aber schreien tat er dann doch, und zwar ordentlich. Frank lief schnell zu ihm hin, ebenso Karl, während die Leute, die sich eben noch vor seinem Verkaufstisch gedrängelt hatten, weiträumig zurückwichen, wie um dafür zu sorgen, daß alle etwas sehen konnten.

Als Frank bei Klaus ankam, war Karl schon bei ihm und stützte ihn, denn Klaus war weiß wie die Wand, jedenfalls an den Teilen seines Gesichts, die nicht mit Blut bedeckt waren, und er taumelte hin und her. Die Band begann in diesem Moment wieder zu spielen.

»Schock«, rief Frank, sich seiner Hilfssanitäterausbildung erinnernd, »Schock!«

»Ja und?« rief Karl. »Was denn sonst!«

»Flachlagern, schocklagern, ansprechen, was zu trinken geben, nicht rauchen«, begann Frank die 20 Schockregeln aufzuzählen, bin wohl selber nicht ganz bei mir, dachte er zugleich, aber Karl hörte sowieso nicht zu, sondern nahm Klaus hoch und legte ihn sich über die Schultern.

»Der muß hier raus!« schrie er.

»Ich helf dir!«

»Nein«, schrie Karl. »Hilf nicht mir, hilf ihm!«

»Wie das denn jetzt?«

»Ich bring Klaus weg. Aber du mußt den Stand hier weitermachen, sonst klauen die Hippies das hier alles weg.«

»Aber …«

»Den Stand weitermachen. Zwei Mark die Dose!«

»Aber …«

»Zwei Mark die Dose!« wiederholte Karl und ging mit dem über seiner Schulter liegenden und dabei mit den Beinen strampelnden Klaus einfach weg. »Zwei Mark! Und paß auf, daß die Ärsche dich nicht beklauen.«

Und dann war er verschwunden, und Frank war an seinem neuen Arbeitsplatz allein.

Die Sache war nicht ganz so einfach, wie er zunächst dachte. Eine Dose Bier für zwei Mark, das kann nicht schwer sein, das kann jeder Depp, dachte Frank zunächst, aber noch bevor er das richtig zu Ende gedacht hatte, drängelten sich ganz schnell ganz viele Leute vor seinem Tisch und wollten Bier, gerade hatten sie noch etwas Abstand gehalten und Frank und Karl und Klaus und sein blutiges Drama begafft, doch kaum hatte sich die Menge hinter dem klausschleppenden Karl wieder geschlossen, brandete sie, so schien es Frank jedenfalls in seiner überreizten Wahrnehmung, auch schon bierverlangend gegen seinen Tisch an, und Wechselgeld, fiel ihm in dem Moment ein, in dem die ersten Leute ihm Zehnmarkscheine entgegenhielten, hatte er auch nicht, und an der angebrochenen

Palette auf dem Tisch begannen die ersten Leute herum-
zuzerren, man versuchte, ganz wie Karl es vorhergesehen
hatte, ihn bzw. Klaus oder wen auch immer zu beklauen,
also ging Frank erst einmal daran, sich Respekt zu ver-
schaffen, das geht nicht ohne Gewalt, dachte er und haute mit einer Bierdose einem Kerl, der an der Plastikhülle
seiner Dosenbierpalette herumzupfte, ordentlich was auf
die Finger. »Zwei Mark«, rief er dann und kassierte in
schneller Folge mit der rechten Hand mehrere ihm ent-
gegengestreckte Münzen ab und steckte Bierdosen, die er
mit der linken Hand aus der Palette zog, in die dazugehörigen Hände. Bald war die Palette auf dem Tisch alle, aber
hinter ihm an der Wand waren ja noch viel mehr solcher
Paletten, von denen er aber erst einmal nur eine an den
Tisch holte, sich gleich mehrere auf einmal hinzustellen
war ihm zu heikel, denn das war ihm schon klargeworden,
daß man wegen der Klauer immer eine Hand auf der Palette haben mußte. Der Verteidiger des Privateigentums,
dachte er, während er die Plastikfolie über den Bierdosen
der neuen Palette an einer Seite aufriß, wandelt hier auf
einem dünnen Eis, dachte er, und jetzt denke ich schon so,
wie Martin Klapp sonst immer redet, dachte er außerdem
und war allerdings, wie er erfreut feststellte, jetzt auch
schon locker in der Lage, den Leuten auf ihre Scheine
herauszugeben, er hatte schon die ganze rechte Hand voller Münzen und steckte davon erst einmal einen Teil in
die Hosentasche, nahm mit links Scheine entgegen, zählte mit rechts Münzen in Handteller und wurde dabei nervös, weil er jetzt keine Hand mehr auf der Palette hatte,
irgendwie war die Sache unübersichtlich, ihm war zuvor,

als Klaus noch hier gestanden hatte, nicht aufgefallen, daß so viel zu tun gewesen war, Klaus hatte ja noch Zeit gehabt, mit Karl zu quatschen und höchstens mal sporadisch eine Dose verkauft, wahrscheinlich ist bei Dr. Votz die Luft raus, dachte er, denn die Band spielte zwar noch, aber die Leute schienen sich nur noch fürs Saufen zu interessieren, vielleicht hat P. Immel die Hosen wieder hochgezogen, dachte Frank, oder endlich seinen Penis-Ohrring gezeigt oder was auch immer, dachte er und verkaufte und verkaufte, bis es ihm zu blöd wurde, sich ständig nach Nachschub umzudrehen, und er alle noch verbliebenen Bierdosenpaletten so neben sich auf dem Boden aufstapelte, daß er mit einem einzigen Handgriff eine neue Palette hochziehen und, die Hand im Plastiküberzug verkrallt, die Palette dabei so auf den Tisch schleudern konnte, daß sich dort, wo er sie festhielt, zugleich das Plastik öffnete, das macht die Sache eleganter und effektiver, fand er, und dann verkaufte und verkaufte er und dachte an gar nichts mehr, und tiefer Friede kam über ihn, er verkaufte wie in Trance und kam erst wieder zu sich, als längst eine andere Band als Dr. Votz spielte und es dadurch etwas ruhiger wurde und außerdem Chrissie auftauchte und ihn fragte, was er dort eigentlich mache und wo Klaus sei, und er ihr sagte, sie solle nicht die Ahnungslose spielen, sondern lieber fünfzig Mark nehmen und neues Bier vom Döner-Imbiß holen. Da fiel ihm überhaupt erst auf, wieviel Spaß ihm das machte, daß er noch nie so viel Spaß und Befriedigung bei einer Arbeit empfunden hatte wie hier, bei dieser vollkommen hirnlosen, idiotischen Bierdosenverklappung, wie er es in Gedanken nannte. Und auch als das Bier dann ganz alle und Chrissie noch nicht wieder zurück vom Döner-Imbiß war, und er also keine andere Wahl hatte, als herumzustehen und ein bißchen nachzudenken, konnte er sich das alles nicht erklären, aber das war ihm dann auch egal, Spaß ist Spaß, dachte er, man muß nicht alles erklären können, manchmal, dachte er in der fünfminütigen Zwangspause zwischen dem Verkauf der vorletzten Bierdose und dem Wiedererscheinen Chrissies, muß man die Dinge auch mal nehmen, wie sie kommen, jedenfalls die positiven, fügte er in Gedanken hinzu, auch mal positiv denken, sonst kommt man irgendwann drauf wie Wolli, dachte er, das ist wie mit dem Kudamm, dachte er, vielleicht ist er schlecht, aber vielleicht auch nicht, rauschte es ihm sinnfrei durch den erfrischend leeren Kopf, während er hinter seinem Tisch stand und die letzte Bierdose, die er für sich selbst zurückgehalten hatte, leerte und dazu eine Zigarette rauchte und sich die Band auf der Bühne anguckte, wenn das überhaupt eine Band war, denn soweit er es erkennen konnte, waren das wohl nur zwei Leute, und er war sich nicht sicher, ob man bei zwei Leuten überhaupt von einer Band sprechen konnte, und diese zwei Leute waren hinter irgendwelchen Synthesizern verschanzt und ließen sie fiepen und brummen und sonstwas. H.R., der Dirigent von Dr. Votz, der hier wohl eine Art Conférencier war, hatte sie eben gerade als »die wahre Weihnachtsmesse, weil die wahren Bettnässer« angekündigt, und nun also ließen sie es brummen und fiepen, und immer mehr Leute gingen raus oder kamen bei Frank an den Tisch und schauten ihn ratlos an, aber er achtete nicht darauf, sie konnten ja sehen, daß kein Bier mehr da war, was sollte er da mit ihnen reden, und oben kam nun noch eine Frau auf die Bühne und begann auf eine komische Weise und ohne richtigen Text zu singen, oder vielleicht ist das auch bloß eine ganz seltsame Sprache, dachte Frank, ohne daß es ihn besonders interessierte, die Musik, die da gegeben wurde, war seine Sache nicht, und dann kam endlich auch Chrissie wieder und hatte zwei Paletten Bier dabei, und das war auch höchste Zeit, denn die Leute liefen ja in Scharen aus dem Saal, vielleicht wegen der Musik, vielleicht aber auch, weil es kein Bier gab, und Frank wollte auf keinen Fall schuld daran sein, daß die drei da oben auf der Bühne bald kein Publikum mehr hatten, an mir soll es nicht liegen, dachte er, das werden die selber verantworten müssen.

Chrissie knallte die Bierdosen auf den Tisch. »Der Arsch wollte mir keinen Rabatt geben«, brüllte sie in Franks Ohr. »Eine Mark pro Dose!«

»Warum sollte er dir denn Rabatt geben?«

»Weil wir Wiederverkäufer sind!«

»Weil wir was sind?!« Die Punks werden auch immer komischer, dachte Frank.

Chrissie antwortete nicht, sondern schaute sich die Band an. Frank verkaufte die Bierdosen, und es dauerte keine zehn Minuten, bis auch sie alle verkauft waren bis auf zwei, die Frank für sich und Chrissie reserviert hatte.

»Was ist das denn für ein Scheiß?« brüllte Chrissie ihm ins Ohr, als er ihr die Dose reichte.

»Was?«

»Der Scheiß auf der Bühne da!«

»Das ist die Weihnachtsmesse. Oder die Bettnässer oder beides oder was weiß ich.«

»Woher weißt du denn sowas?«

»Das hat der Typ gesagt, H.R., der hat die angekündigt.«

»Ich kenn die Frau!«

»Ja. Aber wir haben kein Bier mehr, willst du nochmal los?«

»Ich kenn die Frau.«

Der Saal war jetzt fast ganz leer, und Frank entschied, daß es sich nicht mehr lohnen würde, noch mehr Bier zu besorgen. Das Synthesizergefiepe und -gebrumme ging ungerührt weiter, und auch die Frau sang noch aus vollem Halse, aber es hörte kaum noch einer zu.

»Die heißt Edith!« schrie Chrissie zu ihm rüber, aber Frank ging darauf nicht ein, er zählte die Pappunterlagen der von ihm verkauften Bierdosenpaletten, um herauszufinden, wie viele Bierdosen er insgesamt verkauft hatte.

»Ich kenn die!«

»Mal ehrlich«, sagte Frank, »wenn du findest, daß das Scheiß ist, was die machen, warum ist es dann wichtig, daß du die Frau kennst?«

»Ich kenn die«, wiederholte Chrissie nur, »ich weiß aber nicht mehr, woher.«

»Soso!« sagte Frank.

»Soso!« echote es hinter Frank. Es war Erwin. »Soso!« wiederholte er. »Was ist denn hier los?!«

»Was soll schon los sein«, rief Chrissie.

»Ist hier schon Feierabend?«

»Nein, die spielen doch noch!« rief Frank, aber genau

in diesem Moment brach die Musik ab, und die drei auf der Bühne gingen weg.

»Und wo ist dann Klaus? Wo ist das Bier? Wo ist mein Geld?«

»Phantastisch!« rief der Mann, der H.R. genannt wurde und jetzt auch dazukam. »Phantastisch. Wo ist Klaus! Wo ist das Bier! Wo ist mein Geld! Herrlich, Erwin!«

»Das wird man ja wohl noch fragen dürfen!« rief Erwin aufgebracht.

»Wer ist das denn?« sagte H.R. und zeigte auf Frank.

»Das ist Freddies Bruder!«

»Freddies Bruder?«

»Ja, Freddies Bruder.«

»Ah, ach so, ja stimmt, das sieht man ja auch, der sieht ja auch aus wie Freddie, phantastisch, das wird ja immer besser!«

»Das Bier ist verkauft und das Geld habe ich!« sagte Frank zu Erwin. »Jedenfalls von dem Teil, den ich verkauft habe.«

»Stop!« schrie H.R. »Kein Wort mehr. Alle ins Büro!«

»Wieso denn?« sagte Erwin.

»Weil ich das aufnehmen will!«

»Weil du was aufnehmen willst?«

»Euer Gespräch! Das ist phantastisch!«

»Ich tret dir gleich in den Arsch!« sagte Erwin.

»Phantastisch«, sagte H.R. »Ich liebe dich, Erwin.«

»Ich dich nicht!« sagte Erwin. »Ich scheiß langsam mal auf diese Kunstkacke!«

»Super, das können wir doch alles im Büro besprechen«, sagte H.R. »Karl ist auch schon da!«

»Was hat Karl denn damit zu tun? Und wo ist überhaupt Klaus jetzt?«

»Das ist …«, wollte Frank erklären, aber H.R. unterbrach ihn.

»Nichts sagen«, sagte er zu Frank. »Nichts sagen. Es soll eine Überraschung sein!«

»Leck mich, H.R., dann gehen wir halt ins Büro«, lenkte Erwin schlecht gelaunt ein.

»Moment«, sagte Frank und hob die Palettenböden auf.

»Was willst du denn damit?« fragte Erwin.

»Das ist meine Abrechnung«, sagte Frank.

## 7 · ABRECHNUNG

Als sie das Büro betraten, sahen sie als erstes Karls Hintern, sein Kopf steckte in einem Kühlschrank, und er schrie laut: »Immer dieses Scheißbier, das ist doch krank, krank ist das!«

Das Büro war nicht sehr groß, aber gerammelt voll mit Stühlen, Tischen, leeren Flaschen, Schränken, Kühlschränken, Kisten und Kästen und sonstigem Zeug, und an einer Stirnseite des Raumes lag jemand auf dem Boden und schnarchte die Wand an, Frank erkannte in ihm den Bassisten der Band Dr. Votz. Chrissie ging zu ihm hin und schaute ihn sich an. »Der arme Martin!« rief sie.

»Wußte gar nicht, daß du den kennst, Chrissie«, sagte Karl und kam mit rotem Kopf wieder hoch, »wenn das dein Onkel wüßte! Ah, da ist er ja, der Onkel! Und der neue Stern am Gastrohimmel ist auch da!«

»Ist mir doch scheißegal«, sagte Erwin, »das ist mir doch sowas von scheißegal, ich kann diese Onkelscheiße auch nicht mehr hören, Karl, der nächste, der Onkel sagt, fliegt raus!«

»Sag das gleich noch einmal«, rief H.R., der hier im Büro, im grellen Licht der Neonröhren, die von der Decke herunter alles kalt ausleuchteten, viel älter aussah, als Frank gedacht hatte. Er war jetzt dabei, einen Kassetten-

83

rekorder und ein Mikrofon auf dem Tisch aufzubauen, an dem Karl saß. »Ich muß irgendwo noch so ein Ding haben, noch so ein Mikro, mal sehen, mit zwei Mikros wäre es besser, dann wäre es stereo!«

»Was ist los, H.R., hast du mal wieder Kunstdrang?« sagte Karl und nahm das Mikrofon vor seinen Mund. »Kunst, Kunst, H.R., H.R., Kunst, Kunst«, sprach er hinein.

»Ich hab jetzt keine Zeit für so einen Scheiß«, sagte Erwin, »ich will jetzt abrechnen und nach Hause, ich hab für so einen Scheiß überhaupt keine Zeit, weiß gar nicht, warum ich mich auf diese Scheiße eingelassen habe, das bringt ja eh nix ein!«

»Weil du gierig bist«, sagte H.R. Er nahm Karl das Mikrofon weg und drückte beim Kassettenrekorder die beiden Tasten zum Aufnehmen. »Das war doch die Idee dabei.«

»Idee wobei? Seit wann hast du schon mal eine Idee gehabt, H.R.«

Frank ging zum Kühlschrank und nahm sich ein Dosenbier heraus.

»H.R. hat dir die Sache mit dem Bierdosenverkauf zugeschustert, weil das dann Kunst ist«, sagte Karl zu Erwin, wobei H.R. ihm das Mikrofon vor die Nase hielt. »Oder was H.R. dafür hält.«

»Wo ist denn überhaupt Klaus jetzt mal, und wo ist mein Geld?« sagte Erwin. »Der andere Scheiß interessiert mich nicht, ich will nach Hause, Helga schläft schon!«

»Verstehe ich nicht«, sagte H.R. in das Mikrofon.

»Helga schläft schon? Was hat denn Helga damit zu tun?«

»Helga ist schwanger, und wir sind jetzt die Obdachlosen von morgen!« sagte Karl und öffnete seine Bierdose. »Da hat Erwin jetzt nicht mehr so viel Sinn für Kunst.«

»Ach so«, sagte H.R. »Verstehe ich immer noch nicht. Egal, ich nenne es: Zwangsgemeinschaft 1: Der Schwabe und der Eierdieb.«

»Wer ist der Eierdieb?« sagte Erwin.

»Warum rede ich überhaupt«, sagte Karl. »Die Obdachlosen von morgen, H.R.! Du auch!«

»Klaus natürlich«, sagte H.R. »Klaus ist der Eierdieb.«

»Wieso das denn?«

»Was hast du für das Bier pro Dose in der Metro bezahlt?« fragte Karl.

»Siebenundvierzig«, sagte Erwin, »netto, dann kommt da noch Mehrwertsteuer drauf!«

»Also irgendwas um die fünfzig oder was?« sagte Karl.

»Etwas mehr, fast fünfundfünfzig.«

»Sagen wir mal fünfzig«, sagte Karl. »Und ihr verkauft für zwei Mark und macht mit dem Gewinn halbe-halbe, stimmt's?«

»Ja, was soll das, ist doch fair.«

»Fair wäre es, wenn du auch arbeiten würdest, Erwin, nicht nur Klaus.«

»Fair wäre es, wenn es kein Schultheiss wäre«, sagte Erwin, und Frank fand, daß das eine gute Antwort war, die hätte er Erwin gar nicht zugetraut. »Das hab ich mich schon die ganze Zeit gefragt, wieso das eigentlich unbedingt Schultheiss sein mußte!« fuhr Erwin fort und sah H.R. dabei vorwurfsvoll an.

»Wegen Schulti mit Sahne«, sagte H.R., der die ganze Zeit mit dem Mikrofon hin- und herfuchtelte. »Wenn alles getan ist und so.«

»Ich will auch mal ein Bier«, sagte Chrissie. Karl fummelte eins aus dem Kühlschrank und warf es ihr rüber.

»Fang!« rief er. Das Bier landete auf dem Boden, blieb aber heil.

»Arschloch«, rief Chrissie. Sie klaubte das Bier vom Boden auf und hielt es beim Öffnen so, daß das herausspritzende Bier auf Karl und den Kassettenrekorder niederging.

»Sau«, sagte Karl amüsiert, »du kleine Schwabensau, du!«

»Das war jedenfalls die Eierdiebidee«, sagte H.R.

»Was?« sagte Erwin gereizt. »Was war die Eierdiebidee?«

»Klassenkampf mal anders«, sagte H.R. und zündete sich eine Zigarette an. Er hielt sie zwischen kleinem Finger und Ringfinger der rechten Hand und bedeckte beim Rauchen sein Gesicht bis zu den Augen. Außerdem machte er schmatzende Geräusche, wenn er an der Zigarette saugte, und das tat er quasi unaufhörlich, er saugte daran wie ein hungriges Baby an der Flasche. »Das muß jetzt irgendwie mal Karl erklären«, stieß er mit viel Rauch hervor, »ich hab jetzt zu tun, ich rauche! Kann mal einer das Mikro nehmen und das alles aufnehmen?«

»Also«, sagte Karl. Er wischte mit der Hand etwas

Bierschaum vom Kassettenrekorder und schaute dann nach, ob der noch lief, er starrte durch das kleine Plastikfenster, hob ihn hoch und hielt ihn sich ans Ohr, »ihr teilt euch pro Dose einen Gewinn von einsfünfzig«, sagte er währenddessen, »das macht pro Nase fünfundsiebzig Pfennig. Und jetzt kommt der Eierdiebeffekt dazu, indem man Klaus, der ja nicht der Hellste ist, ich meine, nichts gegen Klaus, aber den tiefen Teller hat er ja nun wirklich nicht erfunden, erklärt, daß er, wenn er auf eigene Rechnung noch ein paar Biere für eine Mark beim Türken dazukauft, er bei diesen Bieren, die er dann ja mit dir, Onkel Erwin, nicht abrechnen muß, einen Gewinn von einer ganzen Mark für sich alleine hat, also pro Bierdose fünfundzwanzig Pfennig mehr verdient, als wenn er die von dir aus der Metro besorgten verkauft. Soweit mitgekommen?«

»Ja«, sagte Erwin. »Hatte mich schon gewundert, warum ich das von allen meinen Leuten ausgerechnet mit Klaus machen sollte. Hatte mich schon gewundert, daß du den so lieb hast, H.R.«

»Hab ich nicht«, murmelte H.R. in seine Zigarette hinein. »Ich habe Klaus nicht lieb, ich vergöttere ihn, das ist was völlig anderes!«

»Klaus ist der geborene Eierdieb«, sagte Karl. »Ich hab ihm vierundzwanzig Bierdosen vom Türken um die Ecke mitgebracht, das ergibt für ihn einen Extragewinn von, laß mich überlegen …« Er sah zur Zimmerdecke und legte die Stirn in Falten.

»Sechs Mark«, sagte Erwin.

»Genau«, rief Karl begeistert und breitete dazu die

Arme aus, »echt mal, sechs Mark! Wegen sechs Mark so ein Aufriß, tu dir das mal rein. Ich liebe Klaus!«

»Ich nicht«, sagte Erwin. »Ich bin da eher neutral, wenn es um Klaus geht! Außerdem sind sechs Mark eine Menge Geld. Und mich bringt er dabei um vierundzwanzig mal fünfundsiebzig Pfennig, das sind achtzehn Mark, tu dir das mal rein!«

»So weit, so gut«, sagte Karl und nahm die Arme wieder herunter. »Konnte ja keiner ahnen, daß es noch besser werden würde. Denn jetzt kommt Frankie ins Spiel.«

»Frank!« sagte Frank.

»Frank meinetwegen«, sagte Karl ungerührt. »Weil Klaus jetzt nämlich mit einer Platzwunde über dem rechten Auge ausgefallen ist, Onkel Erwin. Das ist das unbekannte, das chaotische, das menschliche Element darin.«

»Stark!« sagte H.R. »Das ist stark!«

»Nein, H.R., das ist nicht stark«, sagte Karl. Er knüllte seine leere Bierdose zusammen und warf sie auf den an der Wand schlafenden Martin. »Das ist Scheiße.«

»Das ist Kunst«, sagte H.R.

»Nein, das ist Scheiße.«

»Wieso hat Klaus eine Platzwunde?« fragte Erwin.

»Hat eine Bierdose an den Kopf bekommen. Aber eine volle!« sagte Karl. »Ich stand direkt daneben. Hätte auch mich treffen können. So ist das im Krieg, da fragt man sich ja eigentlich auch immer: Warum der Kamerad neben mir, warum nicht ich?!«

»Stark!« sagte H.R. »Nimmt das auch schön auf, das Ding?«

»Das nimmt auf!« bestätigte Karl. »Und wie!«

»Und wer hat die geworfen?« fragte Erwin.

»Sag ich nicht!« sagte Karl und drehte die Augen zur Decke. »Ich sag's nicht.«

»Wer denn?« sagte H.R.

»Du warst das, du Arsch!« sagte Chrissie, die neben Martin hockte und ihm über den Kopf streichelte.

»Echt? Stark!«

»Nein, H.R., das war auch nicht stark!« sagte Karl. »Das war auch Scheiße.«

»Stark!« sagte H.R. »Zwangsgemeinschaft 1: Der Schwabe und der Eierdieb. Und dann so: Zwangsgemeinschaft 2: Das war auch Scheiße! – Stark!«

»H.R.«, sagte Karl, »gib mal 'ne Zigarette und nimm dir selbst auch eine.«

»Gute Idee!«

H.R. schwieg und rauchte wieder auf seine komische Weise. Karl nahm sich eine neue Dose Bier aus dem Kühlschrank und fuhr dann fort: »Jedenfalls kam Frank ins Spiel und ist für Klaus eingesprungen.«

Jetzt schauten alle Frank an.

»War nicht meine Idee«, sagte Frank. »Aber meinetwegen können wir gerne abrechnen«, sagte er zu Erwin. »Aber vorher nochmal eine Frage an dich.« Er zeigte auf H.R.: »Weißt du zufällig, wo Freddie ist?«

»Was? Freddie?« murmelte H.R. hinter seiner Hand. »Ist er weg? Mir wär's recht!«

»Mir aber nicht«, sagte Frank. »Weißt du, wann du ihn das letzte Mal gesehen hast?«

»Hm, hm …« – H.R. wiegte sich schmatzend und rauchend hin und her, immer die Hand mit der Zigarette vor dem Gesicht. »Nö. Wollte der nicht nach Amerika?« murmelte er schließlich.

»Wohin?« fragte Frank, weil er glaubte, nicht richtig gehört zu haben.

»Nach Amerika!«

»Quatsch, nach New York«, warf Karl ein, »das ist doch was ganz anderes.«

»New York, lieber Herr Schmidt, liegt in Amerika. Man kann nicht nach Amerika fahren, ohne nach New York zu fahren. Nein, umgekehrt!« rief H.R., der plötzlich lebhaft wurde. Er sprang auf und wedelte mit seiner Zigarette in der Luft herum. »Umgekehrt! Verdammt nochmal!« Er setzte sich wieder. »Ich weiß das, ich hatte mal eine Professur für Mathematik in Mexiko-Stadt, jawohl!« Er griff nach dem Mikrofon und rief hinein: »Mexiko-Stadt, jawohl! Das war, weil ich ein sehr kompliziertes mathematisches Problem einmal in einer einzigen Nacht auf LSD …«

»Ja, ja, H.R.«, unterbrach ihn Erwin, »das kannst du alles mal deinem Friseur erzählen.«

»Wieso New York?!« sagte Frank. »Davon hat er gar nichts erzählt, daß er da hinwill, als er in Bremen war.«

»Da bist du aber der einzige, dem er davon nichts erzählt hat«, sagte Erwin. »Bei Freddie ging's doch schon seit Monaten um nichts anderes mehr, New York, New York, das war ihm doch alles schon lange nicht mehr gut genug hier.«

»Vielleicht ist er ja schon da!« schlug H.R. vor. »Ist ja auch so viel interessanter, was Freddie macht, ja?! Dabei war das nämlich damals so, daß ich bei einem Freund in Mexiko-Stadt übernachtet …«

»Können wir jetzt mal abrechnen?« sagte Erwin zu Frank. »Er wird schon auftauchen, mach dir mal keine Sorgen, Freddie ist immer mal hier, mal da, der taucht bald schon wieder auf. Ist doch auch egal, kannst ja auch so erstmal bei uns wohnen bleiben!«

»Wohnt der bei uns?!« sagte H.R. »Scheiße, Mann, wenn Freddie wiederkommt, dann haben wir die gleich zweimal, der sieht doch genauso aus wie Freddie, da kommt man doch total durcheinander!«

»Man spricht nicht über Anwesende in der dritten Person«, sagte Frank. »Und was heißt überhaupt H.R.?«

»Sagt ihr es ihm!« sagte H.R. und lehnte sich in seinem Stuhl weit zurück. »Ich bin es leid, das immer wieder erklären zu müssen, das ist ja wie im Interview hier!«

»Am Arsch«, sagte Erwin.

»Ja«, sagte Frank, »egal, laß uns abrechnen.« Er setzte sich an den Tisch und zog die darauf abgelegten Palettenböden zu sich heran. »Dies ist der Bestand gewesen, als ich den Kram übernommen habe«, sagte er zu Erwin. »Das sind vierzehn Paletten à vierundzwanzig Bierdosen gewesen plus eine mit sechzehn, da fehlten schon acht. Was vorher verkauft wurde, hat Klaus, ich habe kein Wechselgeld und auch sonst nichts übernommen.«

»Das sind aber siebzehn Paletten und nicht fünfzehn«, bemerkte Erwin.

»Ja, dazu kommen wir gleich, ich habe nämlich noch zwei dazugekauft, als der Scheiß alle war.«

»Ich hatte zwanzig in der Metro gekauft, dann müßten ja draußen noch fünf Palettenböden liegen«, sagte Erwin.

»Eher sechs, denn Karl hatte für Klaus ja auch noch eine Palette gekauft«, gab Frank zu bedenken.

»Eierdieb!« rief H.R. und riß dazu eine Faust hoch. »Eierdieb!«

»Ich geh die mal nachzählen oder suchen oder was …« sagte Erwin.

»Nein«, sagte Frank, »das brauchst du nicht. Ich weiß auch nicht, ob und wo Klaus die aufbewahrt hat, oder ob die da schon aufräumen oder was.«

»Die Putze kommt erst morgen früh«, warf H.R. ein.

»Ich geh mal gucken.«

»Nein«, sagte Frank. »Machst du nicht.«

»Wieso nicht?«

»Weil ich das als Beleidigung auffassen würde. Ich hab dir vorhin Geld gegeben wegen der Miete und so weiter, und da habe ich mir auch nicht irgendwelche Beweise zeigen lassen. Und wenn ich dir sage, daß das der Bestand gewesen ist, dann ist das der Bestand gewesen.«

»Okay«, sagte Erwin.

»Also«, fuhr Frank fort, »dann dreihundertsechsunddreißig plus sechzehn plus achtundvierzig sind insgesamt vierhundert Bierdosen, davon haben wir vier selbst getrunken, das sind dann dreihundertsechsundneunzig Bierdosen mal zwei Mark sind siebenhundertzweiundneunzig Mark Umsatz. Und jetzt die Gewinnermittlung!«

»Wieso Gewinnermittlung?« sagte Erwin.

»Weil wir den Gewinn fifty-fifty teilen werden«, sagte Frank. »Oder nicht?«

Der Bassist von Dr. Votz hustete, schnaubte und wälzte

sich hin und her. »Ruhig, Martin«, sagte Chrissie, »bleib erstmal liegen.«

Martin setzte sich auf und blickte sich um. Dann lehnte er seinen Oberkörper gegen die Wand und schlief wieder ein.

»So ist es gut«, sagte Chrissie.

»Da bin ich mir nicht sicher, ob das wirklich gut ist, Chrissie«, sagte Karl, aber Chrissie beachtete ihn gar nicht.

Es entstand eine kurze Gesprächspause. Dann sagte Erwin: »Okay.«

»Genau«, sagte Frank, der sich selbst darüber wunderte, daß er hier so forsch auftrat und damit auch noch durchkam. »Also: siebenhundertzweiundneunzig Mark Umsatz. Du hast dreihundertzweiundfünfzig Bierdosen für siebenundvierzig Pfennig gekauft ...«

»Plus Mehrwertsteuer!« rief Erwin.

»Ja, aber du hast doch Kneipen, oder nicht?«

»Du hast Kneipen, du hast Kneipen«, äffte Erwin ihn nach. »Wie das schon klingt. Als wenn man Millionär wäre oder was ...!«

»Ist doch egal, aber wenn du Kneipen besitzt ...«

»Kneipen besitzt man nicht, die betreibt man.«

»Okay, jedenfalls kannst du da die Rechnung zu den Betriebskosten dazutun und dann kriegst du die Mehrwertsteuer doch wieder.«

»Hast du eine Ahnung, Kerle! Ich tu doch keine Metrorechnung in die Buchführung, wo dann Schultheissdosen drauf sind, die lachen mich doch aus beim Finanzamt, die reißen mir doch den Arsch auf ...«

»Okay, also plus dreizehn Prozent, das sind dann unge-fähr zweiundfünfzig Pfennig ...«

»Dreiundfünfzig!« rief Erwin.

»Okay, dreiundfünfzig Pfennig, mir doch scheißegal, das sind dann dreihundertzweiundfünfzig mal dreiund-fünfzig Pfennig, das sind dann ... – hat mal einer einen Kugelschreiber?«

Weder Karl noch H.R. reagierten auf diese Frage, Karl war damit beschäftigt, von H.R. eine Zigarette entgegen-zunehmen, und H.R. sagte dabei zu Karl: »Das wird dir guttun!«

»Und eine Zigarette«, sagte Frank, »das wäre auch nett, wenn ich eine Zigarette kriegen könnte. Und einen Kugelschreiber!«

»Kugelschreiber«, sagte H.R. versonnen, »muß ir-gendwo sein!«

Erwin seufzte und zog aus seiner Jacke einen Kugel-schreiber, reichte Frank darüber hinaus auch noch eine Zigarette und gab ihm Feuer. Frank begann, das Betriebs-ergebnis auszurechnen.

»Das wäre dann von dir eine Einlage in die Kasse von einhundertsechsundachtzig Mark und sechsundfünfzig Pfennigen gewesen«, sagte Frank. »Dann bringen wir die in Abzug und dann ...«

»Moment mal!« rief Erwin aufgeregt. »Und was ist mit dem Geld, das du für die Dosen vom Türken ausgegeben hast?«

»Das ist ja keine persönliche Einlage von dir, das habe ich ja aus der Kasse genommen, das bringe ich auch in Abzug, aber nicht allein dir zugunsten wie eine Einlage, sondern das schmälert dann nur den Gewinn, mal abwarten!«

»Genau, Erwin«, rief H.R., »mal abwarten! Zwangsgemeinschaft 3: Der kleine Bruder sagt: Mal abwarten! Vielleicht sollte man das auch alles noch in Öl malen!«

»Also«, ließ Frank sich nicht ablenken, »das sind dann siebenhundertzweiundneunzig Mark Umsatz minus einhundertsechsundachtzig Mark sechsundfünfzig minus achtundvierzig für die beiden Extrapaletten, da bleiben dann fünfhundertsiebenundfünfzig Mark und vierundvierzig Pfennig Gewinn, das sind durch zwei …«

»Moment«, warf H.R. ein, »Moment! Da waren hundert Mark Miete für mich vereinbart, hundert Mark Miete für die Zone.«

»Was jetzt, für die Zone oder für dich?« fragte Frank.

»Und was ist mit dem Geld für die anderen fünf Paletten? Wo ist Klaus jetzt überhaupt«, sagte Erwin.

»Urbankrankenhaus«, sagte Karl, »Mann, hat der geblutet!«

»Liegt der da jetzt? Haben die den dabehalten oder was?« fragte Erwin.

»Keine Ahnung, ich bin ja nicht dabeigeblieben, er wollte ja nicht, daß ich mit ihm da zusammen warte, was weiß ich denn, behalten die einen wegen sowas da?«

»Quatsch, wegen sowas doch nicht. Dann ist er ja gar nicht im Urbankrankenhaus, du Vogel! Was redest du denn?«

»Stimmt«, sagte Karl zufrieden und ging an den Kühlschrank. »Ich hab überhaupt keine Ahnung! Will noch einer ein Schultheiss?«

»Und ich?« Chrissie stand auf und hob einen Finger wie in der Schule. »Ich hab das Bier geholt, zwei Paletten, das war schwer, da will ich auch einen Anteil haben.«

»Moment, der Reihe nach«, sagte Frank und wiederholte seine Frage an H.R.: »Ist die Miete denn jetzt für die Zone oder für dich?«

»Das ist doch das gleiche, mein Gott, das ist wirklich Freddies Bruder, mal ehrlich, was ist das denn für eine bescheuerte Frage?!«

»Wenn das das gleiche ist, dann würde ich die hundert Mark lieber Klaus geben«, sagte Frank. »Als Schmerzensgeld. Ich meine, du hast ihm eine Bierdose an den Kopf geworfen.«

»Das krieg ich doch nie, das Geld für die anderen Paletten, vom Gewinn da mal ganz abgesehen, das ist doch alles Scheiße. Ich meine: Klaus!« sagte Erwin. »Das kann man doch vergessen! Klaus!«

»Was kann ich dafür, wenn der da rumsteht?!« sagte H.R. »Das ist doch klar, daß da mal so eine Büchse durch die Gegend fliegt, das ist doch ganz normaler Alltag!«

»Ihr seid doch alles totale Arschlöcher!« rief Chrissie. »Wehe, ich krieg nichts ab!«

»Ha«, sagte Karl amüsiert, »dann krieg ich auch noch was, wenn die schwäbische Brunhilde was kriegt. Dann krieg ich auch noch was! Ich hab Klaus immerhin auch eine Palette vom Türken gebracht!«

»Das mußt du dann aber mit Klaus ausmachen«, sagte Frank. »Außerdem habt ihr das doch wegen der Kunst gemacht, wegen dem Eierdieb, das ist was anderes, Chrissie hat immerhin achtundvierzig Dosen besorgt, die haben noch einmal achtundvierzig Mark Gewinn ermöglicht, da sollte man ihr vielleicht zwanzig Mark geben, finde ich.«

»Man spricht nicht über Anwesende in der dritten Person«, äffte Chrissie ihn nach. »Ihr seid doch alles totale Wichsermacker. Gib mir das Geld mal lieber gleich, bevor ihr euch das wieder anders überlegt.«

»Was soll die denn mit dem scheiß Geld«, sagte Erwin gallig, »die kauft sich davon doch sowieso nur Barbiepuppen.«

»Leck mich, Erwin«, sagte Chrissie.

»So möchte ich auch mal Onkel sein«, sagte Karl.

»Hört mal, Leute, wir können uns doch einigen«, sagte H.R. »Schließlich wohnen wir zusammen«, rief er in sein Mikrofon. »Mein Gott, ist das alles stark, wenn das alles auf der Kassette drauf ist …«

»Müßte die nicht mittlerweile voll sein? Muß man die nicht mal umdrehen?« sagte Karl.

»Das macht dann also siebenhundertzweiundneunzig Mark Umsatz minus einhundertsechsundachtzig Mark sechsundfünfzig minus achtundvierzig minus zwanzig wegen Chrissie und minus hundert wegen Schmerzensgeld, da bleiben dann vierhundertsiebenunddreißig Mark und vierundvierzig Pfennig Gewinn, durch zwei, das sind dann zweihundertachtzehn Mark zweiundsiebzig pro Nase, immerhin.«

»Immerhin, immerhin«, schnaubte Erwin. »Immerhin am Arsch!«

»Ich kann das Geld gut gebrauchen«, sagte Frank und wunderte sich darüber, wie einfach das alles ging. »Du kriegst dann zweihundertachtzehn Mark zweiundsieb-

zig plus einhundertsechsundachtzig Mark sechsundfünfzig«, sagte er zu Erwin und reichte Chrissie zugleich einen Zwanzigmarkschein. »Aber wer nimmt das Schmerzensgeld für Klaus?«

»Schmerzensgeld, so ein Quatsch!« sagte H.R. »Klaus
ist eine schmerzfreie Daseinsform, das weiß doch jeder!«

»Du hast den voll am Auge getroffen!« sagte Karl. »Der
hat mir meine ganzen Klamotten vollgeblutet, wie ich den
getragen hab. Ich mußte mich erstmal umziehen!«

»Das nehm ich, das Geld für Klaus«, sagte Erwin.
»Den anderen kannst du das nicht geben, die kaufen da
bloß Drogen von. Ich geb's ihm, oder besser noch, ich
verrechne es mit dem, was er mir noch schuldet, ich muß
mir das erstmal ausrechnen, das sind über fünf Paletten,
das sind hundertzwanzig Dosen oder was, dann ist das
schon mal ein Abschlag …«

»Erwin ist ein Heiliger, wie es keinen zweiten gibt!«
sagte Karl. »Wenn Erwin was Gutes tun kann, dann
macht er das. Gerade auch wegen Klaus. Und Drogen, da
weiß er nix von!«

»Ich geb dir mal dein Geld«, sagte Frank zu Erwin,
»die hundert für Klaus auch, das sind dann fünfhundert-
fünf Mark achtundzwanzig.« Er fummelte einen Batzen
Scheine und einige Münzen aus seiner Hosentasche und
zählte Erwin fünfhundertsechs Mark auf den Tisch.

»Na, Erwin, was sagst du?!« rief Karl. »Da hab ich dir
ja wohl einen guten Mann besorgt.«

In diesem Moment ging die Tür auf, und die Frau,
die bei der letzten Gruppe gesungen hatte und von der
Chrissie behauptete, sie hieße Edith, stand vor ihnen. Sie

hielt sich mit beiden Händen am Türrahmen fest und rief laut: »H.R., ich muß mal mit dir reden!«

H.R. seufzte, stand auf, ging wortlos hinaus und schloß die Tür hinter sich und der Frau.

»Und die heißt Edith, ja?« sagte Frank.

»Kennst du die auch schon? Woher das denn? Von Freddie?« sagte Karl.

»Nein, Chrissie hat das gesagt«, sagte Frank.

»Jetzt weiß ich auch wieder, woher ich die kenne, die war doch mit Freddie zusammen«, sagte Chrissie. »Bis neulich!«

»Chrissie, du kleines Nichtenluder, was du alles schon wieder weißt …!« Karl schüttelte den Kopf. »Als wenn's in der Bunten stehen würde!«

»Bis wann denn?« sagte Frank.

»Bis neulich«, sagte Chrissie. »Sag ich doch. Bis neulich.«

»Was war denn neulich?«

»Seit neulich«, sagte Karl, »ist sie mit H.R. zusammen.«

»Warum das denn?«

»Hör mal, das ist aber mal 'ne Frage: Warum das denn?! Das sind Liebesdinge, da gibt es kein Warum, da gibt es nur Herzensentscheidungen, die kann man nicht so begründen.« Er lachte, verschluckte sich dabei am Rauch seiner Zigarette und hustete. »Ich muß mal eben aufs Klo, Leute!« Er stand auf und verschwand.

»Ist okay wegen dem Geld«, sagte Erwin.

»Was meinst du damit, okay?« sagte Frank. »Natürlich ist das okay!«

»Ja, schon klar. Bist du eigentlich zu Besuch in Berlin, oder willst du länger bleiben? Ich brauch immer mal Leute für die Kneipen, die sind ja alle wie Hühner bei Gewitter, kaum daß man einen einstellt, sind zwei andere wieder weg!«

»Ich weiß noch nicht«, sagte Frank, »endgültig kann ich das erst entscheiden, wenn ich Freddie gefunden habe.«

»Wieso, was hat denn Freddie damit zu tun? Sowas kann man doch nicht von seinem großen Bruder abhängig machen!«

»Ich habe nicht gesagt, daß ich es von ihm abhängig mache«, sagte Frank verärgert. »Ich habe gesagt, daß ich es dann entscheide, wenn ich ihn gefunden habe, das ist was anderes.«

»Aha …« Erwin zählte sein Geld noch einmal nach. »Du kriegst auch noch zweiundsiebzig Pfennig von mir.«

»Kannst du behalten!«

»Na gut«, sagte Erwin und steckte das Geld sorgfältig zusammengerollt in seine Hosentasche. »Ich geh jetzt mal. Kommst du mit, Chrissie?«

»Nee«, sagte Chrissie.

»Was willst du denn hier noch?«

»Ich bleib bei Martin!«

»Das kann aber dauern.«

»Was geht's dich an, Kerle?!«

»Nix. Gott sei Dank! Bis denn.«

Und damit ging Erwin.

Dann passierte längere Zeit nichts. Karl kam nicht wieder, H.R. kam nicht wieder, Martin, der Dr.-Votz-Bassist, schnarchte leise vor sich hin, und Chrissie saß daneben und nuckelte noch immer an derselben Bierdose. Das waren lange Minuten, die sie so dasaßen, und Frank hätte gern mit Chrissie ein Gespräch angefangen, aber er traute sich nicht, also schwiegen sie sich an, und Frank fragte sich schon, ob es nicht besser wäre, einfach aufzustehen und nach Hause zu gehen, als endlich Karl wiederkam.

»Leute, ich sag euch!« rief er, als er die Tür schwungvoll aufriß und ins Büro stiefelte, »Leute, ihr habt ja keine Ahnung, wie das ist!«

»Was?« sagte Frank. »Wie was ist?«

»Waschzwang. Ich glaube, ich habe irgendwie so einen Waschzwang«, sagte Karl und hob wie zum Beweis seine Hände. »Ich mußte die Dinger eben dauernd waschen. Bin gar nicht mehr rausgekommen aus dem Klo, das ist ganz klar Waschzwang, ich finde, die kleben sogar jetzt noch, da klebt immer noch Klaus' Blut dran, habe ich das Gefühl, obwohl ich die vorhin schon einmal und jetzt noch einmal gewaschen habe, und lange, ich mußte mich richtig losreißen von dem blöden Waschbecken, das war auch total versifft, kein Wunder, wenn die Hände einem da nicht richtig sauber werden, das mußte ich auch erstmal saubermachen, das scheiß Waschbecken, widerlich!« Er hielt die Hände an seine Nase und schnüffelte dran. »Und was jetzt?« sagte er dann.

»Weiß nicht«, sagte Frank.

»Was hast du denn so vor, Chrissie?« sagte Karl.

Chrissie antwortete nicht, sie strich lieber dem schlafenden Bassisten über den Kopf.

»Also entweder ich geh nochmal zurück und wasch mir

nochmal die Hände, oder wir gehen jetzt ganz schnell mal weiter«, sagte Karl.

»Und er?!« rief Chrissie und stand auf. »Was ist mit ihm?« Sie zeigte mit dem Fuß auf den schlafenden Bassisten. »Was ist mit Martin?«

»Was soll mit dem schon sein, Chrissie?! Was glaubst du wohl?«

»Wieso jetzt?« sagte Chrissie.

»Was ist mit einem, der besoffen ist und schläft? Ich sag's dir, Chrissie: So einer ist besoffen und schläft. Und dann läßt man ihn schlafen, und irgendwann wacht er dann ganz von alleine auf und hat Kopfschmerzen und Durst. Das ist ganz normal, dahinter stehen Naturgesetze, Chrissie, gegen die kann man nichts machen!«

»Ich will aber nicht, daß er hier liegen muß. Die schließen hier nachher ab oder was, und dann schmeißen die ihn raus in den Gulli oder was?«

»Das wäre eine Möglichkeit!«

»Das ist doch total kalt nachts draußen. Oder er wird hier eingeschlossen, das ist doch auch irgendwie fies. Oder diese Einlaßtypen von H.R. ... – das sind doch Schweine!«

»Was schlägst du vor, Chrissie? Oh Mann, ich glaube, ich kann's erraten.«

»Wir nehmen ihn mit«, sagte Chrissie. »Wir können ihn doch nach Hause bringen, das ist doch nicht weit, der wohnt doch in der Naunynstraße.«

»Und wie sieht das praktisch aus, wenn wir ihn mitnehmen, Chrissie? Ich nehme den linken Arm, du den rechten Arm, und Frankie hier geht voraus und hält ihn an den Beinen, oder was?«

»Frank!« sagte Frank.

»Mir doch egal, dann nehm ich ihn eben alleine!« sagte Chrissie und machte sich daran, Martin aufzuwecken. »Aufwachen, aufwachen!« sagte sie leise und klopfte ihm auf die Wange und strubbelte sein Haar, aber Martin schnarchte weiter, auch als sie ihm unter die Achseln faßte und versuchte, ihn hochzuzerren, was sehr rührend aussah, klein und dünn wie sie war, und sie schaffte es auch nur, ihn an der Wand, gegen die er lehnte, ein wenig hin- und herzuschubbern, was ihn in seinem Schlaf nicht weiter störte.

»Das kann man ja nicht mit ansehen«, sagte Karl. Er ging hinüber, bückte sich und zerrte nun seinerseits an Martin herum. »Der wird mich vollkotzen, der wird mich im wahrsten Sinne des Wortes ankotzen, ich schwör's euch!« Er versuchte, Martin irgendwie auf die Schulter zu kriegen, aber der Dr.-Votz-Bassist war sehr elastisch in seinem Rausch und auch an seiner Kleidung nicht leicht zu packen, und so rutschte er immer wieder auf den Boden, bis Frank schließlich zu Hilfe eilte und sie ihn gemeinsam auf Karls Schulter wuchteten.

»Erst Klaus mit seinem Scheißblut und jetzt Bosbach als Punkleiche«, sagte Karl, »der wird mich vollkotzen, ich sag's euch! Keine Ahnung, warum ich mir das antue, Chrissie, du Barbiepuppenpunkerin!«

»Ich kann ihn auch nehmen«, sagte Frank, »ich hab das mal gelernt.«

»Wo lernt man denn so einen Scheiß? Auf der Punktrageschule?« Karl lachte.

»Vielleicht sollte man dann mal gehen«, sagte Frank.

»Der wird mich vollkotzen, ich sag's euch!« sagte Karl.

»Ist ja nicht weit«, sagte Chrissie.

»Der wird mich vollkotzen«, sagte Karl.

»Entweder du gibst ihn jetzt mir«, sagte Frank, »oder du siehst die Sache mal etwas optimistischer!«

»Okay«, sagte Karl. »Dann nimm du ihn. Optimistischer kann ich nicht!«

Frank ließ sich Martin von Karl auf die Schulter laden.

»So sieht das also aus, wenn einer das gelernt hat, ja!« sagte Karl, als das getan war. »Sieht genauso aus wie bei mir. Ich bin ein Naturtalent, wie's scheint.«

»Können wir jetzt mal gehen?!« sagte Chrissie.

»Willst du ihn lieber tragen, Chrissie?« sagte Karl.

»Was willst du denn, du trägst ihn ja nicht«, sagte Chrissie. »Er trägt ihn ja«, sagte sie und zeigte auf Frank.

Frank wunderte sich unterdessen, wie leicht Martin war, er war wohl viel dünner, als es in seiner Lederjacke den Anschein gehabt hatte. »Okay, gehen wir«, sagte er, »ihr müßt mir aber zeigen, wo's langgeht!«

»Das«, sagte Karl und klatschte mit der Hand auf Martins Hintern, »ist sowieso meine Lieblingsbeschäftigung!«

## 8. JUNGE, KOMM BALD WIEDER

Nach einiger Zeit wurde Frank der betrunkene Baßspieler dann doch etwas schwer, und er wechselte ihn auf dem Weg zur Naunynstraße mehrmals mit Karls Hilfe von der linken auf die rechte Schulter und umgekehrt, bis er ihn schließlich in den ihm von seiner Grundausbildung her noch vertrauten Gamstragegriff nahm, das war am bequemsten, und er hatte sogar noch eine Hand frei dabei, aber es sah sicher komisch aus, weil sich Martin dabei um Franks Hals schmiegte »wie eine Punkstola«, wie Karl es nannte, der sich darüber gar nicht mehr einkriegte, sondern sich, neben Frank hergehend, vor Lachen krümmte und immer wieder »Punkstola, Punkstola« sagte, bis es Chrissie, die hinter ihnen ging und dabei stets einen gewissen Abstand hielt, zuviel wurde und sie ihn zur Ordnung rief mit den Worten, nur Vollidioten würden sich über ihre eigenen Witze beölen, statt dessen könne Karl doch Frank lieber mal ablösen, was Karl Frank dann auch sofort anbot, »Ich nehm den jetzt auch mal«, sagte er, obwohl Frank ihm versicherte, es sei alles in Ordnung, das sähe jetzt zwar blöd aus, aber so trüge sich der Dr.-Votz-Bassist eigentlich ganz einfach und bequem, aber das ließ Karl nicht gelten, »Ich will auch mal 'ne Punkstola«, sagte er und mußte wieder lachen, und alles, worüber sich

Frank noch wunderte, war, wie wenig Aufsehen sie dabei auf der Straße erregten, die Leute, von denen in dieser kalten Mittwochnacht erstaunlich viele auf der Straße unterwegs waren, liefen zuhauf an ihnen vorbei, ohne sie besonders zu beachten, und das gefiel ihm irgendwie, vielleicht kommt das hier ja öfter vor, als man denkt, dachte er, während Karl »Nun gib schon her«, sagte und Frank sich umdrehte und seine Last in Karls Arme gleiten ließ. Karl stand einen Moment lang nur so da und hielt Martin wie ein Baby vor der Brust und betrachtete dessen unruhig hin- und herpendelnden Kopf und sagte: »Mann, was der sich zusammenschnarcht«, und dann warf er ihn sich mit einem schnellen Schwung über die Schulter, woraufhin Martin mit dem Schnarchen aufhörte und zu husten begann, und nach einer Weile, Karl sagte gerade zu Frank: »Wie geht das jetzt mit der Punkstola?«, ging das Husten in ein würgendes Geräusch über und dann fing Martin an zu kotzen und Karl ließ ihn fallen. Aber so einfach war das nicht, denn Martin war mittlerweile wach geworden und klammerte sich an Karls Jacke fest und kotzte immer weiter, während der panisch um sich schlagende Karl ihn abzuschütteln versuchte, »Jetzt geht das auch noch auf die Hose, verdammte Scheiße nochmal«, schrie er, während Chrissie und Frank Martin festhielten und ihn vorsichtig und dabei beruhigende Worte sprechend von Karls Jacke lösten. Martin hatte sich auch bereits ausgekotzt, er hockte auf dem Gehweg und atmete schwer. Karl zog seine Jacke aus und ging damit zu einer großen, alten Wasserpumpe auf der anderen Straßenseite. Er pumpte, bis Wasser kam und wusch dann, so gut es ging, seine Jacke damit aus, »Kann mal jemand anders pumpen, ich kann nicht beides gleichzeitig«, brüllte er über die Straße hinweg, »wenn ihr mir schon den Scheißkerl auf den Rücken kotzen laßt, dann könnt ihr wenigstens auch mal pumpen!«

»Der muß auch saubergemacht werden«, sagte Chrissie zu Frank und zeigte dabei auf Martin. »So kann man den doch jetzt nicht weiter mitnehmen, da muß der doch erstmal saubergemacht werden!«

»Er hat nicht viel abgekriegt, das ging alles daneben«, sagte Frank.

»Alle Mann an die Pumpen«, rief Karl von drüben und lachte. »Chrissie, du Rose von Württemberg, nun bring schon den Dödel rüber, wir machen ihn sauber!«

»Los«, sagte Chrissie. Sie faßte Martin auf der einen und Frank faßte ihn auf der anderen Seite unter, und irgendwie gelang es ihnen, Martin zum Stehen zu bringen. Er schwankte zwar, aber er stand. Und er glotzte Frank an.

»Das ist Frank«, sagte Chrissie. »Wir machen dich jetzt mal sauber.«

Martin sagte gar nichts.

»Wenn man nicht alles selber macht«, sagte Karl, der plötzlich wieder neben ihnen stand. Er nahm Martin bei der Hand und zog ihn über die Straße zur Wasserpumpe. Frank und Chrissie gingen mit und stützten ihn seitlich ab. »Jetzt pump aber wenigstens mal, Chrissie!« sagte Karl vorwurfsvoll. »Das war doch alles deine Idee, da kannst du doch wenigstens mal pumpen!«

Chrissie pumpte, und Karl hielt den dabei heftig zappelnden Martin mit eisernem Griff unter das gurgelnde Wasser. Martin schrie auf und verschluckte sich, und Chrissie hörte auf zu pumpen und schrie Karl an, »Hör auf, du Arsch, du quälst ihn doch!« schrie sie, und Karl ließ Martin los, und der hielt sich an der Wasserpumpe fest und hustete, und Karl sagte: »Wenn er so hustet, dann kotzt er gleich wieder«, aber Martin kotzte nicht, sondern sagte nur erstaunlich deutlich und nüchtern: »Karl Schmidt, du alter Arsch!«

»Martin, wieder bei uns?!« sagte Karl.

»Ja«, sagte Martin und sah sich um. »Wo sind wir hier eigentlich?«

»Adalbertstraße«, sagte Karl. »Wir wollten dich nach Hause bringen, in der Zone haben sie Feierabend gemacht.«

»Wo ist mein Baß?«

»Keine Ahnung, mußt du Immel fragen.«

»Ah …« Martin schaute an sich runter. »Das sieht aber scheiße aus, was ist das?«

»Kotze! Und Wasser!«

»Tja … – Kannst du mal pumpen«, sagte Martin zu Chrissie, die er bisher überhaupt nicht beachtet hatte.

Chrissie pumpte. Martin hielt nacheinander einen Arm und einen Stiefel unter das Wasser und rubbelte daran herum. »Das bringt nichts«, sagte er schließlich. »Ich muß erstmal nach Hause.«

»Da wollte ich dich gerade hinbringen!« sagte Karl.

»Wir!« sagte Chrissie. »Wir wollten ihn hinbringen. Du wolltest ja eigentlich wohl gar nichts!«

»Hm«, sagte Martin. »Mir ist aber immer noch komisch!« Dann tat er einen Seufzer und sank geschmeidig zu Boden wie eine Marionette, der einer die Fäden gekappt hatte.

»Scheiße«, sagte Karl. »Möchte mal wissen, was der genommen hat!« Er beugte sich über ihn und fühlte seinen Puls. »Der ist aber okay. Jetzt bringen wir den mal nach Hause, das fängt jetzt echt an, mich zu langweilen.«

»Ihr seid doch alles Wichser!« sagte Chrissie und ging davon.

Karl sah ihr nach. »Aber wir doch nicht!« rief er nach einer kurzen Denkpause. »Jedenfalls nicht der hier und ich«, setzte er hinzu und zeigte dabei auf Frank und sich selber, aber sie hörte ihn nicht oder wollte ihn nicht hören. »Jetzt ist sie sauer«, sagte Karl. »Und alles nur wegen dem hier!«

»Ich nehm ihn jetzt mal wieder«, sagte Frank, »und dann sollten wir das vielleicht endlich mal zu Ende bringen hier.«

»Ja«, sagte Karl. Er packte Martin und legte ihn Frank auf die Schulter. »Wird Zeit für ein Bier irgendwo!«

Schließlich standen sie vor demselben Haus, vor dem Frank Wolli abgesetzt hatte.

»Ist das das Haus von der ArschArt-Galerie?« sagte Frank.

»Das ist das Haus der ArschArt-Galerie!« sagte Karl.

»Mein Kumpel wohnt da im Hinterhaus, das ist ein besetztes Haus«, sagte Frank.

»Soso«, sagte Karl.

Das Haus war so dunkel wie zuvor, und Frank konnte auch jetzt nicht erkennen, was auf dem Transparent stand. Karl mußte lange gegen eine große, mit Brettern verstärkte Tür klopfen, bevor aus einem Fenster im zweiten Stock jemand zu ihnen hinunterschrie, wer sie seien und was sie wollten.

»Wir wollen den Kasper hier nach Hause bringen«, rief Karl und trat etwas weiter zurück auf die Straße, damit er und der andere sich sehen konnten.

»Welcher Kasper?« kam es von oben zurück.

»Immel, bist du das?«

»Immel ist nicht da, die sind alle nicht da, ich soll hier keinen reinlassen.«

»Das ist Martin Bosbach, der kann nicht mehr stehen, der muß mal ins Bett«, rief Karl, »Frank, komm doch mal mit Martin hier unter die Laterne.«

Frank ging mit Martin unter die Laterne in der Nähe, aber die war so funzlig, daß es kaum einen Lichtkegel gab, in den er sich hätte stellen können.

»Das kann doch jeder sagen, daß das Bosbach ist«, rief der Typ im Fenster, »woher soll ich wissen, ob das wirklich Bosbach ist, das könnte ja jeder sein.«

»Jetzt mach schon auf, du Arsch!« schrie Karl. »Oder ich sag's Immel, und der tritt dir ordentlich in den Arsch!«

»Du kannst Arsch sagen, soviel du willst, ich soll keinen reinlassen, und dich kenn ich nicht, woher weiß ich, ob ihr nicht Zivilbullen seid? Oder welche von den Punkwichsern im Hinterhaus?«

»Das ist doch Bosbach.«

»Der sieht aber aus wie ein Punk.«

»Das ist doch Verkleidung, das ist doch wegen Dr. Votz!«

»Ich soll keinen reinlassen!«

»Mein Gott«, rief Karl, »das ist ja wie mit der BVG diskutieren!«

»Zu diskutieren«, rief der Typ aus dem Fenster zurück. »Das heißt: ›Das ist ja wie mit der BVG zu diskutieren‹!«

»Das hält ja kein Schwein aus«, sagte Karl zu Frank. »Komm doch runter und guck selber nach, du Germanistik-Genie!« rief er hinauf. »Wo ist überhaupt Pimmel?«

»Die sind alle im Krahl-Eck, ich laß hier keinen rein, den ich nicht kenne.«

»Ja, aber ich kenn dich auch nicht«, rief Karl. »Und wenn du mich nicht kennst, dann kennst du sowieso keinen, wer bist du überhaupt?«

»Das willst du wohl wissen, du Wichser! Willst du vielleicht noch meinen Ausweis sehen, oder was, du scheiß Bulle!«

»Du paranoider Hippie-Arsch!« rief Karl. »Ich komm gleich hoch und hau dir was auf den Arsch, da steht ihr ArschArt-Typen doch drauf!«

»Du kannst so oft Arsch sagen, wie du willst, du kommst hier nicht rein!«

»Laß uns gehen«, sagte Frank, dem von der Tragerei langsam der Nacken steif wurde. »Laß uns in diese Kneipe gehen und den Typen da abgeben oder was.«

»Wenn du glaubst, daß ich ein Zivilbulle bin, warum sagst du mir dann, daß Immel im Krahl-Eck ist?« rief Karl.

»Wieso, wird er gesucht?« fragte der Mann im Fenster, und Frank glaubte, eine gewisse Besorgnis in seiner Stimme zu hören.

»Du hast einen schlimmen Fehler gemacht, Bürsch-chen!« rief Karl drohend. »Und gut zu wissen, daß du alleine bist, dann schicken wir gleich mal ein paar Kollegen vorbei!«

Er lachte leise, und sie gingen davon.

»Kannst du den nicht mal nehmen?« sagte Frank.

»Einmal kotzen reicht mir«, sagte Karl.

»Wo ist das Krahl-Eck? Ist das weit?«

»Gleich da vorne«, sagte Karl und zeigte in die Nacht. »Wird dir gefallen«, fügte er hinzu.

»Wieso das denn?«

»Das ist mehr so was für Hippies«, sagte Karl.

»Aha«, sagte Frank, der nicht wußte, was er davon halten sollte, daß auch er hier als Hippie galt. »Und wieso sind dann die ArschArt-Leute da? Sind das auch Hippies?«

»Klar sind das Hippies, die wissen das bloß noch nicht.«

»Wer ist eigentlich kein Hippie?« fragte Frank.

»Ich kenne mit Sicherheit nur zwei Leute, die keine Hippies sind«, sagte Karl. »Erwin und dein Bruder!«

»Und du?«

»Ich geb mir alle Mühe.«

Zum Krahl-Eck mußten sie eine Straße entlanggehen, die wohl der DDR gehörte, denn die Mauer verschluckte die Fahrbahn und die ganze linke Seite der Straße, und je länger sie da zwischen Mauer und Häusern eingezwängt entlanggingen, desto mehr hatte Frank das Gefühl, daß man ihm die Luft abschnürte, und er war froh, als Karl irgendwann stehenblieb und sagte: »Da ist es, ich liebe es,

Krahl-Eck, Krahl-Eck, ich liebe dich! Gib mir mal Bosbach wieder, ich kenn die Immel-Pfeifen besser als du, ist besser, wenn ich ihn da reinbringe.«

Frank übergab ihm den ohnmächtigen Bassisten und betrachtete, während Karl ihn sich auf der Schulter in eine angenehme Lage ruckelte, das Krahl-Eck, und er sah gleich, daß das Krahl-Eck nicht die Art von Kneipe war, in die er freiwillig und auf gut Glück hineingegangen wäre, um sich einen schönen Abend zu machen, das Krahl-Eck schien eher für andere, ältere, einheimischere Leute gemacht zu sein, ›Bei Krahl, Bierstube, Großausschank, Molle&Korn 1,20 DM, gepfl. Biere, div. Schnäpse, Schmalzbrot 50 Pf.‹, stand auf zwei langen, senkrechten Schildern links und rechts vom Eingang, und Frank sagte: »Das heißt ja gar nicht Krahl-Eck, das heißt ja ›Bei Krahl‹«, und Karl sagte: »Mir doch scheißegal, laß uns mal reingehen und Martin mit seinen Freunden wiedervereinigen«, und mit diesen Worten zog er die Tür auf und betrat breitbeinig, mit Martin über der linken Schulter, die Kneipe. Die war größer, als Frank erwartet hatte, viel größer, keine kleine Eckkneipe war das, sondern ein großer Saal mit Stehtischen in Form alter Bierfässer, an denen überwiegend alte Leute standen und sie anglotzten. In der Ferne gab es etwas, das wie ein Tresen aussah, aber viel konnte Frank davon nicht erkennen, so verraucht war die Luft und so trüb die Beleuchtung. Karl blieb mit dem Dr.-Votz-Bassisten auf der Schulter im Eingang stehen und starrte herausfordernd die alten Leute an, die sich nicht regten und nichts sagten, sondern nur schauten. »Ich liebe das Krahl-Eck«, sagte er. »Das ist genau der richtige Laden für Immel, den alten Proletkult-scheißer. Weißt du eigentlich, daß der wirklich so heißt?«

»Wie wirklich?« sagte Frank.

»P. Immel. Peter von Immel. Er hält das für einen Glücksfall. Ich dagegen meine, ein Glücksfall wäre es gewesen, wenn sein Vater ihn ins Gebüsch gespritzt hätte!«

»Soso«, sagte Frank. »Das ist ja mächtig interessant!«

»Ja, interessant ist das!« sagte Karl. »Ich glaube, die sind da hinten irgendwo drin.«

Sie gingen hinein in das neblige Halbdunkel, und dazu hörten sie Peter Alexander, der laut und wie um alles zu entschuldigen das Lied ›Die kleine Kneipe in unserer Straße‹ sang, und als sie am Tresen ankamen, bogen sie rechts ab und sahen P. Immel an einer Musikbox stehen. Er fuhr mit dem Finger die kleinen Schildchen mit den Songtiteln entlang und las den Leuten, die bei ihm standen, daraus vor.

Karl stellte sich daneben und beugte sich ebenfalls über die Musikbox. »Immel, du Knalltüte, hast du nicht etwas vergessen?« fragte er.

»Schmidt, was willst du denn hier?«

»Ich will bloß was abgeben.«

»Wer ist denn das?« fragte Immel und zeigte auf die Beine von Martin, die Karl ihm vor das Gesicht hielt.

»Moment, ich dreh mich mal um«, sagte Karl und drehte sich so, daß P. Immel Martins Gesicht betrachten konnte.

»Ach der«, sagte P. Immel. Einige von den Leuten, die dabeistanden, lachten. »Den kannst du behalten«, sagte Immel.

»Nix«, sagte Karl und legte den Bassisten quer über die Musikbox. »Der gehört zu euch, dann kümmert ihr euch auch um den!«

»Den kannst du behalten«, sagte Immel, »wenn ich den noch einmal sehe, hau ich den tot, den Wichser!«

»Am besten haust du ihn jetzt gleich tot, dann ist das ohne Risiko«, sagte Karl.

»Nimm den mit, oder ich schmeiß ihn auf den Boden«, sagte Immel. »Der stinkt ja nach Kotze!«

»Jetzt hör auf mit dem Scheiß, der wohnt doch bei euch, dann kannst du dich auch um ihn kümmern.«

»Der wohnt nicht mehr bei uns, das haben wir gerade beschlossen, der Verräterarsch, der gehört nicht mehr zur ArschArt, und wer nicht zur ArschArt gehört, der wohnt auch nicht mehr bei uns.«

Frank beschloß, jetzt schnell seine Frage zu stellen. Es war zwar nicht gerade ein günstiger Moment dafür, aber besser, da war er sich sicher, würde es nicht mehr werden, im Gegenteil.

»Weißt du, wo Freddie ist?«

Alle guckten ihn an. P. Immel schwieg eine Weile, alle schwiegen, nur Peter Alexander nicht, der sang weiter laut von Freundschaft und Gemütlichkeit und einem lebenswerten Leben.

»Welcher Freddie? Freddie Quinn?« P. Immel zeigte auf die Musikbox, auf der noch immer der Dr.-Votz-Bassist lag. »Den habe ich gerade gesehen, der ist auf F9 und F10.«

Das war bei seinen Leuten ein echter Brüller, sie lachten wie blöd und klopften P. Immel auf die Schulter, sie erinnerten Frank dabei irgendwie an Fußballer und daran, wie sie sich aufführten, wenn einer von ihnen ein Tor geschossen hatte.

»Nein«, sagte er, nachdem sich alle etwas beruhigt hatten. »Manfred Lehmann. Ich hab gehört, der hat bei euch sein Atelier.«

»Was willst du denn von dem?«

»Das ist mein Bruder.«

P. Immel schwieg wieder und machte ein nachdenkliches Gesicht.

»Denk nicht drüber nach, was du jetzt wieder für einen Witz ablassen kannst, Immel«, sagte Karl, »sag einfach ›nö‹ oder ›weiß nicht‹ oder sowas, und dann hat sich das!«

Martin, der Bassist, bewegte sich und rutschte langsam von der Musikbox herunter. Karl hielt ihn fest, ging in die Knie und hievte ihn sich wieder auf die Schulter.

»Nö, weiß nicht«, sagte P. Immel. »Aber wenn du ihn siehst, dann sag ihm mal schöne Grüße, und er soll endlich seinen Plunder abholen, sonst schmeiß ich das Gelump auf die Straße.«

»Was ist denn los mit dir, Immel?« sagte Karl. »Bist du gerade aufm Haßtrip oder was?«

»Ich nicht, eher Freddie«, sagte P. Immel. »Freddie will doch mit der ArschArt nichts mehr zu tun haben. Hat gesagt … – ach scheiß drauf, was einer wie Freddie sagt. Und seinen Scheiß hat er auch nicht mehr abgeholt!«

Das Lied hörte auf, und P. Immel beugte sich wieder über die Musikbox. »Soll ich Freddie Quinn jetzt spielen? Junge, komm bald wieder oder was?«

Da lachten wieder alle, und wieder wurde P. Immel auf

die Schulter geklopft. Er hob beide Fäuste wie ein siegreicher Boxer und drehte sich tänzelnd um die eigene Achse.

»Wann bist du morgen da?« fragte Frank.

»Was?«

»Wann du morgen da bist?« sagte Frank. »Ich hole morgen seinen Scheiß ab, wann bist du da?«

»Am Nachmittag«, sagte P. Immel, noch immer mit in die Luft gereckten Fäusten. »Nicht vor fünf, bitte. Und woher soll ich wissen, daß du überhaupt sein Bruder bist?«

»Ich habe einen Ausweis!« sagte Frank.

»Das sagt gar nichts, Lehmanns gibt's doch wie Sand am Meer.«

»Ich bin morgen da«, sagte Frank, »um fünf.«

»Was ist mit Bosbach«, mischte sich Karl ein. »Willst du den jetzt haben oder nicht?«

»Niemand will Bosbach haben«, sagte P. Immel, und wieder freuten sich seine Bewunderer. »Nicht mal Bosbach will Bosbach haben. Darum macht der sich ja auch immer so breit, damit er sich selber ankotzen kann!«

Er drehte sich um und machte sich wieder an der Musikbox zu schaffen, und als Frank und Karl und mit ihnen der bewußtlose Martin Bosbach auf dem Weg nach draußen waren, erklang ›Mein Freund der Baum‹, und Frank sah noch, als er die Tür schloß, wie sich die Lippen einer alten Frau, die ihnen nachschaute, synchron dazu bewegten.

»Willst du da wirklich morgen hin?« sagte Karl, als sie wieder draußen vor der Mauer standen, unschlüssig, was nun zu tun war.

»Ja klar«, sagte Frank. Neben dem Kneipeneingang war ein Zigarettenautomat, und er dachte, daß es eine gute Idee sein könnte, mal eigene Zigaretten zu haben.

»Wenn da wirklich noch Skulpturen von Freddie rumstehen, dann kriegst du die da nicht so einfach weg, das sind riesige Dinger zum Teil, und alle aus Metall und Schrott und so, das kriegst du da alleine gar nicht raus.«

»Schon klar«, sagte Frank. »Kann gut sein.«

»Was soll das dann? Ich meine, du brauchst dich nicht um Freddies Sachen zu kümmern, das ist dann irgendwie auch mal sein Bier.«

»Ich glaube«, sagte Frank und kramte in seinen Taschen nach Geld für Zigaretten, »ich glaube, man sollte mit P. Immel nochmal reden. In Ruhe. Und wenn nicht so viele Leute dabei sind.«

»Hm …«, sagte Karl.

»Bei manchen Leuten ist das so«, sagte Frank, »mit denen kann man nicht reden, wenn andere Leute dabei sind, da ist es besser, wenn man die mal alleine erwischt. Ich kannte mal einen bei der Bundeswehr …« – er brach ab. Bundeswehrerfahrungen haben hier wahrscheinlich nicht viel Gewicht, dachte er und warf drei Mark in den Zigarettenautomaten. Erst denken, dann reden, ermahnte er sich. »Was soll ich denn hier mal ziehen?« wechselte er das Thema.

»Nimm die da«, sagte Karl und zeigte auf eine der Schubladen. »Die nehme ich immer.«

»Okay.«

Frank zog die Zigaretten, öffnete die Packung und hielt Karl eine hin.

»Danke«, sagte Karl. »Und was machen wir jetzt mit Bosbach?«

»Keine Ahnung, vielleicht sollten wir ihn mit zu uns nehmen«, schlug Frank vor.

»Und was sollen wir da mit ihm?«

»Keine Ahnung, man könnte ihn Chrissie übergeben.«

»Übergeben ist das richtige Wort bei dem«, sagte Karl und hievte den Mann vorsichtig von einer Schulter auf die andere. »Auf jeden Fall will ich noch nicht nach Hause. Da muß man für Bosbach irgendeine Zwischenlösung finden.«

Er dachte kurz nach.

»Vielleicht solltest du ihn mal wieder nehmen«, sagte er dann.

»Nein, laß mal«, sagte Frank, »ich muß erst mal rauchen, ich kann das noch nicht gleichzeitig, rauchen und Leute tragen.«

»Aber ich, oder was?« sagte Karl und fummelte einhändig in seinen Taschen nach Feuer. »Ich kann das, oder wie?«

»Ja«, sagte Frank nach kurzem Nachdenken und hielt seine Zigarette in die von Karl dargebotene Flamme. »Ich glaube schon. Du bist eher der Typ für sowas.«

»Weiß nicht, ob das ein Kompliment ist«, sagte Karl.

»Irgendwie schon«, sagte Frank. »Freddie konnte das früher auch immer, der konnte immer drei, vier Sachen auf einmal!«

»Freddie, soso«, sagte Karl. »Der fehlt dir wohl schon ziemlich, oder?«

»Naja, geht so«, sagte Frank. Dann bekam er Rauch in die Augen, und er mußte sie sich auswischen, und er wollte auf keinen Fall, daß der andere das jetzt falsch verstand.

»Hab Rauch im Auge«, erklärte er. »Bloß Rauch im Auge!«

»Ja klar«, sagte Karl, »hab ich auch manchmal. Laß uns mal weitergehen, für Rauch in den Augen ist später noch Zeit.«

## 9. PUNKBEHÖRDE

»Wenn wir da reingehen, dann können wir das nicht bringen, das geht da nicht.«

»Wieso nicht«, sagte Frank, »bei dem anderen Laden
ging das doch auch!«

»Das ist was anderes, im Krahl-Eck sind ja nur alte
Leute, die kennen das noch vom Krieg«, sagte Karl. »Die
sind doch alle so verpeilt, die armen alten Süffel da, die
denken doch höchstens, das ist so 'n Maueropfer oder
was, über sowas regen die sich doch nicht mehr auf, aber
in dem scheiß Punkladen hier ist mir das peinlich, das
kommt so pathetisch rüber, wenn man da mit so einem
Punk wie mit 'nem Sack Kartoffeln über der Schulter
reinkommt, das fällt da nur unangenehm auf.«

»Warum gehen wir dann da rein?«

»Weil das der Laden hier jetzt ist, und weil ich jetzt
mal nicht immer nur arbeiten, sondern auch mal ein Bier
trinken will, und die Punks da drin sind doch sowieso alle
Hippies, denen ist doch alles scheißegal, nur sollten wir
ihn nicht gerade über der Schulter tragen, dann fällt das
irgendwie auf, wir nehmen ihn einfach so zwischen uns
und schleppen ihn unauffällig da rein und setzen ihn irgendwo hin und trinken erstmal ein Bier, sonst bringt das
doch alles nichts.«

Frank fragte sich, wie spät es jetzt sein mochte, zwei, drei Uhr, er hatte kein Zeitgefühl mehr, und eine öffentliche Uhr, etwas, was es in dieser Stadt, das war ihm schon aufgefallen, öfter gab, so als ob die Leute sich keine Armbanduhren leisten konnten oder keine wollten oder was wußte er denn, man darf sich von solchen Fragen jetzt nicht ablenken lassen, dachte er, war nirgends zu sehen. Er sagte: »Was bringt sonst alles nichts? Ich kapier das jetzt irgendwie nicht!«

»Da gibt's auch nichts zu kapieren, das muß man einfach mal so hinnehmen, das gilt für mich genauso wie für dich, oder glaubst du etwa, ich finde das gut?« sagte Karl.

»Du findest was gut?«

»Ja, das muß man sich doch auch mal fragen«, sagte Karl und ließ Martin Bosbach, den Dr.-Votz-Bassisten oder, besser gesagt, den wahrscheinlich ehemaligen Dr.-Votz-Bassisten, vorsichtig von der Schulter gleiten, bis er auf den Füßen stand, gelenkig schwankend allerdings; Karl hielt ihn notdürftig an den Oberarmen hoch, und Martin schmiegte sich immer mehr und immer gelenkiger schwankend an ihn an, »verdammt, das ist anstrengend«, sagte Karl, »kannst du mal helfen oder bist du nur zum Zugucken dabei?«

Frank nahm Martins linken Arm und legte ihn sich um die Schultern. Karl tat dasselbe mit dem rechten Arm, und gemeinsam traten sie mit ihm durch die Tür in die Kneipe.

»Hallihallo«, schrie Karl, als sie den Raum betraten, aber die Musik war so brüllend laut, daß ihn wahrscheinlich keiner hörte. Einige Punks, die direkt dem Eingang gegenüber am Tresen saßen, glotzten sie an, sei es, weil sie sich wunderten, sei es, weil sie sowieso gerade in diese Richtung glotzten, das war für Frank nicht auszumachen, es war ganz ähnlich wie bei den alten Leuten im Krahl-Eck, aber als sie auf Karls Veranlassung hin nach rechts abbogen, um sich an einen Tisch in der Ecke zu setzen, folgten ihnen ihre Blicke, und als sie Martin, den Dr.-Votz-Bassisten, auf der Bank abluden, ruhten ihre Blicke noch immer auf ihnen. Karl setzte sich neben Martin und winkte ihnen zu. Auch Frank setzte sich.

»Nix«, schrie Karl, »einer muß mal eben Bier holen. Hier ist Selbstbedienung!«

Frank stand auf und ging zum Tresen, noch immer unter den wachsamen Augen der dort sitzenden Punks; dicht an dicht saßen sie auf ihren Hockern wie schlechtgelaunte, schwarze Vögel, und nur an einer Stelle gab es eine Lücke, da stellte Frank sich hinein und sah, daß hinter dem Tresen niemand war. So stand er nun dort und wußte nicht, was er tun sollte. Er glaubte, den Atem der beiden Punks links und rechts von ihm auf den Schultern zu spüren, aber das ist sicher nur Einbildung, dachte er, man darf jetzt nicht paranoid werden, schärfte er sich ein, sowas merken die sicher, dachte er, und dann was? fügte er in Gedanken hinzu, obwohl, schon der Gedanke, daß man nicht paranoid werden darf, weil die das dann merken, dachte er, ist ja im Kern bereits paranoid, so schnell geht man in die selbstgestellte Falle, dachte er, und was, dachte er, während er noch immer darauf wartete, daß jemand hinter den Tresen kam und ihn bediente, ist schon gegen ein bißchen Paranoia einzuwenden, sie schärft vielleicht sogar die Sinne, so eine Paranoia, dachte er und nahm sich vor, bei nächster Gelegenheit mal jemand Berufenen zu fragen, was das Wort Paranoia eigentlich genau bedeutete, nicht, daß er das nicht ungefähr wußte, aber wie viele solcher Wörter gibt es, dachte er, bei denen man eine ungefähre Ahnung hat, was sie bedeuten, eine Ahnung, die vielleicht auch stimmt, dachte er, die man aber, dachte er weiter, gar nicht in klare Worte fassen könnte oder wollte, weil einem die präzise Übersetzung, die wörtliche Bedeutung dieses Wortes nicht bekannt ist, dachte er, und man sich mit einer verschwommenen oder gar falschen Ahnung nicht blamieren möchte, und dann ist Holland in Not, gerade so wie hier an diesem Scheißtresen, dachte er und schaute zu Karl hinüber, der ihn aber nicht beachtete, weil er alle Hände voll damit zu tun hatte, zu verhindern, daß Martin Bosbach von der Bank rutschte oder zur Seite kippte oder was immer die Schwerkraft mit dem wehr- und willenlosen Körper des Dr.-Votz-Bassisten gerade veranstalten wollte. Da klopfte ihm jemand auf die Schulter. Er zuckte zusammen und hob im Reflex einen Arm, aber dann sah er, daß es nur Wolli war.

»Frankie, was machst du denn hier?« sagte Wolli, und es kam Frank nicht so vor, als ob Wolli sich freute, ihn zu sehen. Freude klingt anders, dachte Frank, und das fand er jetzt nicht ganz in Ordnung, denn so wenig er selbst sich freute, Wolli hier zu sehen, so sehr er eigentlich froh gewesen war, Wolli mal für einige Zeit von der Backe zu haben, so sehr gehörte es sich aber doch seiner Meinung nach, bei einem solch unverhofften Wiedersehen wenigstens ein bißchen Freude zu heucheln, schließlich hatte es einmal eine Zeit gegeben, in der er mit Wolli sogar zusammengewohnt hatte, die war sogar, wenn man genau darüber nachdachte, erst seit ein paar Tagen vorbei, da könnte er doch wenigstens so tun, als freute er sich, dachte Frank.

»Naja, bin hier mit zwei Kumpels«, sagte er und zeigte zu Karl und Martin hinüber, die sich, soweit er das erkennen konnte, einigermaßen in ihrer Ecke eingerichtet hatten, Karl hatte Martin mit Hilfe einiger geschickt plazierter Stühle in einer realistischen Stellung stabilisiert, nur der Kopf des Ex-Bassisten neigte sich bedenklich nach hinten, aber das war nicht schlimm, man könnte denken, daß er gerade die Decke oder die Beleuchtung bewundert, dachte Frank beruhigt.

Wolli nickte. »Ja, schon gesehen. Hab mich bloß gewundert, was ihr hier macht!«

Das wird jetzt langsam unverschämt, dachte Frank, das verletzte ihn nun doch, daß einer wie Wolli seine Legitimation, in eine Punkkneipe zu gehen, anzweifelte, so, als ob man dazu eine Bescheinigung von der Punkbehörde braucht, dachte er mißmutig, kaum ist Wolli einem aus dem Auto gestiegen, schon wird er frech, dachte er.

»Aber du bist doch auch hier, Wolli«, sagte er.

»Ja, klar«, sagte Wolli. Er kratzte sich am Kopf, und man konnte sehen, daß irgend etwas an ihm nagte, er schien sich nicht ganz wohl in seiner Haut zu fühlen. Die restlichen Punker glotzten sie zwar an, mischten sich aber nicht ein, was bei der lauten Musik auch kaum möglich war, schon einen Meter weiter weg zu sein hieß hier, nichts mehr zu verstehen, geschweige denn mitreden zu können. »Aber wir sind ja immer hier, ich meine, das ist das Honka, da sind wir immer!«

»Wer ist wir, Wolli?«

»Ich und die Leute, bei denen ich jetzt wohne. Und die fragen sich gerade, wer deine Freunde da sind.«

»Wieso haben die sich das zu fragen, Wolli? Geht's denen noch gut? Haben die keine eigenen Probleme?«

»He, Frankie, ich frag nur, okay?«

»Nein, nicht okay.«

»Ist mir egal, ob das okay ist.«

»Dann frag nicht, ob es okay ist, Wolli!«

»Mann«, sagte Wolli, »was ist falsch daran, zu fragen, ob es okay ist?«

»Keine Ahnung«, sagte Frank, »woher soll ich das wissen?«

»Dann ist ja gut«, sagte Wolli. Er richtete sich auf und wischte sich die Stirn. »Das gefällt mir ja auch nicht, aber der eine Typ von euch da, den kennen die, die meinen, der ist vom Vorderhaus, die wollen den hier rausschmeißen. Ich hab ihnen gesagt, daß ich erstmal mit dir rede und rauskriege, was hier los ist, ich meine, ich will doch nicht, daß du hier Schwierigkeiten kriegst!«

»Wolli, nichts für ungut und so, aber ich verstehe kein Wort von dem Scheiß, den du da redest.«

»Warum bist du denn so aggressiv?«

»Ich bin nicht aggressiv«, sagte Frank verärgert. Er holte zum Beweis die Zigaretten raus und hielt sie Wolli hin. »Hier, nimm mal eine«, sagte er und sah, daß Karl zu ihnen herüberkam.

»Was ist denn los?« schrie Karl im Näherkommen so

laut, daß alle was davon hatten. »Gibt's kein Bier in dem Puff hier?!«

»Sieht nicht so aus«, rief Frank zurück. »Das ist Wolli«, stellte er Wolli vor.

»Na, da freu ich mich aber«, sagte Karl und klopfte Wolli auf die Schulter.

»Aus Bremen«, ergänzte Frank.

»Das wird ja immer besser«, rief Karl enthusiastisch und klopfte Wolli noch einmal auf die Schulter.

»Wolli hat ein Problem«, sagte Frank und steckte auch sich selbst erst einmal eine Zigarette an, das war eine gute Gelegenheit zum Rauchen, fand er.

»Deswegen bin ich gekommen«, sagte Karl, »weil ich mir schon dachte, daß es vielleicht ein kleines Problem gibt mit unserem Freund hier. Haben wir uns nicht neulich in Bremen kennengelernt?«

»Wüßte nicht, wann«, sagte Wolli mürrisch.

»Irgendwas mit einer Axt, die in eine Tür gehauen wurde«, sagte Karl. »Ist ja auch wurscht.«

»Wolli beziehungsweise seine Leute hat oder haben, oder was weiß ich, wie man das jetzt sagen muß, irgendwie ein Problem mit Martin«, sagte Frank hämisch. Er hatte große Lust, Wolli herunterzumachen, zu kränken, zu demütigen, erschreckend ist das, dachte er, ohne wirklich erschreckt zu sein, wahrscheinlich ist es zu spät, um noch wirklich erschreckt zu sein, dachte er, wahrscheinlich kann man nicht so spät mit einem bewußtlosen Musiker durch die Gegend laufen und sich dann noch erschrekken, dachte er, das hat nichts mit moralischer Verlotterung zu tun, versicherte er sich selbst, das geht gar nicht anders, aber etwas beunruhigt war er doch, Wolli ist trotz allem ein alter Kumpel, schärfte er sich ein, da kann man nicht einfach alle moralischen Skrupel über Bord werfen und sich mir nichts, dir nichts mit einem höchst zweifelhaften Charakter wie Karl gegen ihn verbünden, ermahnte er sich selbst. »Im großen und ganzen läuft es darauf hinaus, daß Martin aus dem Vorderhaus ist, das gefällt Wolli nicht und seinen Kumpels wohl auch nicht, oder nur seinen Kumpels nicht, und er ist ihr Sprecher neuerdings«, fügte er nicht minder hämisch hinzu.

»Tja«, sagte Karl. Er steckte einen Arm zwischen Frank und Wolli hindurch und haute mit der flachen Hand mehrmals auf den Tresen. »Gibt's hier keinen in dem Puff, der mal arbeitet?!«

Nichts passierte. Karl schaute Wolli an und rauchte dabei mit zusammengekniffenen Augen, Wolli schaute den Fußboden an und rauchte auch, Frank schaute sich um und rauchte ebenfalls, und alle anderen im Saal glotzten sie an. Hinten in der Ecke rutschte Martin Bosbach, der gefeuerte Bassist, ganz langsam von seiner Bank und verschob dabei die um ihn herumgebauten Stühle.

»Wenn man alle Menschen, die in Vorderhäusern wohnen, schlecht findet, dann hat man's schwer im Leben«, sagte Karl schließlich.

»Wie?« sagte Wolli.

»Wenn man alle Menschen, die in Vorderhäusern wohnen, schlecht findet, dann hat man's schwer im Leben«, brüllte Karl so laut, daß jetzt wieder alle was davon hatten.

»Mir doch egal«, rief Wolli trotzig.

»Kann schon sein. Aber Martin wohnt gar nicht mehr

im Vorderhaus. Den haben sie rausgeschmissen. Weil er jetzt Punk ist und keine Kunst mehr machen will!« sagte Karl. »Der hat sich zu oft bei den Wichsern im Vorderhaus für euch eingesetzt, der arme Kerl, und jetzt hat er nichts mehr, wo er wohnen kann!«

»Ach so«, sagte Wolli.

»Laß uns mal zu ihm gehen«, sagte Karl, »laß uns mal zu ihm hinsetzen, dem geht's gerade nicht gut, der ist irgendwie weggetreten, aber das weiß man ja, daß die trotzdem alles mitkriegen, wenn die in so einem Zustand sind.«

»Wer jetzt?« fragte Wolli. »Was für ein Zustand?«

»Gehen wir da ruhig mal hin«, sagte Karl. Er faßte Wolli um die Schulter und zog ihn vom Tresen weg. »Er soll das ruhig alles selbst mit anhören, der arme Kerl.«

Sie gingen alle drei zu Martin hinüber und setzten sich dazu, Karl zog ihn wieder hoch, prüfte seinen Atem und seinen Puls und streichelte ihm dann ein wenig über den Kopf.

»Schau, er hat seine Haare gefärbt, das war diesen verdammten Nazikunstschweinen von der ArschArt schon zuviel!« sagte er. »Martin ist doch einer von euch, Menschenskind!«

»Ach so«, sagte Wolli.

»Ich kenn das Arschloch da, was wollt ihr mit dem hier?« ertönte eine Stimme.

»Ach Martin«, sagte Wolli zu dem Neuankömmling. »Das ist Frankie, und den da kenne ich nicht«, sagte er und zeigte auf Karl.

»Den da kennst du wohl, du kannst dich bloß nicht erinnern«, sagte Karl zufrieden. »Und du bist Martin, ja? Das freut mich aber.« Er zeigte auf den schlafenden Dr.-Votz-Martin. »Das da ist auch Martin, aber der ist gerade nicht so in Form.«

»Ich kenne den Arsch«, rief der stehende Punk-Martin, und in diesem Moment stoppte die Musik. Am Tresen stand einer auf und fummelte am Kassettenrekorder herum.

»Wahrscheinlich Bandsalat«, sagte Frank, »hatten wir vorhin im Auto auch, stimmt's, Wolli?«

»Bist du der Kumpel von Wolli, ja?« sagte der Punk-Martin.

»Ja, hat er ja eben gesagt«, gab Frank gereizt zurück. »Ohne mich wäre Wolli gar nicht hier! Ich hab ihn den ganzen Weg von Bremen hierhergefahren. Und wozu? Damit er mich jetzt fragt, was ich hier eigentlich mache, na vielen Dank auch, Wolli!«

»Der Arsch da ist aus dem Vorderhaus«, sagte Punk-Martin.

»Was habt ihr eigentlich mit den Leuten aus dem Vorderhaus immer für Probleme? Na gut, es sind Leute aus dem Vorderhaus«, sagte Karl, »das könnte schon Grund genug sein, wenn man im Hinterhaus wohnen muß, aber warum laßt ihr die nicht einfach ihren Scheiß …«

»Die haben uns den Strom abgedreht«, unterbrach ihn Punk-Martin.

»Den ganzen Weg«, beharrte Frank. Man kann nicht immer nur auf den Gegner reagieren, dachte er kämpferisch, man darf sich von ihm nicht die Themen aufzwingen lassen, da muß man, dachte er, auch mal selber in die Offensive gehen, Beharrlichkeit bringt Heil, erinnerte er sich, das hatte ihm eine Hippie-Freundin seines Bruders früher mal in einem Orakel vorgelesen, als sie ihm das IGing geworfen hatte, »mal dem kleinen Bruder das IGing werfen«, hatte sie gesagt, die doofe Nuß, dachte Frank, die ist jetzt auch weg vom Fenster, und Manni ist auch kein Hippie mehr, wie man hört, dachte er, die Müdigkeit machte ihn fahrig und schwindelig und euphorisch, es ist wie Besoffensein, nur billiger, dachte er, da hätte man auch früher mal drauf kommen können. »Den ganzen Weg«, fuhr er auf gut Glück fort. »Und meinen Kassettenrekorder hat er auch kaputtgemacht.«

»Das war dein Kassettenrekorder, der meine Kassette kaputtgemacht hat«, wehrte sich Wolli. »Die lief sonst überall astrein.«

»Quatsch, der Kassettenrekorder hatte noch nie irgendwas gehabt, und du tust deine Kassette da rein und schon ...«

»Das könnt ihr mal in Ruhe bei Grünkohl und Pinkel klären, ihr Bremer«, sagte Karl. »Hier geht es um Größeres: Man hat denen im Hinterhaus den Strom abgedreht, schlimm, schlimm, warum denn?«

»Weil das Arschlöcher sind«, sagte der Punk-Martin, »die haben sich mit der Bewag geeinigt, und weil wir nicht bezahlen wollten, haben die uns den Strom abgedreht!«

»Das waren nicht wir, das war die Bewag, du Idiot!« sagte Martin, der Dr.-Votz-Bassist, und schlug die Augen auf. »Die Bewag-Leute haben da so rote Dinger in eure Zählerkästen reingedreht, das sind so Plomben, die haben die Sicherungen von den Zählerkästen verplombt, du Idiot!«

Die Musik blieb aus, deshalb konnte man jetzt von den Leuten am Tresen, die alle mithörten, ein Raunen und Tuscheln vernehmen, das bei Martins letzten Worten in ein mißbilligendes Schimpfen überging, »Paß auf, was du sagst«, »Selber Idiot«, »Schmeißt den Wichser raus« und ähnliches wurde durcheinandergerufen.

»Ruhe im Schiff!« schrie Karl. »Das wird jetzt mal in Ruhe geklärt, und wer Krawall macht, fliegt raus!«

Daraufhin verstummten alle.

»Und du sag nicht Idiot!«, sagte Karl zu Martin. »Immer schön sachlich bleiben, Dr. Votz!«

»Das ist doch wohl schon mal der Punkt, wo sind denn unsere Stromzähler? Im Vorderhaus! Und wer hat die Bewag da reingelassen?«

»Nein, Martin, stimmt das? Habt ihr die Bewag da reingelassen?« fragte Karl streng. »Antworte schnell und antworte gut!«

»Wir haben denen doch angeboten, daß sie da mit reinkönnen bei der Bewag, wir brauchten doch den Strom, die hätten ja bezahlen können, und wenn wir die Bewag nicht reingelassen hätten, hätten die den Strom von der Straße aus abgestellt, und dann würden wir genauso im Dunkeln sitzen wie die, also was soll's!«

»Ihr seid totale Verräter, ihr seid überhaupt keine Besetzer, ihr seid Verräterschweine, ihr habt unsere Zähler absichtlich lahmgelegt, weil ihr nicht für uns mitbezahlen wolltet!« rief Punk-Martin mit lauter, dünner Stimme und zeigte dabei anklagend mit einem ausgestreckten Zeigefinger auf Dr.-Votz-Martin.

Der hatte schon das Interesse verloren. »Wo ist eigentlich mein Baß?« fragte er. »Und wieso sind wir eigentlich in dieser Stinkekneipe, wie bin ich denn hier eigentlich reingekommen? Was ist das, das Honka? Und wo ist Pimmel, die alte Sau?! Mit dem muß ich mal ein Wörtchen reden!«

»So ist das mit euch Koma-Patienten! Erst stellt ihr euch tot und schnarcht, und dann wacht ihr auf und labert einem die Taschen voll!« sagte Karl. »Müßtest du nicht wenigstens lallen oder sowas?!«

»Weiß ich auch nicht«, sagte Martin. »Irgendwas muß mich umgehauen haben, vielleicht der Tequila-Slammer, das ist aber auch ein Scheißzeug!«

»Hey«, schrie einer vom Tresen, »hauen die Arschlöcher jetzt bald mal ab?!«

»Was machen wir eigentlich in dieser Stinkekneipe?« wiederholte Martin seine Frage an Karl. »Seit wann gehst du denn in so was?«

»Die war um die Ecke, und du warst mir zu schwer bis zum Einfall.«

»Es gibt ja wohl noch was anderes als das Einfall oder die Stinkekneipe hier!«

»Haut endlich ab, ihr Arschlöcher, oder wir hauen euch was auf die Fresse!« sagte Punk-Martin und erhielt dafür ein zustimmendes Gebrumm seiner Leute.

»Eigentlich hatte ich überlegt, dich hier liegenzulassen, du hättest mit deinen Punk-Klamotten hier ganz gut reingepaßt«, sagte Karl. »Aber das geht jetzt ja wohl nicht mehr!«

»Wieso habt ihr mich denn nicht nach Hause gebracht, das ist doch gleich um die Ecke!«

»Das ist eine lange Geschichte.«

»Die würde ich aber gerne mal hören.«

»Ich will meine Kassette wiederhaben«, redete Wolli dazwischen.

»Dann hol sie dir doch«, giftete Frank. »Du undankbares Arschloch, ich hab dir noch nicht mal Geld fürs Benzin abgenommen, und jetzt sowas.«

»Was kann ich dafür, wenn du mit dem Typen hier reinkommst.«

»Das würde ich auch gern mal wissen, wieso wir hier reingegangen sind«, sagte Martin.

»Du bist überhaupt nicht gegangen, Dr. Votz«, sagte Karl, »du hast dich tragen lassen. Wenn du dich rumtragen läßt, dann kannst du dich nicht auch noch beschweren.«

»Ja, aber warum? Und nenn mich nicht Dr. Votz!«

Am Tresen fiel polternd ein Barhocker um, als einige der Punks aufstanden und zu ihnen herüberkamen. Sie bauten sich hinter Punk-Martin auf und schauten ihm über die Schulter.

»Wann hauen die Schweine endlich ab!« rief einer.

»Schon gut, wir gehen ja schon«, sagte Karl und stand auf. Auch Frank und Wolli standen auf, nur Dr.-Votz-Martin blieb sitzen.

»Kann man mal auf eine einfache Frage eine einfache Antwort haben?« sagte er.

»Nein, kann man nicht, man geht jetzt, du auch!« sagte Karl. Er streckte Martin die Hand hin und zog ihn von der Bank hoch. Dann faßte er ihn an der Schulter und führte ihn an Punk-Martin und dessen Freunden vorbei zum Ausgang.

»Schwaches Bild, Wolli!« sagte Frank und ging hinterher.

»Was kann ich dafür, wenn du mit so einem Typen hier reinkommst!« rief Wolli ihm nach.

In der Tür drehte sich Frank noch einmal um. »Schwaches Bild, Wolli!« sagte er und ging hinaus. Das war ein gutes Wort zum Schluß, fand er.

Sie standen auf der Straße.

»Geht ihr mit mir ins Honka!« sagte Martin empört. »Seid ihr völlig bescheuert, oder was?«

»Jetzt hör mal mit deiner Punk-Paranoia auf«, sagte Karl.

»Was heißt eigentlich Paranoia genau?« sagte Frank.

»Wie, was das heißt?«

»Naja, so wörtlich, was heißt Paranoia wörtlich?«

»Keine Ahnung, ist doch scheißegal«, sagte Karl. »Hauptsache, der hört endlich mal mit seiner Punk-Paranoia auf.«

»Aber ich habe doch noch gar nicht richtig damit angefangen«, sagte Martin. »Normalerweise habe ich das immer noch viel schlimmer. Darum sollte ich mich ja heute auch wie ein Punk anziehen, typische Pimmel-Idee!«

»Weißt du zufällig, wo mein Bruder im Augenblick ist?« sagte Frank.

»Nein. Wer ist denn dein Bruder?«

»Freddie Lehmann.«

»Ach, Freddie, ja, der ist für ein paar Tage weg.«

»Hast du mit ihm gesprochen?«

»Ja, vor ein paar Tagen war das, da hat er gesagt, er ist jetzt mal ein paar Tage weg.«

»Hat er gesagt, wo?«

»Nein, wieso sollte er das sagen?«

»Wieso nicht? Wenn man einem sagt, daß man für ein paar Tage weg ist, dann sagt man doch auch, wo man hinfährt, oder nicht?«

»Nein. Aber ich weiß, wo jetzt noch eine Party ist«, sagte Martin. »Da wollte ich eigentlich noch hin.«

»Wo denn?« sagte Karl.

»Bei irgendwelchen Leuten in der Pfuelstraße.«

»Okay«, sagte Karl.

»Okay was?« sagte Frank.

»Okay was was?« sagte Karl. »Was sind denn das immer für Fragen? Man wird doch wohl noch mal okay sagen können, ohne gleich immer Fragen beantworten zu müssen.«

»Ich würde mich aber vorher noch gerne umziehen«, sagte Martin, »und mir die scheiß Farbe aus den Haaren waschen, so kann ich da nicht hingehen!«

»Das könnte schwierig werden«, sagte Karl.

»Das mach ich auf keinen Fall, ich kann da doch nicht wie so ein scheiß Hippiepunk hingehen, außerdem stinke ich ja wie Dr. Kotz!«

»Nein, nicht das! Das mit dem Umziehen.«

»Wieso das denn?«

»Das ist eine lange Geschichte.«

»Sag mal kurz!«

»Immel hat dich verstoßen. Er sagt, du bist raus. Aus dem Haus, aus der ArschArt und überhaupt.«

»Na und, was gibt's sonst Neues? Wo ist er denn jetzt?«

»Im Krahl-Eck.«

»Das heißt eigentlich ›Bei Krahl‹, wußtest du das?«

»Ja, das hat er auch schon gesagt«, sagte Karl und zeigte auf Frank.

»Und da ist Pimmel jetzt?«

»Ja. Oder war er eben noch. Spielt gerade Freddie Quinn.«

»Das ist gut«, sagte Martin, »wenn er im Krahl-Eck ist, dann ist er ja nicht in der Naunynstraße. Wie heißt du noch mal?« sagte er zu Frank.

»Frank.«

»Und du bist Freddies Bruder?«

»Ja.«

»Na herzlichen Glückwunsch!« sagte Martin.

»Was soll das denn heißen?«, brauste Frank auf. »Was soll das heißen, herzlichen Glückwunsch? Ist das lustig, oder was? Ich knall dir gleich eine, herzlichen Glückwunsch. Was willst du damit sagen?«

»Okay, Entschuldigung«, sagte Martin und hob abwehrend die Hände. »Tut mir leid. Ich wollte dich nicht beleidigen!«

»Entschuldigung für was? Was wolltest du damit sagen, herzlichen Glückwunsch?«

»Nein, so meine ich das nicht, ich wollte ja gar nicht …«

»Wenn du dich eigentlich gar nicht entschuldigen willst, warum sagst du dann Entschuldigung?«

»Jetzt ist aber mal gut«, sagte Karl, »man kann es auch übertreiben.«

»Wieso übertreiben? Habe ich mit der Scheiße angefangen? Was soll das heißen, herzlichen Glückwunsch?

Das will ich jetzt mal wissen? Wieso sagt einer, wenn er hört, daß ich Freddies Bruder bin, herzlichen Glückwunsch, ist das zuviel verlangt, daß man das mal wissen will?«

»Das ist mir nur so rausgerutscht!«

»Da muß man kein Freud-Experte sein, um zu wissen, daß einem sowas nicht einfach so rausrutscht!«

»Das ist ja nur, weil Freddie nicht so mein Typ ist.«

»Und wen interessiert das wohl, ob Freddie dein Typ ist? Muß ich mir deswegen so eine Scheiße anhören?«

»Ruhe jetzt«, rief Karl dazwischen, »oder ich hau euch beiden eine runter.«

»Wieso mir? Ich hab doch gar nichts getan!« rief Martin.

»Versuch's nur«, sagte Frank, »ist mir jetzt auch mal scheißegal, aber laßt Freddie gefälligst in Ruhe.«

»Freddie, mein Gott, Freddie, klar laß ich den in Ruhe«, sagte Martin, »den lassen im Moment alle in Ruhe, der hat schön seine Ruhe, Freddie!«

»Wie meinst du das?« fragte Frank alarmiert. Irgendwas stimmte hier nicht, er hatte es ja geahnt!

»Wie, was?«

»Wie meinst du das, der hat schön seine Ruhe?« Frank packte Martin an der Lederjacke und begann ihn zu schütteln.

»Gar nichts meint er, wie soll er das schon meinen«, sagte Karl.

»Das frag ich ja grade«, sagte Frank.

»Huch, mein Gott, der ist ja richtig empfindlich, Entschuldigung, gar nichts mein ich«, sagte Martin. »Mann, bei dem muß man ja richtig aufpassen.«

»Ja«, sagte Karl. »Vor allem solltest du über ihn nicht in der dritten Person sprechen, wenn er dabei ist. Da ist er empfindlich!«

»Tut mir leid«, sagte Martin. »Ich hab doch überhaupt nichts gesagt. Jedenfalls nichts gemeint. Glaube ich.«

»Dann ist ja gut«, sagte Frank.

»Gar nichts. Mach ich nie.«

»Dann ist ja gut«, sagte Frank.

»Leute«, sagte Karl aufmunternd, »laßt uns nochmal zu Immel und seinen fiesen Freunden gehen, und bleibt ruhig schön so aggressiv, wie ihr gerade seid, dann bringt das auch was.«

»Ich will nicht zu Immel, ich will schnell in die Naunynstraße und endlich was Vernünftiges anziehen, ich fühl mich ja wie beim Fasching in den Klamotten hier. Und die Farbe muß ich auch noch auswaschen, und ich hab nichts gegen deinen Bruder«, sagte Martin zu Frank.

»Dann ist ja gut.«

»Ich hab gar nichts gemeint.«

»Dann ist ja gut.«

»Ich kannte mal einen«, sagte Karl, »der hat die Leute oft nur deshalb in den Arsch getreten, weil die sich dauernd wiederholt haben.«

»Na und?«

»In Berlin hat so einer verdammt viel zu tun«, sagte Karl. »Und wenn ich euch beide so sehe«, fügte er hinzu, »dann hätte ich den jetzt gerne hier!«

## 10. LEHRLINGSVERARSCHUNG

Als sie wieder am Haus in der Naunynstraße angekommen waren, hielt sich Martin Bosbach nicht lange mit Klopfen auf, sondern zog einen Schlüssel unter einem Wackerstein hervor und schloß die Eingangstür damit auf. Auf dem Weg hatte ihm Karl von dem einsamen Wächter erzählt, der dort zurückgeblieben war, und Martin hatte gelacht und gesagt, das könne nur Jürgen, der Neue, sein.

Jetzt allerdings lachte er nicht mehr, denn die Tür öffnete sich nur einen Spaltbreit, bevor sie von einem Schrank aufgehalten wurde.

»Jürgen, du Idiot«, schrie er in den Türspalt hinein. »Nimm den Schrank weg, ich will rein.«

»Bist du das, Bosbach?« erklang von innen eine Stimme.

»Ja, laß mich mal rein.«

»Da waren vorhin so Zivilbullen, die hatten behauptet, du wärst das und wollten mit dir rein. Ich meine, die hatten da so einen Punk auf der Schulter getragen und wollten mir erzählen, daß du das wärst, als ob ich total blöd wär!«

»Ja, schlimm ist das. Jetzt laß mich mal rein.«

»Ich hab gedacht, ich verrammel das mal lieber ein biß-chen.«

»Jürgen, du brauchst das nicht zu verrammeln. Und Zivilbullen können hier auch nichts machen. Es gibt ja keinen Räumungsbefehl.«

»Woher willst du das wissen?«

Sie hörten, wie sich Jürgen hinter der Tür an dem Schrank zu schaffen machte.

»Sowas weiß man doch. Außerdem ist das Haus überhaupt nicht besetzt.«

»Hä?«

Der Schrank schubberte noch ächzend ein wenig über den Fußboden, dann war der Weg frei. Jürgen stand in der Tür und schaute verwirrt auf Martin, Frank und Karl.

»Wie siehst du denn aus?«

»Wie ein Punk natürlich, heute war doch Dr. Votz«, sagte Martin.

»Das sind die beiden«, sagte Jürgen und zeigte auf Frank und Karl. »Die haben hier einen auf Zivilbulle gemacht.«

»Das sind aber keine Zivilbullen«, sagte Martin. »Oder wenn, dann ist das auch egal. Laß mich mal rein, ich muß mich umziehen.«

Jürgen trat beiseite, und sie gingen ins Haus und in den zweiten Stock. Die Wohnungen hatten keine Türen mehr, und das Treppenhaus war voller Bauschutt. Im zweiten Stock ging Martin in ein großes Zimmer, dessen Türöffnung mit einer Plastikplane verhängt war. Er schaltete eine Glühbirne ein, die von der Decke hing, und sie sahen eine Sofaecke mit Bettzeug und einen offenen Schrank, in dem viele Anzüge auf Bügeln hingen. Martin ging gleich zu den Anzügen und sah sie durch wie ein Kunde im Kaufhaus.

»Was meinst du damit, daß das Haus nicht besetzt ist«, sagte Jürgen.

»Ich muß mir jetzt erstmal diese scheiß Farbe aus den Haaren waschen, ich kann dir das jetzt nicht erklären«, sagte Martin. »Erklär du ihm das mal, Karl.« Er nahm einen Anzug heraus und legte ihn sorgfältig über das Sofa. »Bin gleich wieder da.« Er ging durch eine Türöffnung in einen Nebenraum und polterte dort herum.

»Hab ich dir schon gesagt, daß Immel dich verstoßen hat?« rief Karl ihm hinterher.

»Ja, ja, das ist, weil ich bei der Wall City dabei bin.«

»Du bist bei der Wall City dabei?!« rief Karl entgeistert. »Womit das denn?«

»Mit Ölbildern natürlich.«

»Du hast Ölbilder gemalt? Richtig so mit Farben und so?!«

»Ja klar mit Farben, mit was denn sonst?!« Martin drehte einen Wasserhahn auf. »Au Mann«, schrie er, »was ich mich mal wieder über warmes Wasser freuen würde …«

»Oh Mann, Martin!« Karl klang ehrlich erschüttert. »Kein Wunder, daß Immel dich verstoßen hat!«

Martin antwortete nicht, sondern japste und jaulte nur.

»Wieso ist das denn hier jetzt kein besetztes Haus?« sagte Jürgen.

Karl lachte. »Haben sie dich wirklich Wache halten lassen?«

Jürgen nickte.

»Das machen die immer mit neuen Leuten. Wie so

Lehrlingsverarschung. Ich kannte mal einen, der hatte eine Lehre als Schlosser gemacht, den haben sie am ersten Tag losgeschickt, die Noten für die Feierabendsirene holen. So 'n Scheiß halt.«

»Ich dachte, das ist ein besetztes Haus. Das weiß man doch.«

»Naja, das ist etwas komplizierter«, sagte Karl. »Besetzt ist das Haus nur teilweise, nämlich von den Punks im Hinterhaus. Das Haus gehört nämlich eigentlich Immel, aber das soll keiner wissen. Vor allem nicht die Punks.«

»Hä?!«

»Was meinst du, wie viele Fernsehteams hier schon waren, weil das Haus besetzt ist? Weil Immel und seine Leute so Besetzerkünstler sind? Das hat ihn doch erst nach vorne gebracht, daß er und seine ArschArt-Leute die großen Besetzerkünstler sind, und was weiß ich denn, was die halt dauernd so schreiben und erzählen und filmen und so. Immel hat das Haus vor zwei Jahren geerbt und wußte nicht, was er damit machen sollte, das war ja damals schon entmietet und total runter, und als das mit den Besetzungen losging, da hat er's lieber gleich selber besetzt, bevor es die anderen tun, und dann stellte sich auch noch raus, daß das die ideale Promo für seine Aktionskunstscheiße war. Bloß die Sache mit den Punks war Pech. Die waren plötzlich im Hinterhaus, und Immel konnte natürlich nichts machen, er konnte ja schlecht die Bullen holen oder was.«

»Das glaube ich nicht«, sagte Jürgen.

»Umso besser«, sagte Karl, »muß ja wenigstens einer die Fahne hochhalten!«

»Oh Mann«, sagte Jürgen nachdenklich und setzte sich auf einen Radiator, der mitten im Raum stand. »Das ist ja krank!«

»Das ist nicht krank, das ist Kunst. Bei Immel ist immer alles Kunst«, sagte Karl, und er sagte das ohne Ironie. »Wenn das mal rauskommt, sagt er einfach, daß das ein Kunstprojekt war. Du kannst über Immel sagen, was du willst, er ist ein Arschloch vor dem Herrn, aber irgendwie ist er auch genial, genau wie H.R., der kann auch aus jedem Scheiß Kunst machen.«

»Mann, wie ich diese Dr.-Votz-Scheiße hasse«, sagte Martin, der in diesem Moment, sich die Haare mit einem Handtuch rubbelnd, wieder ins Zimmer kam. »Die Scheißfarbe sollte eigentlich auswaschbar sein, aber die geht nicht richtig raus, das sieht doch scheiße aus.«

Er stellte sich vor einen Spiegel und kämmte sich sorgfältig die Haare nach hinten.

»Immel hat gesagt, daß du ein Verräter bist und nicht mehr dazugehörst«, sagte Karl.

»Logisch, war doch klar«, sagte Martin. »Stimmt ja auch.«

»Hast du echt Ölbilder gemalt? Heimlich oder was?«

»Was heißt schon heimlich? Ich habe immer schon mit Öl gemalt, nur nicht hier, mußte Immel ja nicht wissen, irgendwo muß man ja wohnen, und das war ja auch alles ganz lustig mit Immel und Pimmel und dem ganzen Kunstgruppensektenscheiß und Dr. Votz und was weiß ich, aber jetzt habe ich drei Bilder in die Wall City reingekriegt, ich meine, tu dir das mal rein, da scheiß ich doch auf Immel und seine Kasperei!«

»Der arme Immel«, sagte Karl. »Das muß ein harter Schlag für ihn sein.«

»Der ist doch nur neidisch.«

»Was ist die Wall City?« sagte Frank.

»Das ist eine Ausstellung«, sagte Karl, »ist in ein paar Wochen, am Wannsee irgendwo, große Berlinkunstschose, International Contemporary Art Show blabla dingsda, Kunstsammlerkack!«

»Genau«, sagte Martin fröhlich.

»Immel hat gesagt, er will dich nicht mehr sehen. Er hat gesagt, wenn er dich noch einmal sieht, haut er dir was auf die Schnauze. Vielleicht solltest du schon mal die Sachen packen.«

»Das geht jetzt nicht, wir müssen doch auf die Party gehen.«

»Wer macht die überhaupt?« fragte Karl.

Martin trug jetzt einen schimmernden, metallicbraunen Anzug, dazu weiße, spitze Schuhe und ein Hawaiihemd.

»Keine Ahnung, die ist in der Pfuelstraße«, sagte er. Dann fügte er nach kurzem Nachdenken hinzu: »Ist 'ne komische Sache mit Tequila Slammer: Erst haut es einen aus den Schuhen, aber wenn es vorbei ist, ist man wieder ganz frisch.«

»Du hast das mit dem Kotzen vergessen«, sagte Karl.

»Ach so, ja, das auch«, sagte Martin. »Das hilft wahrscheinlich auch.«

»Ist Freddie da auch dabei?« fragte Frank. »Bei der Wall City?«

»Nein, die ist nur für Malerei. Freddie macht ja Objekte«, sagte Martin.

»Sag ich doch!« sagte Karl. »Aber Frank hier meint, früher hätte Freddie auch gemalt.«

»Hat er auch!« sagte Frank.

»Echt? Freddie? Hätte ich nicht gedacht.«

»Ich auch nicht«, sagte Karl.

»Hätte Freddie denn mitmachen können bei der Ausstellung, wenn die auch Objekte und so hätten?« fragte Frank. »Ich meine, ist er groß genug im Kunstgeschäft, daß er da hätte mitmachen können?«

»Mann!« sagte Karl, und es klang, als wollte er Frank zur Ordnung rufen. »Mann, was denkst du denn?!« Er seufzte, hob die Arme und drehte die Handflächen nach oben, wie um Regen aufzufangen. »Ich mein …: Freddie! Freddie! Freddie kann überall mitmachen.«

»Naja …«, sagte Martin Bosbach skeptisch.

»Die Frage ist doch eher«, ließ sich Karl nicht beirren, »die Frage ist doch eher: Hätte Freddie mitgemacht?«

»Und? Hätte er?«

»Keine Ahnung. Bei Freddie blickt niemand richtig durch.«

»Ich glaube nicht, daß er mitgemacht hätte.« Martin Bosbach nahm ein Taschentuch aus seinem Jackett, beugte sich vornüber und wischte sich damit über die Schuhspitzen. »Ich bin froh, wenn ich hier rauskomme, überall dieser Baustaub und Dreck und was. Kann ich vielleicht bei euch wohnen, Karl? Ich meine so die nächsten Tage?«

»Wieso glaubst du nicht, daß er mitgemacht hätte?« fragte Frank.

»Das hat ihn doch alles schon nicht mehr interessiert, Wall City, der ganze Berlinkram und so, ich meine, er hat sich dauernd lustig gemacht über diese ganze Mauerstadtscheiße, da hätte er sich ja total selbst widersprochen.«

»So wie andere Leute, die zum Beispiel bei der ArschArt sind und dann heimlich in Öl malen«, sagte Karl vorwurfsvoll.

»Freddie ist doch seit Monaten nur noch auf dem New-York-Trip und sonst gar nichts mehr«, sagte Martin Bosbach ungerührt.

»Aber er war doch sogar in Bremen wegen dieser Sache da, dieser Ausstellung oder was!« gab Frank zu bedenken. »Das war ja auch nicht gerade New York, das St.-Jürgen-Krankenhaus oder was das da war.«

»Ich glaube, daß Freddie alles mitgenommen hätte, was Geld bringt«, sagte Karl, »ich meine, New York, das ist teuer da, da muß man doch auch erstmal eine Zeitlang überleben.«

»Hat er denn in New York mal was ausgestellt?«

»Ja, im Sommer, im Sommer war er ja drüben gewesen, mit Immel und noch ein paar anderen«, sagte Karl.

»Und hat er da was verkauft?«

Martin Bosbach schüttelte den Kopf. »Glaube ich nicht«, sagte er, »das war vom Goethe-Institut oder so, was soll der da auf die Schnelle schon verkaufen? Das war doch mehr so Hallo-hier-bin-ich, da verkauft man doch nicht gleich was. Ich meine, man kauft doch nicht mal eben aus einer Laune heraus zwei Tonnen Stahlgedengel!«

»Vorsichtig«, sagte Karl, »paß auf, was du sagst, das

fällt nur auf dich selbst und deine Ölschmierereien zurück, Bosbach!«

»Aber wieso dann überhaupt New York?« sagte Frank. »Irgendwie ergibt das doch keinen Sinn.«

»Sinn …«, sagte Karl und hob wieder die Hände. »Sinn …! Alle wollen nach New York, nicht nur Freddie, das hat mit Sinn nichts zu tun.«

»Laß uns mal auf die Party gehen«, sagte Martin. »Kommst du mit?« fragte er Jürgen.

»Nee, ich soll ja hierbleiben«, sagte Jürgen.

»Wie du willst. Soll ich dir noch einen Tip geben?«

»Ja.«

»Sag Immel nicht, daß du mich reingelassen hast.«

»Ja, das ist wahrscheinlich besser.«

»Sinn …«, sagte Karl noch einmal. »Nach sowas darfst du bei Freddie nicht fragen.«

»Was mich wundert«, sagte Martin, »was mich echt wundert, ist, wieso er gerade jetzt da hinwill. Ich meine, was hat er denn gegen die Mauerstadtscheiße, da geht doch jetzt hier zum ersten Mal wieder richtig was los, Mauerstadt, Kunst, Besetzer, das läuft doch prima, die Leute kommen aus der ganzen Welt, und Freddie will plötzlich weg.«

»Wie bist du denn eigentlich an die Wall City rangekommen?« fragte Karl.

»Ich hab da Bekannte. Ich kenn ein paar Leute, die da drinhängen.«

»Ich glaub's nicht«, sagte Karl.

»Der eine ist Galerist, der hat mich da reingebracht und verkauft dann auch mein Zeug.«

»Nicht zu fassen. Kein Wunder, daß Immel durchdreht.«

»Ja. Aber trotzdem verstehe ich Freddie nicht«, sagte Martin. »Laß uns mal auf die Party gehen.«

»Ist das weit?« fragte jetzt Jürgen. »Ich glaube, ich komme doch mit. Das bringt doch hier alles nichts.«

»Freddie ist nicht wie du«, sagte Karl zu Martin. »Vielleicht ist Freddie ja uns allen mal wieder ein Stück voraus.«

»Ja, das kann immer sein. Aber was bringt das schon, wenn man den anderen immer ein Stück voraus ist? Ich meine, wenn einer zu früh ist, dann ist das doch irgendwie auch unpünktlich.«

»Können wir jetzt mal auf die Party gehen?« sagte Karl.

»Ich komm auch mit«, sagte Jürgen.

»Willst du mein Zimmer haben?« sagte Martin zu Jürgen.

»Ja klar.«

»Dann bleib mal lieber hier, bevor Immel nach Hause kommt und das im Furor einem von den anderen gibt. Kannst du Baß spielen?«

»Nein.«

»Umso besser«, sagte Martin und klopfte ihm auf die Schulter. »Dann kannst du auch noch als Bassist bei Dr. Votz anfangen. Die brauchen jetzt einen.«

Er schaute seufzend seinen Schrank mit den Anzügen an.

»Du mußt mir nur eins versprechen: Sag Immel, das wären deine Anzüge. Sonst ist der imstande und schneidet die kaputt oder sowas. Ich hol die dann demnächst mal ab. Oder ich schicke einen vorbei oder so.«

Dann gingen sie und ließen Jürgen zurück. Frank sah im Hinausgehen noch, wie er das Bettzeug beiseite schob und sich auf das Sofa setzte, wie um ein Gefühl dafür zu bekommen.

»Kann ich erstmal bei euch wohnen?« sagte Martin, als sie die Treppe hinunterliefen.

»Wir wohnen ab morgen oder so woanders«, sagte Karl.

»Wo denn?«

»Über dem Einfall. Erwin hat uns umgesetzt.«

»Wieso das denn?«

»Helga ist schwanger. Die zieht jetzt mit ihm zusammen.«

»Ach so. Ist da noch was frei über dem Einfall?«

»Ich weiß nicht, Chrissie, H.R., ich, Freddie und Frank hier, ich weiß gar nicht, wie viele Zimmer die hat.«

»Viereinhalb«, sagte Frank, der sich daran noch erinnern konnte.

»Muß man mal gucken, was Erwin unter einem halben Zimmer versteht«, sagte Karl.

»Nehm ich«, sagte Martin.

Sie traten auf die Straße. Es war noch kälter geworden, und die Luft roch noch mehr nach Rauch, und der Rauch roch nach Schwefel.

Unter den Gaslaternen standen dunstige, gelbliche Kegel aus Licht.

»Pfuelstraße, wo ist die noch mal?« sagte Karl.

»Unten an der Spree, beim Schlesischen Tor«, sagte

Martin. »Laß uns mal losgehen, bevor ich zu frieren anfange.«

Sie liefen im Eilschritt die Naunynstraße und dann die Oranienstraße hinunter bis zur Hochbahn, und dann liefen sie die Hochbahn entlang, es war ein weiter Weg, auf den Straßen war nicht mehr viel los, und je weiter sie kamen, desto einsamer wurde es, und sie schwiegen und konzentrierten sich aufs Laufen und aufs Atmen der kalten, bitteren Luft, und Frank fühlte sich wohl dabei, und daß er sich dabei wohlfühlen konnte, nahm er als gutes Zeichen, als Zeichen dafür, daß er irgendwie dazugehörte.

# 11. PARTY

Als sie in der Pfuelstraße ankamen, fanden sie die Party nicht.

»Ich dachte, die findet sich von alleine, so klein wie die Pfuelstraße ist«, sagte Martin entschuldigend, als sie langsam die Pfuelstraße hinuntergingen und links und rechts in den Fenstern der Häuser nach den Anzeichen einer Party suchten.

»Soll das so 'ne große Party sein, in einer von den Fabriketagen da«, sagte Karl und zeigte zur anderen Straßenseite, »oder sowas in so 'ner normalen Wohnung oder was? Von wem hast du das denn mit der Party?«

»Weiß ich nicht mehr, das haben mehrere gesagt«, sagte Martin. »Das hat irgend jemand gesagt, daß hier 'ne Party wäre, H.R., glaube ich, H.R. hat das gesagt. Oder sonst jemand, irgend 'ne Frau oder so. Soll ein Riesending sein.«

»In der Pfuelstraße?« sagte Karl zweifelnd. Sie waren am Ende der Pfuelstraße angelangt und standen am steinernen Ufer eines Flusses, wohl der Spree, das kann nur die Spree sein, dachte Frank, oder die Havel, was wußte er denn, aber er wollte nicht fragen und sich lächerlich machen. Direkt vor ihnen stand ein großes Schild, darauf stand: »Achtung, Lebensgefahr! Wasserstraße gehört zum Ostsektor von Berlin«. Darunter stand dasselbe noch einmal auf türkisch, und Frank fiel auf, daß dort für ›Wasserstraße‹ das Wort ›kanali‹ benutzt wurde, wahrscheinlich ist es gar kein Fluß, dachte er, wenn es ein Fluß wäre, dann würden die doch kaum ›Wasserstraße‹ schreiben, das wäre doch total daneben, dachte er, niemand würde die Weser ›Wasserstraße‹ nennen, und wenn die Türken ›kanali‹ sagen, dachte er, dann kann das nur ein Kanal sein, aber ein ziemlich großer, dachte er, das ist schon ein beeindruckend großer Kanal, aber wenn es ein Kanal ist, dann kann man ruhig mal fragen, wie der heißt, dachte er, sowas muß man nicht wissen, da kann man ruhig mal fragen. »Wie heißt denn der Kanal?« fragte er.

»Das ist die Spree«, sagte Karl und sah dabei zum anderen Ufer hinüber, wo man an der regelmäßigen, dichten Reihe von Peitschenlampen erkennen konnte, daß dort die Mauer stand.

»Wie spät ist das jetzt?« fragte Martin Bosbach und hüpfte dabei auf der Stelle auf und ab.

»Keine Ahnung«, sagte Karl, »spät, drei, vier, keine Ahnung.«

»Jedenfalls ist es arschkalt«, sagte Martin.

»Wenn das irgendeine gute Party wäre, dann müßte doch mal jemand da hingehen oder da weggehen oder so, ich meine, dann müßte doch mal jemand auf der Straße sein«, sagte Karl.

»Da ist einer«, sagte Martin und zeigte auf eine Frau, die aus dem Hofeingang eines großen Gewerbegebäudes trat. »Ich frag die mal.«

»Hallo!« Er ging zu der Frau hinüber. Die Frau sah ihn auf sich zukommen und lief weg.

»Scheiße!« sagte Martin, als Frank und Karl zu ihm aufgeschlossen waren, »ich wollte ihr doch nichts tun, ich meine, sehe ich gefährlich aus, oder was?«

»Laß uns mal da in den Hof reingehen«, sagte Karl, »wenn überhaupt, dann muß die Party da drin irgendwo sein, da ist sie doch hergekommen oder nicht? Was soll die denn sonst jetzt hier machen?«

»Vielleicht eine Putzfrau«, schlug Frank vor.

»Nee, die sah nicht aus wie eine Putzfrau, die sah aus wie eine, die von einer Party kommt.«

Sie gingen in den Hof des Gewerbegebäudes. »Wenn, dann ist das hier«, sagte Karl, »hier so Fabriketagen und so, Loft, Erwin, Party, was weiß ich«, redete er sinnlos vor sich hin, und dann sahen sie auch, daß im Quergebäude hinter Fabrikfenstern ein Licht leuchtete.

»Das ist aber ziemlich schwach beleuchtet, was soll das denn für 'ne Party sein«, sagte Martin. »Und Musik hört man auch nicht.«

»Jetzt jammer nicht«, sagte Karl. Die Tür des Quergebäudes war geschlossen. Karl rüttelte daran. »Zu die Scheiße. Wo sollen wir denn jetzt klingeln? Da steht nichts dran«, sagte er, als er die Klingelschilder studierte, »ist zu dunkel, was weiß ich ...«

In diesem Moment öffnete sich die Tür, und zwei Frauen kamen heraus.

»Ist hier die Party von Silke?« fragte Martin sie.

Die Frauen schauten ihn nicht einmal an, sondern gingen ganz schnell weiter.

»Super, vielen Dank«, sagte Karl und schob Frank und Martin vor sich her durch die Tür. »Bosbach, du Dödel«, sagte er, als sie die Treppen hinaufstiegen, »was soll der Scheiß, wer ist Silke? Und was ist das für eine Scheißparty, das kann doch nur wieder peinlich werden!«

»Das war nur so 'ne Idee mit Silke. Irgendwo ist doch immer 'ne Silke dabei, wenn man nach Silke fragt, kriegt man immer was raus. Was mir aber Sorgen macht«, sagte Martin Bosbach, »ist, daß da die ganzen Frauen schon gehen oder was. Ich meine, das ist doch meistens ein schlechtes Zeichen.«

»Ja, aber immerhin höre ich irgendwie Musik«, sagte Karl. »Aber ganz schön leise.«

Martin blieb auf der Treppe stehen. »Ich höre nichts«, sagte er. »Was denn für Musik?«

»Ich höre auch nichts«, sagte Frank.

»Ich hör die«, sagte Karl. »Aber ganz leise.«

Als sie ein Stockwerk höher waren, hörte Frank die Musik auch, und im dritten Stock war sie schon ziemlich laut. Sie öffneten dort eine große Stahltür und standen in einem Loft, das war spärlich mit Neonröhren verschiedener Farbe beleuchtet und menschenleer. Sie gingen ein Stückchen in den großen Raum hinein, aber es war niemand da.

»Vielleicht nicht hier, sondern eins höher«, rief Martin gegen die Musik an.

»Quatsch, dann wäre hier doch keine Musik an«, rief Karl.

»Das ist nicht gesagt, es kann ja einer hier wohnen, und der wäscht sich gerade die Haare und hat dazu Musik an.«

»Um vier Uhr morgens?!«

»Das ist doch gar nicht gesagt, daß das vier Uhr morgens ist, das kann man doch gar nicht wissen«, sagte Martin.

Karl ging ihnen voran bis dahin, wo vom großen Raum ein Gang ins Dunkel führte. »Hallo!« rief er in den Gang hinein.

»Vorsicht jetzt!« rief Martin Bosbach. »Das ist mir irgendwie nicht geheuer.«

»Idiot«, sagte Karl.

Die Musik ging aus, und man konnte hören, wie die Nadel in der letzten Rille ihre Runden drehte.

»Vielleicht sollten wir lieber gehen«, sagte Martin. »Ich meine, nach Party sieht das irgendwie nicht aus hier!«

»Hat außer dir auch niemand gesagt, daß hier 'ne Party ist«, sagte Karl. »Trotzdem ist das irgendwie komisch. Von wem hattest du das jetzt mit der Party noch mal? Und wieso spielt der Plattenspieler weiter, obwohl die Platte zu Ende ist? Da geht doch normalerweise immer der Arm hoch.«

»Ha, der Arm hoch, das ist gut«, sagte Martin.

»Wer weiß, was hier für ein Scheiß läuft«, sagte Karl. »Von wem hattest du das nochmal? Edith?«

»Edith? Wieso Edith?« sagte Martin. »Wieso denn jetzt gerade die? Die redet doch schon seit ewig nicht mehr mit mir. Das finde ich aber gruselig, daß du jetzt mit Edith anfängst!«

»Reg dich ab, war doch nur so 'ne Idee!«

»Laß uns abhauen, was weiß ich, irgend 'ne Frau war das. Oder H.R. oder so.«

Frank war schon auf dem Weg zur Tür. Er hatte keine Lust mehr.

»Warte, wir kommen mit«, rief Karl. »Bloß schnell raus hier, hier stimmt irgendwas nicht. Und nichts anfassen, Fingerabdrücke!«

»Jetzt hör aber mal auf«, sagte Martin, »jetzt übertreibst du aber, wir haben doch nichts verbrochen, und selbst wenn, wir sind drei, wir können uns doch gegenseitig ein Alibi geben.«

Sie liefen schnell die Treppen hinunter, und gerade als sie durch die Tür zum Hof gingen, tauchte Chrissie vor ihnen auf.

»Chrissie!« rief Martin, als er sie sah. »Chrissie hatte mir das erzählt! Chrissie war das!«

»Ha!« sagte Chrissie und schaute sie nicht einmal an, als sie an ihnen vorbeiging. »Auf einmal gibt's mich wieder, oder was?«

Sie verschwand durch die Tür. Karl, Martin und Frank standen draußen und sahen der Tür dabei zu, wie sie langsam ins Schloß fiel.

»Scheiße, wie ist die denn drauf!« rief Karl und sprang vor, um die Tür noch zu erwischen, aber es war zu spät.

»Laß uns abhauen«, sagte Martin.

»Wie, laß uns abhauen? Was ist das denn für eine Haltung, laß uns abhauen?!«

»Wieso, ich dachte, das wollten wir gerade machen?«

»Kann ja sein, daß wir das machen wollten, aber jetzt ist Chrissie da hochgegangen, wer weiß, was da oben los ist!«

»Was soll da schon los sein, da ist ja keiner.«

»Und warum sind wir dann so schnell wieder abgehauen?«

»Naja, was sollten wir da, wenn da keine Party ist? Außerdem haben wir Paranoia gehabt, ist doch klar.«

»Ja, natürlich haben wir Paranoia gehabt, das merkt doch jedes Kind, aber warum? Das war doch nicht irgend so eine doofe, minderwertige, unbegründete Paranoia, das war eine 1a sachliche Paranoia« – Karl redete sich richtig in Rage –, »das war nicht irgendeine Pipi-Paranoia, das war eine superfundierte Spitzenparanoia, da oben stimmt was nicht, das merkt doch jeder, oder ist dir etwa wohl dabei, daß Chrissie da jetzt einfach so hochgeht?«

»Was soll da schon passieren?«

»Was weiß ich, was da passieren soll, irgendwas Schlimmes natürlich, die dumme kleine Maus, echt mal, die hätte ja wenigstens mal mit uns reden können.«

»Warum ist sie eigentlich so beleidigt?« fragte Frank.

»Weil sie in Bosbach verliebt ist, und als er aufgewacht ist, hat er sie gesehen, gekotzt und nicht mal Hallo gesagt, so sehe ich das.«

»Wieso in mich verliebt? Wieso sollte Chrissie in mich verliebt sein?«

»Hast du eine bessere Erklärung?«

»Keine Ahnung, aber das muß doch nicht gleich sowas sein!«

»Für mich ist das ziemlich eindeutig. Außerdem hat sie die ganze Zeit gewollt, daß wir dich aus der Zone mitnehmen, damit du da nicht im Rinnstein endest oder was!«

»Wieso im Rinnstein? Und seit wann machst du das, was Chrissie sagt?«

»Ist doch egal, schön doof halt, aber was machen wir denn jetzt wegen Chrissie?«

»Nichts. Die kommt ja wohl ganz gut alleine klar!«

»Nee, wir müssen da jetzt hinterher.« Karl wandte sich wieder dem Klingelbrett zu. »Da steht überhaupt nichts drauf, nur so Zahlen, dann können die sich auch nicht beschweren, wenn man da klingelt!« Er drückte alle Klingeln der Reihe nach durch. »Hier, die noch und die noch, wahrscheinlich ist es eh diese, keine Ahnung …« Er machte noch eine Weile so weiter, bis es schließlich summte. Blitzschnell drückte er mit dem Hintern die Tür auf. »Hoffentlich sind wir noch nicht zu spät!« sagte er vergnügt und stürmte die Treppe hinauf.

Martin und Frank beeilten sich, hinterherzukommen. Frank hatte zwar keine Lust mehr, aber er konnte seine neuen Freunde oder Bekannten, oder was immer die beiden waren, ja nicht im Stich lassen. Wieder im dritten Stock angekommen, betraten sie dasselbe Loft noch einmal, und wie zuvor auch schon war es leer. Aber diesmal ließ Karl sich nicht auf eine vorsichtige Erkundung ein. Laut »Chrissie! Chrissie, du mißratenes Stück Nichtenfleisch« rufend, drang er in den dunklen Gang am Ende des großen Raumes ein, mit Martin und Frank dicht auf den Fersen.

»Chrissie, komm da raus!« Karl öffnete Türen, schaute hinein und knallte sie wieder zu. Bei der dritten Tür traf er beim Öffnen im Dunkeln auf etwas Weiches. Er griff um die Tür herum und schrie auf.

Martin machte das Licht an. Vor ihnen stand eine Frau im Pyjama mit einem Kartoffelschälmesser in der

Hand und schrie: »Kommt mir nicht zu nahe, ich bring euch um, ich stech euch ab!« Karl hielt sich derweil seine Hand. »Die hat mich gestochen, die Sau!« rief er.

Frank hatte jetzt dringend das Gefühl, eingreifen zu müssen.

»Stop!« schrie er. »Stop! Mißverständnis! Entschuldigung!«

Gleichzeitig hielt er Karl fest, der Anstalten machte, sich auf die Frau zu stürzen.

»Hör auf!« rief er eindringlich. »Hör auf, hör auf, hör auf.«

»Ich hol die Polizei!« rief die Frau. »Hilfe! Hilfe!«

Karl hatte sich mittlerweile beruhigt, er hielt sich nur noch die Hand und sog geräuschvoll Luft durch die Nase ein.

»Mißverständnis!« rief Frank. »Entschuldigung. Wir suchen die Party!«

»Weg! Weg! Weg!« schrie die Frau und kam mit dem Messer näher. Frank und Karl zogen sich zurück, ohne sie aus den Augen zu lassen. »Ich ruf die Polizei, ihr Schweine!«

»Wir suchen doch bloß die Party!« ließ Frank nicht locker. Irgendwie mußte die Sache doch aufzuklären sein.

»Die Party ist ein Stockwerk höher«, sagte die Frau, ließ aber das Messer nicht sinken. »Raus hier!«

»Die Tür war offen!« sagte Frank.

»Die sind alle nach oben gegangen! Raus hier!«

Frank fiel auf, daß Martin nicht mehr bei ihnen war.

»Wo ist Martin?« rief er.

»Welcher Martin?« sagte die Frau und blieb stehen.

Frank fiel auf, daß auf ihrem Pyjama lauter kleine Blumen waren.

»Bosbach«, sagte er.

»Bosbach, der Arsch, haut bloß ab!«

»Das ist alles ein Mißverständnis«, wiederholte Frank. »Wir wollten das nicht, wir wollten bloß zur Party, ehrlich!«

»Raus hier, ich will schlafen.«

Sie zogen sich ins Treppenhaus zurück. Da war es dunkel. Hinter ihnen fiel die große Stahltür ins Schloß, und sie hörten, wie ein Riegel vorgeschoben wurde.

»Oh, oh«, sagte Karl.

Jemand machte das Treppenlicht an. Es war Martin.

»Bosbach, du Pfeife! Wer war denn die Irre?«

»Scheiße, das war doch Almut.«

»Welche Almut?«

»Die von der Dieffenbachstraße.«

»Scheiße, die habe ich gar nicht erkannt, was macht die denn hier?«

»Ja, wohnen oder was?« sagte Martin. »Das ist 'ne verdammt dumme Frage, Schmidt!«

»Wieso«, sagte Frank, der auch mal was sagen wollte, »das hier ist doch die Pfuelstraße und nicht die Dieffenbachstraße, so gesehen ...«

»Nein, die ist aus der Galerie in der Dieffenbachstraße«, sagte Karl, »die hat da eine Galerie, da hat vor kurzem mal Freddie ausgestellt.« Er besah sich seine rechte Hand. Almuts Messer hatte auf dem Handrücken eine Kratzwunde hinterlassen. »Hätte die mich fast umgebracht. Stell dir das mal vor: Da wirst du in der Pfuelstraße in einer fremden Wohnung auf der Suche nach einer Party von Freddies Ex-Galeristin niedergestochen und stirbst. Was für ein Scheißende!« Er zog seine Jacke wieder an. »Komisch, daß die mich nicht gleich erkannt hat, die müßte mich doch noch kennen, die haßt mich doch!«

»Ich bin lieber schnell weg eben«, sagte Martin. »Ich meine, vielleicht brauch ich die noch! Die kennt mich doch!«

»Ich bin bei der sowieso schon unten durch«, sagte Karl. »Bei der brauch ich sowieso nicht mehr aufzutauchen. Wollt ihr noch auf die Party?«

»Nein«, sagte Frank, »ich auf keinen Fall. Ich geh nach Hause.«

»Das steht irgendwie alles unter keinem guten Stern«, sagte Martin. »Ich geh auch mal nach Hause. Kann ich mit zu euch?«

»Ja, ist jetzt eh schon egal!« sagte Karl. »Laß uns noch ein paar Bier kaufen, und dann trinken wir die bei uns. Mein Gott, irgendwie kommt man ja den ganzen Abend zu nix!«

Und so verließen sie wieder das Hinterhaus mit den Fabriketagen und den Hof und waren wieder auf der Pfuelstraße.

»Mann ist das kalt!« sagte Bosbach. »Und das stinkt schon wieder.«

»Ja, Inversionswetterlage«, sagte Karl.

»Ich brauch mal einen Mantel demnächst, spätestens morgen.«

»Bald ist Weihnachten«, sagte Karl.

»Wieso ist bald Weihnachten? Wir haben November!«

»Kommt mir so vor.«

Bosbach schüttelte den Kopf. »So ein Quatsch, Weihnachten«, sagte er. Er steckte die Hände in die Taschen, zog wie zum Schutz vor der Kälte die Schultern hoch und ging los.

Aber Frank verstand Karl. Er hatte dasselbe gedacht. Komisch sowas, dachte er, und er wollte etwas dazu sagen, aber dann waren die beiden schon ein ganzes Stück weiter weg, und er hatte genug damit zu tun, zu ihnen aufzuschließen und an ihnen dranzubleiben, so schnell liefen sie schon wieder durch die kalte Nacht.

## 12. KUNG FU

Freddie saß auf einem großen Ledersessel, aber auf der Lehne, mit den Füßen auf dem Sitz, und der Sessel stand im Freien und im Dunkeln, und im Hintergrund fuhr die U-Bahn auf ihrem Viadukt ständig von links nach rechts durchs Bild wie ein leuchtendgelber Wurm. »Das darf man alles nicht so ernst nehmen«, sagte er und zündete ein Streichholz an. »Mal ist man Manni, mal ist man Freddie, mal ist man auf der einen, mal auf der anderen Seite der U-Bahn!« Er steckte eine Zigarette an und hielt sie Frank hin.

Frank wollte sie nicht nehmen. »Ich weiß nicht, ob sich das hier lohnt«, sagte er, »das muß ich erst noch rauskriegen.«

»Hier kriegst du gar nichts raus«, sagte Freddie und rauchte die Zigarette selber. »Wenn du auf der anderen Seite bist, fährt sie von rechts nach links, das ist dann die Manni-Linie.«

»Ich glaube, das lohnt sich nicht, weil die Luft eh schon so schlecht ist«, sagte Frank. »Das kriegt man doch hier alles umsonst.«

»Wußte gar nicht, daß du so geizig bist«, sagte Karl.

Sie fuhren in der U-Bahn, aber Karl rauchte trotzdem, und es schien von den sonstigen Passagieren, allesamt alten Omas, wenn man näher hinschaute, keinen zu stören. Die U-Bahn war eingerichtet wie die Bremer Straßenbahn, und auf den Zweiersitzen saß immer nur eine Oma auf einmal. Das ist die Omnibusregel, dachte Frank, das ist wie bei der Besetzung der Hantelorbitale bei den Elementen der Periodentafel, die werden auch immer erst alle einfach besetzt, und erst danach das erste zweifach, gut, daß man das mal in der Schule gelernt hat, dachte er, das ist wie Schwimmen, das kann man dann für immer, und das kann man auch immer gebrauchen.

»Wieso fahren wir eigentlich an den Kudamm?« fragte er.

»Weil wir Touristen sind«, sagte Karl.

»Ich bin kein Tourist. Das ist überhaupt nicht möglich, daß ich Tourist bin«, sagte Wolli. Wo kommt Wolli denn jetzt schon wieder her, dachte Frank, und wieso sieht er aus wie ein Schaffner?

»Alle Punks sind Touristen«, sagte Karl. »Das ist doch überhaupt die neueste Art von Tourismus, Punk.«

Wolli hob eine Faust und klopfte mit einem Fingerknöchel auf Karls Kopf. Es klang wie das Klopfen an einer Tür.

»Ich mag das«, sagte Karl, »mach schön weiter.«

»Und die Fahrkarten würde ich dann auch gerne mal sehen«, sagte Wolli.

»Du willst die Fahrkarten sehen?« sagte Frank ungläubig.

»Ja«, sagte Wolli, immer weiter auf Karl, der das sehr zu genießen schien, herumklopfend, »wo wir gerade dabei sind sozusagen.«

Frank fiel auf, daß die U-Bahn gar nicht fuhr. Sie waren jetzt auch ganz alleine darin, er und Karl und Erwin. Wieso Erwin? dachte er.

»Wach mal auf«, sagte Erwin.

»Was machst du denn hier, Erwin?« sagte Frank.

»Dumme Frage«, antwortete Erwin, »ich wohne hier. Deine Mutter ist am Telefon.«

Da wachte Frank auf.

Es war Tag, aber es war nicht sehr hell, durch das Fenster kam graues Licht herein, und Erwin stand neben der Matratze, auf der Frank lag, und sah auf ihn herunter.

»Deine Mutter ist am Telefon«, wiederholte er.

»Meine Mutter ist am Telefon?«

»Ja, deine Mutter ist am Telefon.«

»Ich dachte, ich hätte das geträumt.«

»Ja, von sowas träumst du vielleicht, aber jetzt solltest du schnell mal mit ihr reden! Ich meine, da klingelt das Telefon nach langer Zeit endlich mal wieder, und das erste, was man hört, ist Freddies Mutter!«

Dann war Erwin wieder weg, aber die Tür ließ er offen. Freddie hatte neben dem Bett einen Wecker mit Klappzahlen, da klappte gerade ein Minutenschildchen herunter, und es war 14.47 Uhr. Wahrscheinlich, dachte Frank, ist sie grad von der Arbeit zurückgekommen und ruft nur mal eben an, um zu fragen, wie's denn so läuft. Seufzend stand er auf und zog sich die alte Hose von gestern an, es blieb ihm ja auch nichts anderes übrig, eine andere Hose hatte er nicht. Klamotten kaufen muß ich auch noch, dachte er, als er draußen vor seinem Zimmer stand und in das Halbdunkel der Fabriketage spähte. Er war barfuß, und der Boden war aus Beton und verdammt kalt. Frank glaubte, das Telefon gestern abend im Küchenbereich gesehen zu haben, und dahin ging er nun, und seine nackten Füße auf dem kalten Boden machten nicht nur, daß er fror, sondern auch, daß er dringend aufs Klo mußte, und das Klo lag auf dem Weg, also legte er dort erst einmal einen Zwischenstopp ein und kam erst einige Zeit später im Küchenbereich an; dort saß Chrissie wie am Abend zuvor mit einer Tasse mit was Heißem drin in den Händen und mit angezogenen Füßen auf einem Klappstuhl und zeigte, als sie ihn sah, mit dem Kopf in die Richtung, in der sich das Telefon befand, es stand auf einem Sims, der die Wand dort auf ganzer Länge in Bauchnabelhöhe säumte, und hatte Frank heimlich gehofft, daß seine Mutter inzwischen aufgegeben und wieder aufgelegt hatte, so wußte er jetzt schon, daß daraus nichts werden würde, denn bereits aus einigen Metern Entfernung konnte er deutlich hören, wie seine Mutter die Wartezeit mit regelmäßigen Hallo-Rufen überbrückte.

»Mutter, wie geht's?«

»Wie soll's mir schon gehen?! Bist du das, Frank?«

»Ja klar, wer denn sonst?«

»Hätte ja auch Manfred sein können, ich kann eure Stimmen immer nicht auseinanderhalten, ihr habt beide die Stimme von eurem Vater geerbt, das kann man schon mal mit Sicherheit sagen.«

»Ja«, sagte Frank. »Wie geht's denn so?«

»Mir? Wie soll's mir schon gehen?! Mir geht's doch immer gleich! Außerdem hast du das eben schon mal gefragt.«

Tja, dachte Frank, da steht man nun, gerade erst aufgewacht und schon gemaßregelt. Es war neu für ihn, von seiner Mutter angerufen zu werden. In Bremen hatte es dazu keine Gelegenheit gegeben, in der Kaserne konnte man nicht angerufen werden, und in Franks letzter Wohnung hatte es kein Telefon gegeben.

»Naja, es interessiert mich eben«, sagte er ungewollt heftig, »oder ich bin höflich oder sowas, was weiß ich, gibt's ja auch noch, Höflichkeit, außerdem hast du mir eben nur eine ausweichende Antwort gegeben, da wird man eine Frage ja wohl noch wiederholen dürfen!«

»Ja, ja, reg dich ab, bist ein guter Junge, mir geht's prima, ich wollte auch nur mal kurz anrufen und fragen, wie's euch so geht, ich komme doch gerade von der Arbeit zurück, wo ist überhaupt Manfred?«

»Der ist nicht da.«

»Wie, der ist nicht da?! Das hat der andere eben auch schon gesagt, so ein Quatsch! Was soll das denn, der ist nicht da?! Was ist das denn für ein Benehmen?«

»Wieso Benehmen? Was hat das denn mit Benehmen zu tun?«

»Na, der weiß doch, daß du kommst, oder nicht?«

»Nein, ich hab ihn doch nicht erreicht, das Telefon war doch bis eben noch abgestellt!«

»Der wußte gar nicht, daß du kommst?«

»Nein, ich konnte ihn ja nicht anrufen.«

»Und dann bist du da trotzdem einfach hingefahren?«

»Ja.«

»Na, du hast Nerven!«

»Naja, so schlimm ist das auch wieder …«

»Und dann ist der gar nicht da?« unterbrach ihn seine Mutter.

»Nein, sag ich doch!«

»Wo ist der denn?«

»Weiß ich nicht. Das weiß hier keiner.«

»Aha …!«

Seine Mutter schwieg, und Frank wußte auch nicht, was er sagen sollte. Er war einerseits froh, mit jemandem aus der Familie zu sprechen, das hatte etwas Beruhigendes, gerade wenn es um Manni ging, oder Freddie, fügte er in Gedanken hinzu, da muß man sich langsam mal entscheiden, dachte er, die Tendenz geht ja wohl auf lange Sicht eher zu Freddie, gestand er sich in Gedanken ein, aber andererseits war er auch nicht ganz glücklich darüber, nach gerade mal einem Tag in der neuen Stadt gleich schon wieder seiner Mutter Rede und Antwort stehen zu müssen, es ist ein bißchen wie mit Wolli, dachte er, es wäre vielleicht gut, wenn man die alle mal für eine Zeitlang von der Backe hätte.

»Da stimmt doch was nicht! Da stimmt doch irgendwas nicht!« sagte seine Mutter schließlich.

»Was soll denn da nicht stimmen?« sagte Frank. »Er kann doch mal wegfahren, was weiß ich, vielleicht in Urlaub, oder was Berufliches mit seinen Skulpturen oder Objekten da, was weiß ich …?!«

»Nee!« sagte seine Mutter im Brustton der Überzeugung. »Nee, ich kenne Manfred, da stimmt was nicht. Der wohnt doch mit denen da zusammen oder nicht?«

»Ja, natürlich.«

»Und dann weiß keiner, wo der hin ist? So ein Quatsch.

Ich kenn doch Manfred, der würde nicht mal einkaufen gehen, ohne da vorher ein großes Ding draus zu machen, der war doch als Kind schon so. Außerdem haben wir November. Wer fährt denn schon im November in Urlaub?«

»Dann eben irgendwas wegen der Kunst!«

»Ha!« Seine Mutter schneuzte sich am anderen Ende der Leitung ausführlich die Nase. Frank konnte alle Einzelheiten unterscheiden: erst das eine, dann das andere Nasenloch, dann noch einmal beide zusammen, dann ein Schnauben und ein Hin- und Herwischen, es hatte etwas Hörspielhaftes, vor allem aber war es laut, überhaupt hatte der schwere, schwarze Telefonhörer, den er sich, an der Wand der Fabriketage lehnend, mit langsam erlahmenden Kräften ans Ohr hielt, einen mächtig lauten Klang.

»Entschuldigung«, sagte seine Mutter, »dieser Imbiß, das Fett hat man noch stundenlang in der Nase, schlimm ist das. Aber das andere ist Quatsch. Das sind doch alles so Kunsttypen da bei ihm, da kann mir doch keiner erzählen, daß Manfred wegen irgendwas mit seiner Kunst wegfährt und die wissen nichts davon, das kommt mir unwahrscheinlich vor, der ist doch so eine Plaudertasche, dein Bruder, der ist doch immer schon so ein Angeber gewesen, wie soll der denn irgendwas machen, ohne daß es jeder weiß, das geht doch gar nicht!«

»Gewesen, gewesen«, sagte Frank. »Das ist doch alles Vergangenheit, was weißt du denn schon, wie er hier so ist und so, ich meine …«

»Frank! Der ist nicht weg. Da stimmt was nicht.«

»Was soll das denn jetzt, Mutter? Willst du dich jetzt mit aller Gewalt beunruhigen, oder was?«

»Beunruhigen? Wieso denn beunruhigen? Ich bin nicht beunruhigt, so ein Quatsch! Du bist ja da! Du wirst ihn schon finden, da mach ich mir eigentlich keine Sorgen. Irgendwo wird er schon sein, was weiß ich denn, was er da immer so treibt, Berlin, da blickt doch kein Mensch durch!«

»Ja wie jetzt?« warf Frank ein. »Erst sagst du, da stimmt was nicht, und dann sagst du, man soll sich nicht beunruhigen.«

»Ja und?«

»Das ist doch ein Widerspruch!«

»Widerspruch, Widerspruch, der einzige, der hier immer widerspricht, das bist du. Ich sage dir nur, der ist nicht im Urlaub, und der ist auch nicht irgendwo sonst hingefahren, sonst wüßten das alle da, oder wenn, dann wissen die das und sagen dir das bloß nicht. Oder er macht mal irgendwas, das er nicht gleich an die große Glocke hängen will, was Peinliches, was weiß ich denn?!«

»Ja eben, was?!«

»Nun werd mal nicht pampig, woher soll ich das denn wissen?! Weißt du eigentlich, daß du neulich Geburtstag gehabt hast? Das hatte ich gestern ganz vergessen vor Schreck, das war letzten Sonntag, wo bist du da eigentlich gewesen?«

»Da war ich in der Kaserne«, sagte Frank.

»Am Sonntag?!«

»Ja, da war ich im San-Bereich gewesen.«

»Was ist denn der San-Bereich?«

»So 'ne Art Krankenhaus, also deren Krankenbereich da.«

»Was hast du da denn gemacht? Warst du krank gewesen?«

»Nur so 'ne Erkältungssache«, log Frank. Das fehlte ihm noch, daß dieser ganze alte Scheiß hier wieder hochkam. »Da muß man dann dableiben.«

»Na, ich bin nur froh, daß das mit dem Bund endlich vorbei ist. Und du weißt wirklich nicht, wo dein Bruder ist? Der hat doch nicht etwa was angestellt oder so?«

»Was soll der schon angestellt haben?«

»Bei dem weiß man nie. Der ist so sprunghaft. Und so stur. Ich bin froh, daß du dich jetzt um ihn kümmerst. Und sag ihm mal …«

»Mutter, ich bin sein kleiner Bruder, wieso sollte gerade ich mich um Freddie kümmern?«

»Welcher Freddie denn jetzt?«

»Manfred.«

»Ach so. Freddie, das klingt ja bescheuert, das klingt ja wie Freddie Quinn.« Seine Mutter lachte.

»Ja, aber wieso soll ich mich um ihn kümmern, so ein Quatsch!« sagte Frank.

»Weil du der Vernünftigere bist. Dieser ganze Kunstkram, da blickt ja keiner durch!«

»Ich sag ihm, daß er dich mal anrufen soll, wenn ich ihn sehe.«

»Ja. Und herzlichen Glückwunsch, mein Junge. Das ging jetzt alles so schnell in letzter Zeit, man kommt ja richtig durcheinander. Ich bin nur froh, daß ihr beide jetzt zusammen seid.«

»Ja, finde ich auch gut!«

»Mach's gut, Frank, mein Kleiner. Ich ruf dann morgen nochmal an.«

»Wieso das denn jetzt?« Das ist unfair, dachte Frank, man hat sich schon innerlich Entwarnung gegeben, dachte er, man bereitet sich schon darauf vor, den Hörer aufzulegen, und dann holt sie noch einmal zum Schlag aus und trifft einen gänzlich unvorbereitet, dachte er, das muß man sich merken!

»Wegen Manfred, ich will den doch auch noch sprechen.«

»Aber ich hab doch gesagt, daß der nicht da ist.«

»Ja, das hab ich ja nun auch gehört. Und wenn der morgen immer noch nicht da ist, dann müssen wir beide eben nochmal darüber reden. Da stimmt doch was nicht!«

»Das ist nicht nötig, der kommt sicher erst in ein paar Tagen wieder!«

»Woher willst du das wissen?«

»Sowas weiß man doch!«

»Jetzt redest du Unsinn, mein Junge. Ich ruf morgen nochmal an. Genau die Zeit wie heute, bist du dann da?«

»Ja«, sagte Frank widerwillig.

»Das ist gut. Und grüß schön.«

»Ja, du auch!«

Frank legte auf und sah, daß Chrissie ihn von der Bank aus anstarrte.

»Ist das da Kaffee, was du da hast?« fragte er.

»Ja«, sagte sie. »Da ist noch was in der Kanne.«

Sie zeigte zur Spüle hinüber, neben der eine Kaffeekanne stand. Frank ging hin, suchte sich aus einem Haufen Geschirr in der Spüle einen Kaffeebecher heraus, wusch ihn ab und goß sich was ein. Dann setzte er sich Chrissie gegenüber und versuchte, seine Gedanken zu sammeln, wenigstens so weit, daß es für einen Plan für den neuen Tag reichte, obwohl, neuer Tag, dachte er, für einen neuen Tag sieht der schon ziemlich alt aus. In der Küchenecke war das Licht an, ein großer, leuchtender Papierballon über dem Küchentisch, und das war auch nötig, denn was durch die Fabrikfenster an Licht hereinkam, war ausgesprochen trübe. Man darf sich die Laune nicht vermiesen lassen, schärfte er sich ein, und Panik darf man sich auch nicht machen lassen, schon gar nicht von der eigenen Mutter, versicherte er sich, man muß auch das Positive sehen, dachte er, immerhin ist bald Weihnachten, fiel ihm die Bemerkung von Karl aus der letzten Nacht ein, und er mußte lachen, obwohl er nicht genau wußte, warum.

»Warum lachst du?« fragte Chrissie.

»Nur so«, sagte Frank.

»Aha«, sagte Chrissie und schaute wieder in ihre Tasse.

»Ich dachte, bald ist Weihnachten«, sagte Frank. »Das hat Karl gestern gesagt.«

»Ach so. Sehr lustig!«

»Geht so«, sagte Frank, und dann schwiegen sie. Sie saßen einfach nur da herum und schwiegen, und Frank dachte einen Moment darüber nach, was er heute machen sollte. Man könnte bei dieser Galerie vorbeigehen in der Dieffenbachstraße, dachte er, bei dieser Almut. Vielleicht kann die einem mal erzählen, was mit Freddie los ist, dachte er. Aber in Wirklichkeit hatte er keine Lust dazu. Scheiß auf Freddie oder Manni oder alle beide, dachte er.

Er war schlapp und wollte einfach nur hier sitzen bleiben, schweigend und in seinen Kaffee pustend, mit Chrissie auf der anderen Seite des Tisches. Man darf die Dinge nicht immer anschieben, man muß sie auch mal geschehen lassen, dachte er, einfach mal abwarten und sehen, was passiert, man sieht ja, was dabei herauskommt, wenn man aktiv wird, dachte er, nur Quatsch kommt dabei raus, man rennt durch die Gegend und scheucht irgendwelche Frauen im Pyjama aus dem Bett, das kommt dabei raus, dachte er, da kann man ebensogut mal sitzen bleiben.

Und so blieb er sitzen, und die Minuten gingen damit vorüber, daß er, gerade so wie Chrissie, auf seinen Kaffee starrte und ab und zu einmal drüberpustete. Chrissie sagte nichts, und er sagte nichts, und nichts passierte. Mal sehen, wie lange das so geht, dachte Frank. Mal sehen, wer als erster was sagt, dachte er, wer als erster was sagt, hat verloren, das ist fast schon fernöstlich, dachte er und entsann sich eines Films, den er einmal gesehen hatte, eines Kung-Fu-Films, in den ihn Martin Klapp einmal hineingeschleppt hatte, das war in Bremen im UT am Bahnhof gewesen, und der Kung-Fu-Meister hatte dem Helden erklärt, daß der, der zuerst angreift, automatisch im Nachteil sei, sich damit automatisch eine Blöße gebe, die der gegnerische Kung-Fu-Kämpfer sogleich zu seinem Vorteil nutzen könne, und das ist doch stark, dachte Frank, und nicht nur stark, nein, auch logisch, das kann man hier auch gleich mal ausprobieren, dachte er, mal sehen, wie und wo Chrissie sich eine Blöße gibt, wenn sie gleich was sagt, dachte er, denn irgendwann muß sie ja mal was sagen, und dann wird es wichtig sein, daß man sofort wie ein Kung-Fu-Meister die richtige Gegenmaßnahme trifft, freute er sich schon darauf, da muß man gleich die entstandene Blöße nutzen und den entscheidenden Treffer landen, dachte er, das ist interessant, denn auf diese Weise kann auch eine eigentlich geistlose Rumsitzerei wie diese zu einer spannenden Angelegenheit werden, dachte er.

Er probierte den Kaffee und verzog das Gesicht. »Wer hat denn den Kaffee gemacht, das ist ja Wahnsinn«, sagte er.

»Das war ich«, sagte Chrissie. »Aber du kannst gerne neuen machen, wenn du das besser draufhast!«

»Nein, schon gut, es ist nur, weil er nicht mehr so warm ist«, sagte Frank.

»Wenn er nicht mehr so warm ist, warum pustest du dann die ganze Zeit da rein? Wird er davon wärmer? Hast du so einen heißen Atem, oder was?«

»Schon gut«, sagte Frank.

Eins ist mal klar, dachte er: Diese Kung-Fu-Meister wissen, wovon sie reden. Er stand auf, schüttete den Kaffee weg und suchte nach Teebeuteln.

»Was suchst du denn?«

»Teebeutel!«

»Was denn für Tee? Schwarztee?«

»Gibt's noch anderen?«

»Kamillentee, Hagebuttentee, Kräutertees …«, zählte Chrissie auf.

»Das ist kein Tee! Das sind irgendwelche Unkrautaufgüsse!« sagte Frank.

»Na dann viel Glück«, sagte Chrissie. »Was hast du denn heute so vor?«

»Ich?« Frank kramte in einem Hängeschrank herum, in dem er Teebeutel vermutete, aber alles, was er fand, war eine Tüte mit Tee mit Orangenschalenstückchen drin, den wollte er nicht.

»Was sucht er denn?« sagte Erwin hinter ihm.

Frank drehte sich um. »Einen Teebeutel«, sagte er.

»Schwarztee?«

»Gibt's auch anderen?«

»Grünen Tee.«

»Nein, keinen grünen Tee! Ganz normalen, richtigen Tee.«

»Weiß ich nicht, ob wir sowas haben. Aber da muß irgendwo noch Yogi-Tee sein.«

Chrissie lachte. »Wer trinkt denn hier Yogi-Tee?«

»Ist doch egal, Chrissie«, sagte Erwin. »Hast du jetzt mal darüber nachgedacht?«

»Da gibt's nichts nachzudenken, Erwin. Ich bleibe hier.«

»Naja, hier jedenfalls nicht.«

»In Berlin, mein Gott, jetzt hör doch auf, wie ein Arsch zu reden.«

»Ja, aber wenn du mit den anderen überm Einfall wohnen willst, dann mußt du das mit denen klären, ich kann dir dabei nicht helfen.«

»Frank?«

»Ja?«

»Kann ich bei euch überm Einfall wohnen?«

»Wie war das nochmal jetzt?« sagte Frank ratlos. »Ich meine, das mit dem über dem Einfall, das ist eine Wohnung, oder? Und was ist das für eine Wohnung?«

»Das hatten wir doch alles schon mal, das habe ich

doch alles schon mal gesagt, die ist überm Einfall, die gehört mir, die wird heute frei, und in die könnt ihr alle einziehen.«

»Ach so, ja. Das Komische ist nur, daß ich gerade Miete für diese Wohnung bezahlt habe«, sagte Frank, der plötzlich etwas die Panik bekam, was wird Freddie sagen, dachte er, wenn er wiederkommt und ich seinen ganzen Kram in eine andere Wohnung gebracht habe, dachte er, »ich meine, erst bezahle ich für Freddie die Miete, und dann soll ich das jetzt absegnen, daß du ihn rausschmeißt, kann man damit nicht wenigstens mal warten, bis er wieder da ist?«

»Ja, aber wann ist er wieder da? Das weiß ja keiner. Und deshalb nein. Kann man nicht drauf warten. Außerdem schmeiße ich ihn nicht raus, ich setze ihn nur um!«

»Kommt mir irgendwie komisch vor«, sagte Frank. Aber weiter wollte er nicht gehen. Er hatte nicht das Gefühl, in einer besonders starken Position zu sein.

»Was denn nun?« sagte Chrissie. »Kann ich bei euch wohnen?«

»Ja klar«, sagte Frank, »was weiß ich, klar, warum nicht.«

»Na gut«, sagte sie und lächelte ihn an. Frank hatte ein seltsames Gefühl dabei; daß Chrissie auch mal lächelte, war neu und verwirrte ihn irgendwie.

»Man muß natürlich noch rauskriegen, wieviel Zimmer es da gibt«, sagte er, »viereinhalb, okay, aber wie sind die geschnitten und wer kriegt was? Und dann muß man noch klären, wer da noch so wohnen muß oder was, ich meine: ich oder Freddie oder was, und dann Karl, H.R., du, und was ist mit Martin Bosbach?«

»Bosbach? Was soll mit dem denn sein? Wie kommt der denn jetzt hier ins Spiel?« sagte Erwin.

»Der muß doch auch irgendwo wohnen«, sagte Frank. »Der ist bei der ArschArt rausgeflogen und hat gefragt, ob er da dann auch wohnen kann.«

»Nix! Das ist meine Wohnung, und bevor da Bosbach wohnt, wohnt da aber Chrissie!«

»Jetzt spiel dich mal nicht so onkelhaft auf«, sagte Chrissie.

»Was soll das denn jetzt schon wieder, du dummes Punkstück! Willst du auf der Straße wohnen?«

»Nein, das habe ich doch gar nicht gesagt. Aber laß doch Martin in Ruhe.«

»Laß doch Martin in Ruhe«, äffte Erwin sie nach. »Wieso drängelt sich neuerdings immer wieder Bosbach in mein Leben, wieso ausgerechnet Martin Bosbach, was ist da eigentlich los, Chrissie?«

Frank beschloß, sich nun doch den Tee mit den Orangenschalenstückchen zu machen. Er stellte einen Kessel mit Wasser auf den Herd und fand ein Teenetz, das zwar schon alt und dunkelbraun, aber nicht verschimmelt war, und er spülte es gründlich aus. Dann tat er dasselbe mit einer alten Teekanne, die er im Geschirrschrank weiter hinten fand. Er hängte das Netz hinein und füllte es mit dem Tee, aus dem er zuvor wenigstens die Orangenschalenstückchen herauspulte. Das nützt zwar nichts, dachte er, das wird trotzdem komisch schmecken, aber was getan werden kann, dachte er, das sollte man tun, ansonsten sollte man aber morgens vor der ersten Tasse Tee nichts sagen, dachte er, kein Wort, das war ein Fehler gewesen, das steht schon mal fest, dachte er, das würde einem jeder Kung-Fu-Meister auch sagen, das würde einem so ein Kung-Fu-Meister aber gleich zu Anfang gründlich einschärfen, wenn nicht gar mit harten Schlägen einbimsen, dachte er, daß man vor der ersten Tasse Tee die Schnauze halten sollte. Hat man ja gesehen, dachte er, was davon kommt, davon kommt nichts Gutes. Und der nächste, der mich ab jetzt anspricht, wird verlieren, dachte er, diesmal aber in echt, ich sage gar nichts mehr.

Aber leider sprach ihn keiner an. Erwin und Chrissie waren verstummt. Diesmal aber in echt, dachte Frank noch einmal drohend und abwartend, aber es kam nichts, die beiden schwiegen, und vielleicht schmollten sie auch, das konnte Frank nicht beurteilen, weil er ihnen den Rücken zugewandt hatte. Irgendwann wurde das Rauschen des Wassers in Franks Kessel leiser und leiser, ein Zeichen dafür, daß es gleich kochen würde, da sieht man's auch mal wieder, dachte er, es wird leiser und dann kocht es, nicht etwa umgekehrt, wie man denken würde, man würde doch eigentlich denken, dachte er, daß es lauter wird, und dann kocht es, aber nein, es wird leiser, und dann kocht es mit einem ganz, ganz leisen Fauchen, dachte er, während das Wasser im Kessel ganz, ganz leise fauchte und der Dampf in einem geraden Strahl aus der Tülle nach oben schoß. So muß es sein, dachte er, schön kochen muß es, und dann immer rauf auf den Tee, dachte er und nahm den

Kessel und goß den Tee auf, wobei seine Hand durch das Vorkippen des Kessels in den aufsteigenden Dampf geriet.

»Verdammt!« Er stellte den Kessel ab und drehte schnell das kalte Wasser auf und hielt die Hand drunter. »Verdammt noch mal!« Wenn die beiden jetzt was sagen, dachte er, dann garantiere ich für nichts mehr. »Verdammte Scheiße!«

Chrissie und Erwin sagten nichts, sie schauten ihm nur stumm dabei zu, wie er seine Hand unter den laufenden Wasserhahn hielt, und sie sagten auch nichts, als er das Teenetz aus der Kanne nahm, den Becher, in dem zuvor der Kaffee gewesen war, ausspülte, den Orangenschalen-aromatee hineingoß und sich hinsetzte. Scheiß Kung Fu, dachte Frank und pustete in seinen Tee, daß der aufsteigende Dampf sein Gesicht wärmte.

»Was hast du denn heute so vor?« fragte Erwin.

»Weiß noch nicht genau«, sagte Frank, »wahrscheinlich werde ich noch ein bißchen nach Freddie suchen.«

»Warum das denn?« sagte Erwin. »Da würde ich meine Zeit nicht mit verschwenden. Ich wette, der ist nach Westdeutschland gefahren.«

»Warum weiß das dann keiner von euch?« sagte Frank. »Redet der mit euch nicht mehr, oder was?«

»Mit mir nicht so«, sagte Erwin. »In letzter Zeit nicht mehr so.«

»Hat er eigentlich eine neue Freundin?« fragte Frank.

»Wieso neue Freundin?« sagte Erwin.

»Weil er mit dieser Edith doch nicht mehr zusammen ist«, sagte Frank. »Ich denke, der war mit dieser Edith zusammen, die da gestern abend gesungen hat, und jetzt ist er von ihr getrennt oder was?«

»Naja, was immer das bei Freddie schon heißt«, sagte Erwin.

»Der hat keine neue Freundin«, sagte Chrissie.

»Woher willst du das denn wissen?!« sagte Erwin.

Chrissie sah aber nur in ihre Tasse und sagte nichts.

»Woher willst du das denn wissen, ob der eine Freundin hat?« beharrte Erwin auf seiner Frage. »Ich hab gar nicht gemerkt, daß du und Freddie so gute Bekanننte wart!«

»Daß du was nicht merkst, Erwin, das heißt überhaupt nichts«, sagte Chrissie. »Ansonsten gab es da auch nichts zu merken.«

»Wenn's da nichts zu merken gab, dann kann man mir auch nicht vorwerfen, daß ich nichts gemerkt habe«, sagte Erwin.

»Ist mir doch egal!« sagte Chrissie.

»Naja, mir auch«, sagte Erwin. »Heute abend um sieben zeige ich euch die neue Wohnung. Habe ich mit dem Typen ausgemacht, da kriegt ihr auch gleich die Schlüssel.«

»Wo ist die noch mal?« sagte Frank.

»Überm Einfall, wir treffen uns im Einfall«, sagte Erwin.

»Und wo ist das Einfall?«

»Wiener Straße. Das kann Karl dir zeigen. Oder Bosbach, wenn ihr euch jetzt so gut kennt. Kennt auch sonst jeder. Wiener Straße Ecke Ohlauer, gleich hier um die Ecke, die Ohlauer geht von der Reichenberger ab.«

»Um sieben?«

»Um sieben!« bestätigte Erwin.

»Okay«, sagte Frank.

»Und ich?« sagte Chrissie. »Was ist mit mir?«

»Du kannst natürlich auch kommen.«

»Ich weiß noch nicht, ob ich da Bock zu habe!«

Erwin seufzte und ging wortlos davon.

Frank und Chrissie blieben noch eine Zeitlang sitzen und schwiegen sich wieder an, bis Frank schließlich freiwillig aufgab und sagte: »Kann ich mal den Zucker haben?«

Sie schob lächelnd den Zucker über den Tisch und sagte nichts, und Frank war ihr sehr dankbar dafür, denn er wußte nun: Chrissie hatte den Film auch gesehen!

## 13. ALMUT

Als Frank die Dieffenbachstraße erreichte, war es noch keine vier Uhr, aber es dämmerte schon, und in den Gaslaternen schimmerten bereits die Glühstrümpfe. Frank fror. Er trug einen Anzug seines Bruders und einen dazu passenden Mantel, aber beides taugte nicht viel gegen die bittere Kälte, und er fragte sich, ob es nicht doch besser gewesen wäre, seine eigenen, schon müffelnden und stellenweise auch dreckigen Sachen noch einmal anzuziehen, statt sich bei seinem Bruder etwas auszuleihen, das wäre vielleicht klüger gewesen, dachte er, so holt man sich ja den Tod, und bevor man ihn sich holt, dachte er, redet man schon in Gedanken wie seine eigene Mutter, das macht es erst richtig übel, dachte er, sich den Tod holen, wenn man in solchen Redensarten denkt, dachte er, dann steht es schon schlimm, das liegt nur an der Kälte, dachte er, die macht träge und stumpf im Kopf, und was macht es schon, wenn die Klamotten müffeln, die ganze Stadt müffelt doch mit ihrem Smog und ihrer Hundescheiße, dachte er, denn die Straßen waren voller Herbstlaub, und darunter verbarg sich die Hundescheiße und lauerte auf naiv und unbekümmert ausschreitende Neulinge wie ihn, das hatte er gerade eben, in der Schönleinstraße, auf die harte Tour lernen müssen. Das bringt überhaupt nichts, hier frische Sachen anzuziehen, geruchstechnisch macht das im großen und ganzen gesehen in dieser Stadt überhaupt keinen Unterschied, dachte er, aber andererseits sollte man auch nicht wie ein Penner aussehen und streng riechen, wenn man sich bei fremden Leuten nach seinem Bruder erkundigt, dachte er, vor allem dann nicht, wenn man einen Bruder wie Freddie hat, der stets wie aus dem Ei gepellt herumläuft, dachte er und hatte er auch vorhin gedacht, als er sich den unauffälligsten Anzug seines Bruders, einen schwarzen Einreiher aus Poly-Irgendwas, und ein weißes Hemd herausgesucht hatte, und auch das, dachte er, als er sich jetzt in der Dieffenbachstraße an die Gedanken erinnerte, die er beim Anlegen des erstaunlich gut passenden Anzugs gehabt hatte, ist ja schon wie die eigene Mutter gedacht, wenn man dabei einen Begriff wie ›wie aus dem Ei gepellt‹ verwendet, dachte er, das kommt davon, wenn man gleich nach dem Aufwachen am Telefon mit seiner Mutter sprechen muß, das ist ein schwieriger Start in den Tag, dann läuft einem gleich gedanklich alles aus dem Ruder, dachte er, während er die Dieffenbachstraße hinunterging und dabei immer schön links und rechts nach der Galerie Ausschau hielt, die – passend zu seinem Anzug, wie er grimmig dachte – den albernen Namen ›Kunststoff‹ trug, das hatte Erwin ihm jedenfalls gesagt, »Kunststoff heißt die, glaube ich«, hatte er gesagt, »hab ich mir nicht ausgedacht, das ist typisch Almut«, hatte er gesagt, und was die genaue Lage der Galerie betraf, waren seine Angaben reichlich schwammig gewesen, »eher zum Zickenplatz hin«, hatte er gesagt, »in der Dieffenbachstraße, aber eher zum Zickenplatz hin, glaube ich«, aber einen Zickenplatz hatte Frank auf dem Stadtplan, den er sich in einem Tabakgeschäft in der Reichenberger Straße zusammen mit einem Päckchen Tabak und einer Schachtel Streichhölzer gekauft hatte, nicht finden können, also ging er jetzt die Dieffenbachstraße vom einen Ende zum anderen hinunter und hoffte dabei, nicht am falschen Ende der Straße angefangen zu haben, weil die schwarzen, spitzen Schuhe, die er sich ebenfalls von seinem Bruder ausgeliehen hatte – was er nicht gern getan hatte, weil es irgendwie eine unsichtbare Grenze überschritt, wie er fand, was aber nicht zu vermeiden gewesen war, weil seine eigenen braunen Wildlederschuhe mit dem Anzug absolut unmöglich ausgesehen hatten –, weil diese schwarzen, spitzen Schuhe jedenfalls etwas zu klein waren und drückten, was Frank dann doch wunderte, denn das war das letzte, womit er gerechnet hätte, daß sein großer Bruder kleinere Füße hatte als er selbst, das muß neu sein, das war jedenfalls nicht immer so, dachte er, als er die Dieffenbachstraße hinunterging und dabei fror und sein Blick auf einen kleineren Laden auf der gegenüberliegenden Straßenseite fiel, über dem in roten, geschwungenen Neonbuchstaben stand: ›Galerie Plastik‹. Das muß es sein, dachte er und überquerte die Straße.

Vor dem Laden angekommen, hielt er sich nicht groß damit auf, durch die Schaufensterscheibe in den Laden hineinzuschauen und Schwellenängste zu überwinden, dazu war es zu kalt, und wenn sie nicht wollen, daß man reingeht, können sie ja abschließen, dachte er und betrat den Laden. Irgendwo in dessen Hinterräumen dingdongte es, als er die Schwelle überschritt. Innen war es angenehm warm, und es standen allerlei kleine Objekte herum, manche auf Stelen mitten im Raum, andere auf kleinen Vorsprüngen an der Wand, und sie sahen alle aus, als wären sie aus dem bunten Knetmaterial gemacht worden, mit dem er als Kind eine Zeitlang gespielt und Tiere und Serviettenringe geformt hatte, die man danach im Backofen aushärten konnte. Das war damals der letzte Schrei gewesen und er versuchte, sich an den Namen dieser Knete zu erinnern, aber er kam nicht drauf. Er besah sich die Objekte genauer, denn wenn man schon mal da ist, dachte er, sollte man auch was davon haben, auch wenn man eher im Auftrag seiner Mutter unterwegs ist, fügte er in Gedanken hinzu, denn wenn er ehrlich war, mußte er zugeben, daß er nur wegen seiner Mutter und der Angst davor, daß sie am nächsten Tag Ergebnisse sehen wollte, nicht schon nach einigen hundert Metern umgedreht und wieder ins Bett gegangen war. Detektiv wider Willen, Detektiv im Auftrag der Mutter, dachte er mit bitterem Unterton und ging näher an eine der Stelen heran. Das Knetobjekt, denn das waren die Sachen für ihn, Knetobjekte, irgendwie muß man das ja benennen, dachte er, war ein kleiner, roter Hase auf einem schwarzen Sockel, beides zusammen war nicht höher als etwa zehn Zentimeter. »Hase #17« stand dran, aber kein Preis. Die anderen Knetobjekte waren auch alles Hasen, und sie waren alle rot.

Er hörte hinter sich Schritte und drehte sich um. Es war Almut, die Frau, die er in der Nacht zuvor schon im Pyjama gesehen hatte. Sie war älter als er, Frank schätzte sie auf etwa dreißig, und obwohl sie auch kleiner war als er, schien es ihm, als ob sie auf ihn herabsah.

»Kann ich helfen?« sagte sie.

»Ist das aus Fimo?« fragte Frank, weil ihm gerade in diesem Moment der Name der Knetmasse von damals wieder eingefallen war.

»Ja«, sagte Almut. »Die Künstlerin macht alles mit Fimo. Kennen wir uns nicht irgendwoher?«

»Nein«, sagte Frank, »nicht daß ich wüßte. Aber ich bin der Bruder von Manfred Lehmann, vielleicht ist da ja eine Ähnlichkeit.«

Almut sah ihn prüfend an. »Naja, ein bißchen vielleicht. Den Mantel habe ich schon mal gesehen, glaube ich!«

»Kann gut sein, der ist ja auch von Freddie«, sagte Frank.

»Jaja, Freddie«, sagte sie. »Wie geht's dem denn so?«

»Keine Ahnung«, sagte Frank, »darum bin ich hier.«

»Aha«, sagte sie.

Sie standen ziemlich eng beieinander, zu eng, wie Frank fand, aber er sah nicht ein, warum gerade er deswegen zurückweichen sollte, ich habe hier schon gestanden, als sie noch ganz woanders war, dachte er, es ist ihre Schuld, daß wir so eng beieinanderstehen, wenn man hier überhaupt von Schuld sprechen will, dachte er, es ist zwar ungewöhnlich, so nah zusammenzustehen, aber kein Verbrechen, dachte er, soll sie doch zurückweichen, wenn es ihr nicht paßt, dachte er. Er konnte ihr Parfüm riechen und war nun doch froh, seine alten Klamotten nicht mehr anzuhaben.

»Wieso?« sagte sie.

»Wieso was?«

»Wieso bist du deswegen hier?«

»Ich bin gestern hier angekommen, und Freddie ist nicht da, und es weiß auch keiner, wo er sein könnte«, sagte Frank. »Da dachte ich, ich frage hier mal nach, ob du vielleicht was weißt, die haben mir gesagt, daß du bis vor kurzem hier seine Sachen ausgestellt hast.«

»Duzen wir uns?« fragte sie halb streng, halb belustigt und trat einen Schritt zurück, wie um ihn besser ansehen zu können.

»Ja«, sagte Frank. »Du hast gerade eben damit angefangen.«

»Ach so. Irgendwoher kenne ich dich aber, ich hab dich schon mal irgendwo gesehen. Aber ich komm nicht drauf.«

»Jaja«, sagte Frank. »Was ich wissen wollte: Bis wann ging denn das mit seinen Sachen hier?«

»Die Ausstellung? Die sollte eigentlich noch zugange sein, das ist jetzt eher eine Notlösung hier mit den Fimo-Sachen. Die Ausstellung von Freddie sollte eigentlich noch bis Ende November gehen«, sagte Almut. »Aber wir haben uns gestritten, und dann hat er sein ganzes Zeug abgeholt.«

»Wie hat er das denn gemacht? Wie transportiert man denn diese Metalldinger? Ich hab gehört, die sind so groß und schwer!«

»Das waren nur kleinere Sachen, die ich hier hatte. Er hat ja in letzter Zeit sowieso nur noch kleinere Sachen gemacht.«

»Wieso habt ihr euch denn gestritten?«

»Er wollte Vorschuß«, sagte Almut. Sie verschränkte die Arme und faltete sie wieder auseinander, dann drehte sie sich um, setzte sich an einen kleinen Schreibtisch in der Ecke und zündete sich eine Zigarette an. »Außerdem war es was wegen der Vernissage.« Sie rieb sich die Augen und lehnte sich zurück.

Frank holte seinen neuen Tabak heraus, fummelte ihn aus der Zellophanhülle und drehte sich auch eine Zigarette, obwohl er keine besondere Lust aufs Rauchen hatte. Aber es ist immer noch besser, selbst zu rauchen, als den anderen nur dabei zuzusehen, dachte er.

»Wegen der Vernissage?!« ermunterte er Almut, die nicht weiterredete, sondern ihn lieber bei seiner Zigarettendreherei beobachtete. »Streit!«

»Ja, wir hatten ein Objekt in der Mitte des Raums auf einem großen Sockel stehen, da wo du jetzt ungefähr stehst«, sagte sie, »das war das zentrale Teil der Ausstellung, das sollte fünftausend Mark kosten. Das war ihm sowieso ganz wichtig, daß die Preise dranstanden, obwohl die ganzen Penner, die er da zur Vernissage geholt hatte, sowieso nichts kaufen würden, das war doch vorher klar! Na gut, ich hatte wenigstens zwei Sammler aus Westdeutschland da, das hätte schon was werden können, aber dann schmeißt einer von seinen besoffenen Kumpels das Ding vom Sockel, das hatte ich gerade verkauft, naja, fast jedenfalls …«

Sie beugte sich zur Seite und öffnete einen kleinen Kühlschrank.

»Das wäre ja noch nicht so schlimm gewesen, aber das

ist so typisch für diese ganzen Kreuzberger Nutten!« Sie holte eine Flasche Sekt aus dem Kühlschrank und hielt sie Frank hin. »Mach mal auf«, sagte sie.

Er steckte sich die endlich fertiggedrehte Zigarette in den Mund, ging zum Schreibtisch und nahm die Flasche. »Nicht den Korken, sondern die Flasche drehen, dann schäumt es nicht«, sagte sie. »Ich geh mal Gläser holen.«

Sie verschwand in einem Hinterzimmer, und Frank fummelte das Metallpapier und die Spange vom Sektkorken. Sie hatte recht: Durch fleißiges Drehen der Flasche bekam er den Korken raus, ohne daß es überschäumte.

Almut kam mit zwei Sektgläsern zurück, reichte ihm eins davon und setzte sich wieder hin. Frank goß die Gläser voll und setzte sich auf einen Stuhl an der anderen Seite des Schreibtischs.

»Prost«, sagte sie und trank. »Wo war ich stehengeblieben?«

Frank zündete sich die Zigarette an und nahm dann auch einen Schluck. »Das war nicht das schlimmste. Und Kreuzberger Nutten.«

»Ja, genau.« Sie nahm noch einen Schluck. »Der Penner schmeißt jedenfalls das Ding runter, fünftausend Mark, und sagt zu Freddie: Entschuldigung. Und Freddie sagt: Schon gut, scheißegal!«

»Ja und?« sagte Frank.

»Scheißegal, laß liegen, sagt er!«

»Ja nun, warum nicht?« sagte Frank und fühlte, wie der Sekt kalt und sauer seine Speiseröhre hinunterwanderte. Er trank schnell das Glas aus, damit es leer war. »Was sollte er denn sonst sagen?« fragte er.

»Das war dieser kleine Scheißer gewesen, Karl Schmidt, das Riesenbaby, der hängt immer mit ihm rum, schmeißt der das Ding runter, und Freddie sagt: Scheißegal!«

»Ja, aber wo ist das Problem? Ich meine, das war doch sein Ding, er hätte das ja auch wieder zusammenschweißen können, oder was?«

»Mann, daneben stand ein Kunde, der wollte das kaufen! Ich erwarte ja nicht, daß Freddie den Heini verklagt, aber er kann sich doch mal ein bißchen zusammenreißen! Wenn ich für etwas fünftausend Mark haben will, und das macht einer kaputt, dann hat der etwas im Wert von fünftausend Mark kaputtgemacht, und wenn ich dann scheißegal sage, dann muß ich mich nicht wundern, wenn am Ende niemand fünftausend Mark ausgibt für meinen Kram. Dann muß ich mich nicht wundern, wenn die, von denen ich will, daß ihnen das nicht scheißegal ist, wenn die dann …« Sie sprach nicht zu Ende, wedelte nur mit der Zigarettenhand.

»Naja, er ist der Künstler, er darf das«, beharrte Frank.

»Natürlich darf er das. Jeder darf das. Aber dann soll er mich nicht mit Vorschuß nerven, verdammte Scheiße!« Sie schenkte sich Sekt nach. Frank beugte sich vor und hielt ihr sein Glas hin.

»Auch schon mal bitte gesagt?« sagte sie.

»Bitte, bitte«, sagte Frank.

Sie goß ihm so ein, daß es überlief. Frank schlürfte die oberste Schicht herunter und sagte dann: »Stimmt es, daß er nach New York gehen will?«

»Ja«, sagte sie, »das hat er in letzter Zeit öfter gesagt.

Aber Freddie ist da genau wie die anderen Kreuzberger Nutten: die reden gerne viel!«

»Aber er war ja mal da, in New York, ja? Haben mir die anderen erzählt.«

»Im Sommer. Ein paar Wochen gleich, mit dem Goethe-Institut. Danach war mit ihm nicht mehr viel anzufangen.«

»Inwiefern?«

»Er kam wieder und hatte nur noch schlechte Laune. Machte alles runter, scheiß Berlin und so. Hat sich mit allen gestritten. Und dann kommt er mir plötzlich mit der Ausstellung, ob ich mit ihm nicht eine Ausstellung machen könnte. Das sollte dann ganz schnell gehen. Dabei hätte er das schon ein Jahr früher haben können, ich wollte das immer schon mal machen, seine Sachen sind gut. Aber früher war ihm das hier alles zu klein, oder seine Sachen zu groß, oder was weiß ich, da hatte er immer was anderes vor, wahrscheinlich was Besseres!«

»Und jetzt nicht mehr?«

»Nein, plötzlich wollte er unbedingt hier ausstellen. Konnte nicht schnell genug gehen. Und dann stand er alle paar Tage vor der Tür, ob schon was verkauft wäre. Wie der letzte Amateur. Und dann fängt er auch noch irgendwann mit Vorschuß an, ich meine, ich und Vorschuß, sind wir hier am Kudamm, ist der krank oder was?!«

»Keine Ahnung«, sagte Frank und leerte das Glas. Sie tat es ihm gleich und füllte die Gläser gleich wieder neu.

»Weißt du, warum er sich von seiner Freundin getrennt hat?« wechselte Frank das Thema.

»Welche Freundin?«

»Edith heißt die.«

»Ach die …!« Almut sah ihn an und grinste. »Ist das seine Freundin? Die war auch bei der Vernissage dabei. Wundert mich, daß die nicht auch was umgeschmissen hat, so breit, wie die war! Das war vielleicht ein Abend …! Und die sind zusammen?«

»Nein, jetzt nicht mehr.«

»Na kein Wunder, wie der in letzter Zeit drauf war. Der hat sich doch mit jedem gestritten.«

»Wo sind seine Sachen jetzt?«

»Keine Ahnung, er hat sie nach unserem Streit abgeholt, mit dem Riesenbaby zusammen, naja, vielleicht hat der ihm den Rest ja auch noch zerdeppert, was weiß ich …« Sie brach ab, goß den Rest aus der Flasche in ihr Glas und schaute hinein. »Edith, ha!«

Sie sagte nichts mehr, und Frank sagte auch nichts. Gut, daß ich was zum Rauchen habe, dachte er, aber als er einen Zug nahm, verbrannte ihm die Glut den Mittelfinger, und er ließ die Zigarette fallen. Er steckte den Finger in den Mund, stellte sein Glas ab, beugte sich vor und nahm die Kippe mit spitzen Fingern vom Fußboden auf, dann stand er auf, beugte sich vor und legte sie in den Aschenbecher, der vor Almut auf dem Schreibtisch stand. Das ging alles etwas mühsam, fand er. Er nahm den Finger aus dem Mund und pustete drauf.

»Entschuldigung«, sagte er.

»Bist du wirklich sein Bruder?« sagte sie.

»Ja«, sagte er.

»Kaum zu glauben«, sagte Almut, und Frank fragte lieber nicht nach, wie sie das meinte. Sie sah ihn stirnrunzelnd an. »Und er ist nicht da, oder was?«

»Ja. Nein. Und keiner weiß, wo er ist.«

»Das muß doch irgend jemand wissen? Was ist denn mit dem Riesenbaby, weiß der das nicht?«

»Das ist es ja gerade«, sagte Frank. »Wundert mich auch.«

Sie beugte sich wieder zur Seite und holte noch eine Flasche Sekt aus dem Kühlschrank. Diesmal machte sie sie selber auf.

»Kann man sich bei Freddie nicht vorstellen«, sagte sie. »Der macht doch sonst immer einen Riesenfuzz um alles, der fährt doch nicht weg, ohne das jedem, den er kennt, mindestens dreimal zu erzählen!«

»Na, na«, sagte Frank. Man kann nicht dauernd unwidersprochen hinnehmen, daß die hier auf einem seinem Bruder herumhackt, dachte er, oder wie immer man das nun formulieren muß, dachte er, einem seinem Bruder, das kann nicht ganz richtig sein, dachte er, oder sollte man das hinnehmen, vielleicht hat sie recht oder so, dachte er, er war verwirrt, der Sekt schliff jedem seiner Gedanken die Ecken rund, man sollte sowas vielleicht nicht trinken, wenn man gerade erst aufgestanden ist und noch nichts gegessen hat, dachte er und drehte sich eine neue Zigarette, scheiß auf Freddie, dachte er, natürlich hat sie recht.

»Du bist nicht wie Freddie«, sagte sie.

»Das hat meine Mutter auch gesagt«, sagte Frank.

»Na die muß es ja wohl auch am besten wissen!«

»Nein, nicht das, naja, das auch, aber ich meine, sie hat

auch gesagt, daß Freddie nicht wegfahren würde, ohne daß alle wüßten, wohin und so. Ich meine, daß er das an die große Glocke hängen würde, was weiß ich denn …!«

»Deine Mutter, ja?«

»Ja.«

»Was weiß die denn davon?«

»Das ist auch Freddies Mutter. Die muß es ja wohl am besten wissen«, wiederholte Frank ihre eigenen Worte. Auch Almut ist gedanklich nicht mehr ganz so fit, dachte er.

»Ach so, ja …« Sie goß die Gläser wieder voll. »Muß ich übersehen haben. Du bist nicht wie Freddie«, wiederholte sie.

»Hat meine Mutter auch gesagt«, sagte Frank nach einem Schluck Sekt, der ging nun schon viel besser runter und tat auch nicht mehr weh. Die neue Zigarette war jetzt fertig, und er zündete sie an. Alkohol trinken und rauchen, das ist keine schlechte Kombination, dachte er. Und auch mit Almut zu reden, gefiel ihm. Gefiel ihm sehr. Da muß man aufpassen, dachte er, wenn man da nicht aufpaßt, kommt man gar nicht mehr weg!

»Du bist nicht so …«, sie tat, als suchte sie nach einem Wort, und bei der Gelegenheit trank sie ihr Glas leer, »… abgewichst.«

»Soso«, sagte Frank und stand auf.

»Und diese Edith war seine Freundin, oder was?« sagte Almut.

»Ja«, sagte Frank. »Das sagen jedenfalls die anderen.«

»Seit wann?«

»Weiß ich nicht.«

»Scheiße, das hätte er mir auch ruhig mal sagen können, der Scheißkerl«, sagte Almut.

»Wieso?« sagte Frank. »Ist das wichtig?«

»Für dich nicht«, sagte Almut. »Gehst du jetzt?«

»Ja.«

»Wohnst du noch in Westdeutschland?«

»Nein, ich bin jetzt hier.«

»Freddie hat manchmal von dir erzählt«, sagte sie. »Früher, als er mir noch was erzählt hat.«

»Wann war das?« sagte Frank.

»Das ist gar nicht mal so lange her. Warst du nicht beim Bund?«

»Ja, aber damit bin ich jetzt durch.«

»Bist du abgehauen?«

»Nein.«

»Bist du sicher?« sagte sie und kniff dabei die Augen zusammen.

»Ja.«

»Wie heißt du noch mal?«

»Frank.«

»Ich heiße Almut.«

»Ich weiß.«

»Woher?« fragte Almut mißtrauisch.

»Von Karl und Erwin.«

»Ich hab dich schon mal irgendwo gesehen«, sagte sie. »Ich weiß bloß nicht, wo. Was hast du mit deinem Gesicht gemacht?«

»Bin hingefallen«, sagte Frank. »Und du hast wirklich keine Ahnung, wo Freddie sein könnte?«

»Nein. Vorsicht!« rief sie, weil Frank, der sich etwas

rückwärts bewegt hatte, dabei eine der Stelen berührt hatte.

»Oh«, sagte Frank. »Scheiße, der Fimo-Hase, das könnte teuer werden.«

»Worauf du dich verlassen kannst«, sagte sie. »Wo Freddie ist, weiß ich nicht. Wenn du ihn siehst, grüß ihn mal von mir. Er soll mal wieder reinschauen. Du auch«, fügte sie beiläufig hinzu.

»Ich?«

»Ja.«

»Tschüss dann«, sagte Frank benebelt.

»Mach's gut. Viel Glück!«

Als Frank durch die Tür ging, dingdongte es wieder im Hintergrund. Er drehte sich noch einmal um, aber Almut schaute gerade woanders hin.

Vielleicht hätte man doch bleiben sollen, dachte er. Draußen war es jetzt ganz dunkel, und er ging zur nächsten Laterne und holte den Stadtplan raus, um seinen weiteren Weg zu bestimmen.

## 14. JEDE MENGE SCHROTT

Der Weg von der Dieffenbachstraße zur Naunynstraße war nicht weit, und Frank bekam trotz der Dunkelheit langsam ein Gefühl dafür, wie hier alles zusammenhing. Die Häuser sind groß und die Straßen breit, aber sie liegen eng beieinander, dachte er, als er zum zweiten Mal an diesem Tag, aber an einer anderen Stelle einen Kanal überquerte, der ihm ein wichtiger Orientierungspunkt in diesem fremden Gelände war, entweder ist man auf der einen oder auf der anderen Seite, dachte er, als er auf der Brücke innehielt, um zu verschnaufen und sich eine Zigarette zu drehen, einfacher geht's nicht! Die Kälte, der Alkohol und die schlechte Luft setzten ihm zu, man hätte vielleicht doch erst etwas essen sollen, dachte er, als er den Kanal erst zur einen, dann zur anderen Seite hinunterblickte. Viel war dabei nicht zu sehen, der scharfriechende Nebel verhüllte alles, was weiter als einen Steinwurf entfernt war, und das Wasser unter ihm war glatt und reglos. Rauchend und hustend ging er weiter, die Admiralstraße hinunter und zum Kottbusser Tor, wo er vor einer Sparkasse anhielt, um im Licht ihrer Schaufenster noch einmal auf den Stadtplan zu schauen. Einige Punks, die in der Nähe mit ihren Hunden und ihren Bier- und Schnapsflaschen lagerten, riefen ihm etwas zu, aber er verstand kein Wort und fragte auch nicht nach, sondern ging weiter die Adalbertstraße entlang bis zur Naunynstraße.

Das besetzte Haus war dunkel wie in der Nacht zuvor, und Frank fragte sich, ob die ArschArt-Leute alle nach hinten raus wohnten oder die Fenster absichtlich verdunkelt hatten oder ob sie nur wieder, wie am Abend zuvor, bis auf Jürgen alle nicht da waren. Die Fenster im Hochparterre waren jedenfalls von außen mit Brettern zugenagelt, aber ob das weiter oben auch so war, konnte er nicht erkennen, ebensowenig wie die Aufschrift auf dem Transparent, es war schon wieder zu dunkel dazu. Er schaute unter dem Wackerstein nach, und tatsächlich lag da wieder der Schlüssel zum Haus, eine rätselhafte Sorglosigkeit ist das, dachte er, sie vernageln die Fenster im Hochparterre, lassen aber den Schlüssel herumliegen, obwohl, andererseits ist das irgendwie auch logisch, dachte er, das eine ist Öffentlichkeitsarbeit, das andere einfach nur praktisch.

Er öffnete die Tür und ging gleich hoch zum zweiten Stock, wo Jürgen wohnte. Hinter der Plastikplane brannte Licht. Er klopfte gegen den Türrahmen, einmal, zweimal, aber nichts passierte. Er schob die Plane beiseite, rief »Hallo« und betrat den Raum. Jürgen schlief angezogen und mit verschränkten Armen auf dem Sofa. Während Frank noch überlegte, ob er ihn wecken sollte, schlug er die Augen auf und sah ihn an.

»Was gibt's?« sagte er.

»Du mußt mir mal zeigen, wo Immel hier wohnt«,

sagte Frank. »Ich kann doch nicht durch das ganze Haus laufen und überall nachgucken.«

»Wieso«, sagte Jürgen. »Wo ist das Problem?«

»Welches Problem?« sagte Frank.

»Der wohnt doch ganz oben«, sagte Jürgen.

»Immel?«

»Ja. Im vierten Stock.«

»Aha«, sagte Frank.

»Einfach nach oben gehen und dann da klopfen. Im vierten Stock rechts.«

»Okay«, sagte Frank. »Danke.«

Jürgen antwortete nicht, sondern schloß nur wieder die Augen.

Auf dem Weg in den vierten Stock begegnete Frank einem von den Leuten, die er mit Immel im Krahl-Eck gesehen hatte, einem großen, dünnen Kerl mit Akne.

»Wo willst du denn hin?« fragte er.

»Was geht's dich an?!« sagte Frank, der keine Lust hatte, höflich zu sein.

»Hier kann nicht einfach jeder rumlaufen, wie er will!« sagte der andere.

»Das gilt dann aber auch für dich«, sagte Frank.

»Ich wohne hier, und du hast hier nichts zu suchen.«

»Das kann ja jeder sagen.«

Der andere, der ein paar Treppenstufen weiter oben stand, hob einen Fuß vor Franks Gesicht.

»Hau ab, du Wichser«, sagte er.

»Ich sag's Immel, der wird dir den Arsch versohlen«, sagte Frank.

»Wieso?«

»Weil ich mit Immel verabredet bin, und wenn der mitkriegt, daß du mich rausgeschmissen hast, dann wird er dir den Arsch versohlen.«

»Wie, mit Immel verabredet?«

»Ich bin mit Immel verabredet. Um fünf.«

»Das ist noch keine fünf.«

»Doch.«

»Nein.«

»Doch. Ist doch draußen schon dunkel.«

»Na und? Das ist noch keine fünf.«

»Doch.« Frank ging einfach weiter, und der andere nahm den Fuß herunter und machte auf der Treppe etwas Platz. Frank hatte große Lust, sich mit ihm zu prügeln, aber dann war er auch schon vorbei und der Moment dazu verpaßt.

Auch vor P. Immels Wohnung war statt einer Tür nur eine Plane, und Frank hielt sich nicht lange mit Klopfen auf, mit einem forschen »Hallo, ist da wer?« schob er die Plane beiseite und betrat einen ähnlich großen Raum wie den im zweiten Stock, nur war dieser hier viel gründlicher und gediegener eingerichtet, es gab eine Schrankwand, Teppiche, eine Sitzecke mit Sofa und Sesseln und Couchtisch und eine Kochzeile mit Küchentisch und Stühlen, und an diesem Tisch saß P. Immel und aß etwas, das er mit einer Gabel aus einem Glas fischte.

»Ah, der kleine Bruder, was gibt's?« sagte er.

»Ich will die Sachen von Freddie abholen«, sagte Frank.

»Hast du einen Laster dabei?« sagte P. Immel.

»Nein, wieso?«

»Guck mal aus dem Fenster!« Immel zeigte auf ein Fenster, das nicht wie die anderen von innen mit Pappe zugeklebt war. Es zeigte auf den Innenhof. Frank ging hin und legte den Kopf gegen die Scheibe, um ganz nach unten gucken zu können. Öffnen konnte man es nicht, es waren keine Griffe daran.

»Was soll da sein?« sagte Frank, der im Dunkeln nichts erkennen konnte.

»Ach so, ist ja schon dunkel«, sagte P. Immel. »Schrott! Da ist jede Menge Schrott. Haben wir den Punks vor die Tür geschmissen, da müssen die jetzt immer rüber. Auf diese Weise sind sie aber auch vor den Bullen sicher, sieh's mal so.«

»Ich seh das überhaupt nicht«, sagte Frank. »Vielleicht hören wir mal damit auf, in Rätseln zu reden, und sagen mal, worum es geht! Ich dachte, ich soll hier den Kram von meinem Bruder abholen!«

»Der Schrott ist der Kram von deinem Bruder. Was weiß ich, was er sich damit noch alles zusammenschweißen wollte, ist jedenfalls eine ganze Menge. Ein paar Tonnen. Keine Ahnung, wo er das immer herkriegte. Das hat er alles nach und nach in sein Atelier geschleppt ...«

»Wo ist denn das Atelier?« unterbrach ihn Frank.

»Im Keller.«

»Im Keller? Ich dachte, da braucht man Tageslicht und so.«

»Freddie nicht, auf Farben kam's bei ihm nicht so an.«

»Wie lange war er da drin in dem Atelier?«

»Fast ein Jahr jetzt.«

»Und wann war er das letzte Mal da?«

»Vor einer Woche ungefähr. Da hat er mit dem Voll-idioten seine Sachen aus der Galerie da reingestellt.«

»Welcher Vollidiot?«

»Karl Schmidt. Gibt's noch einen größeren Voll-idioten?«

»Keine Ahnung. Und wo sind die Sachen aus der Ga-lerie jetzt?«

»Tja …« Immel hob die Gabel und wedelte damit durch die Luft. Es steckte ein Stück eingelegter Brat-hering daran. »Als wir den Schrott auf den Hof geworfen haben, war davon nichts mehr da.«

»Warum habt ihr das überhaupt auf den Hof gewor-fen?«

»Er hatte schon zwei Monate nicht mehr bezahlt. Was bin ich hier, die Wohlfahrt?«

»Und dann hast du ihm gekündigt, oder wie?«

»Nicht direkt, was heißt schon gekündigt, ich hab ihn nur gefragt, wann er bezahlen will, und er hat gesagt, ich soll ihn am Arsch lecken.«

Immel betrachtete das Stück Hering und warf es dann zurück in das Glas. »Sagt man sowas zu einem, der zwei Monate auf sein Geld wartet, ohne auch nur ein Wort zu sagen? Sagt man zu so einem, er soll einen am Arsch le-cken? Ehrlich mal? Macht man das? Scheiße, eigentlich mochte ich Freddie immer ganz gern. Freddie war nicht wie die anderen Wichser. Freddie ist mir auch vorher nie blöd gekommen. Und dann sowas.«

»Und seitdem hast du ihn nicht mehr gesehen.«

»Nein.«

»Ist sonst noch was von ihm hier? Oder liegt alles auf dem Hof?«

»Seine Schweißgeräte sind noch da.«

»Hat er mehrere?«

»Ja, ein Elektro und eins mit Gas. Willst du die mitnehmen?«

»Nein, ich habe mein Auto nicht dabei«, sagte Frank.

»Willst du einen Kaffee?«

»Nein danke.« Frank hätte eigentlich gerne einen Kaffee genommen, aber irgendwie war ihm die P.-Immelsche Freundlichkeit nicht ganz geheuer, man weiß nie, wann das wieder umschlägt, dachte er, und dann nehmen sie einem den Kaffee wieder weg und dann steht man blöd da. »Ich glaub, ich geh mal wieder.«

»Ja, ist vielleicht besser«, sagte Immel. »Und wenn du Freddie siehst: Er schuldet mir noch zwei Monatsmieten.«

»Nicht schlecht«, sagte Frank, »Monatsmieten in einem besetzten Haus. Hätte ich nicht gedacht. Warum sind eigentlich die Fenster verdunkelt? Habt ihr Angst vor Scharfschützen?«

»Das ist keine Besetzung«, sagte Immel. Er schraubte das Glas mit dem Brathering zu und goß sich eine Tasse Kaffee ein. »Was wir hier machen, ist eine Simulation. Eine Hausbesetzungssimulation. Das ist eigentlich mein Haus.«

»Ich weiß«, sagte Frank.

»Alle wissen das«, sagte P. Immel. »Komisch: Alle wissen das und erzählen das sogar rum, aber es kommt doch nicht raus. Das ist doch faszinierend! Die doofen

Punks zum Beispiel, die haben das bis heute noch nicht geschnallt. Und die Fernsehleute stehen hier jedesmal vor der Tür, wenn sie was über besetzte Häuser machen. ArschArt in aller Munde.« Er lächelte zufrieden. »Und weißt du, wessen Idee das war?«

»Nein«, sagte Frank.

»Das war Freddies Idee.«

»Aha«, sagte Frank verblüfft.

»Freddie ist ein Genie. Das hat uns bis nach New York gebracht.«

»Wart ihr zusammen da?«

»Ja. The Art of Wall City oder wie der Scheiß hieß. Da waren wir ArschArt-Leute wie die Könige. Wir waren die Typen aus dem besetzten Haus! Da konnten die gar nicht genug von kriegen. Hausbesetzerkünstler, authentisch und so!«

»Ist das für Freddie auch gut gelaufen?«

»Schwer zu sagen, vielleicht, keine Ahnung. Bei denen da in Amerika weiß man nie. Die sind alle immer so nett.« Er starrte in seinen Kaffee. »Da weiß man nie: Macht man gerade ordentlich Eindruck, oder ist das bloß 'ne Gummiwand?«

»Und was hast du da gemacht?«

»ArschArt natürlich, das ganze Programm, mit Dr. Votz und so. Das war ja der Witz: Alle dachten, Dr. Votz wäre die Simulation, dabei ist eigentlich das besetzte Haus die Simulation. Naja, Dr. Votz natürlich auch!«

»War Bosbach auch dabei?«

»Nein, der kam erst später dazu. Die Bassisten bleiben immer nicht lange. Die trete ich immer in den Arsch!«

»Ich geh dann mal. Aber eine Frage noch: Wenn das hier eine Simulation ist und so weiter, warum nimmst du dann trotzdem Miete von Freddie? Das ist doch inkonsequent.«

»Wieso inkonsequent? Im Gegenteil. Ganz im Gegenteil. Das ist konsequent! Was soll ich denn sonst machen? Arbeiten gehen? Die zahlen hier alle Miete. Aber nicht viel. Ist doch praktisch geschenkt, was die hier zahlen, das reicht doch gerade für die Nebenkosten!«

»Und wo Freddie ist, das weißt du wirklich nicht?«

»Nein, natürlich nicht. Ich kann ihn ja mal am Arsch lecken!«

»Ich geh dann mal«, sagte Frank, weil er nicht mehr wußte, was er noch fragen sollte.

»Sag mal«, sagte P. Immel, »wie wolltest du denn die Sachen von Freddie abholen, wenn du kein Auto dabei hast? Wie wolltest du die denn wegbringen?«

»Keine Ahnung«, sagte Frank, »ich wollte sie mir erstmal ansehen.«

»Das ist nur Schrott.«

»Ja, schon klar. Ich geh dann mal.«

»Ja. Grüß schön.«

»Wen?«

»Keine Ahnung.«

Frank ging, aber als er an der Plane angekommen war, drehte er sich noch einmal um. Ihm war noch eine Frage eingefallen. P. Immel schraubte gerade das Glas mit den Bratheringen wieder auf.

»Wenn die Dinger von Freddie so schwer zu transportieren sind, wie sind die dann nach New York gekommen?«

»Sind sie nicht. Ich meine, es gibt dafür Speditionen und so, Spezialisten, aber in diesem Fall sind sie nicht.«

»Sind sie nicht was?«

»Nach New York gekommen. Das war anders. Wir sind da alle rüber und haben da live unseren Scheiß gemacht. Freddie hat sich auf Schrottplätzen Sachen besorgt und was zusammengeschweißt, das war ja der Witz bei der Sache, das war ein Werkstattaustausch oder wie die den Scheiß beim Goethe-Institut da genannt haben.«

»Ach so.«

»Genau. Das war so ein Riesending, was Freddie da gemacht hat. Der war wie von Sinnen, der hat den ganzen Tag da rumgemacht, auch abends noch. Da waren wir alle schon längst besoffen.«

»Und was ist aus dem Riesending geworden? Hat er das verkauft?«

»Nein, darum ging es ja nicht, das war ja eine Ausstellung vom Goethe-Institut.«

»Und was ist danach damit passiert?«

»Keine Ahnung. Das mußt du Freddie fragen.«

»Okay. Ich geh dann mal.«

»Ja. Aber jetzt mal wirklich!«

»Was soll das heißen?«

»Du hast das vorhin schon einmal gesagt, daß du gehen willst.«

»Na und?«

»Nur so.«

»Nichts nur so«, sagte Frank. »Nur so am Arsch. Was soll das heißen?«

»Was? Was soll was heißen?«

»Aber jetzt mal wirklich?!«

»Das war nur so, das sollte gar nichts heißen.«

»Du meinst, du kannst mir hier blöd kommen, oder was?«

»Was soll das werden, kleiner Bruder? Eine Schlägerei?«

»Kannst du haben!«

»Wie jetzt?« P. Immel stand auf, blieb aber stehen, wo er war.

»Komm doch her, du Arsch!«, rief Frank. »Oder fehlen dir deine Knalltüten von gestern abend?«

»Hau ab, Kleiner. Sei froh, daß du Freddies Bruder bist.«

»Komm her und ich hau dir was auf die Schnauze!«

»Jaja!« P. Immel nahm eine Mineralwasserflasche von der Spüle und setzte sich wieder hin. »Hau ab.«

»Wichser!« Frank drehte sich um und ging.

Auf dem Weg nach unten und nach draußen kam ihm niemand entgegen, und das war auch besser so, fand er. Als er das Haus verließ, ging er links herum in den Innenhof und besah sich, so gut das in der Dunkelheit ging, den Schrotthaufen, der dort lag. Es war alles da, was man sich vorstellen konnte, Rohre, Autoteile, Stahlträger, Maschinenteile, Metallstangen, große und kleine Bleche, jede Menge Schrott. Frank hörte es scheppern. Jemand fluchte. Ein Teil des Haufens bewegte sich und fiel in sich zusammen.

»Scheiße!«

Es schepperte wieder, und einzelne Metallbleche flogen durch die Luft. Jemand kämpfte sich seitlich zwischen Wand und Schrotthaufen zu Frank und zum Hofausgang durch. Er mußte erst ziemlich nahe kommen, bevor Frank ihn erkannte: Es war Wolli.

## 15. EXIT WOLLI

»Scheiße!« schrie Wolli ihn an.

»Wolli, ich bin's!« sagte Frank.

»Ach du bist das, Frankie«, sagte Wolli. Er hob die linke Hand zum Gruß wie ein Indianer im Film und lutschte dabei an seiner rechten Hand.

»Warum schreist du mich denn an?« sagte Frank.

»Hab dich nicht erkannt.«

»Warum schreist du mich an, wenn du mich nicht erkennst, ich meine, wen wolltest du denn eigentlich anschreien?«

»Keine Ahnung. Ich hab mich an dem Schrott da geschnitten, hab gedacht, du wärst vielleicht einer von den Vorderhausleuten. Was machst du denn hier?«

»Der Schrott gehört meinem Bruder. Den hatte er in seinem Atelier oder seiner Werkstatt oder was.«

»So viel? Das muß ja eine Riesenwerkstatt gewesen sein.«

»Oder nicht direkt in der Werkstatt, vielleicht hatte er noch einen Lagerraum daneben, was weiß ich denn …!«

»Nicht viel, wie's aussieht.«

»Hör mal, Wolli«, sagte Frank, »jetzt ist auch mal gut, jetzt hör endlich mal auf, mich so blöd von der Seite anzuquatschen, das war neulich schon unverschämt genug!«

»Ja, 'tschuldigung, tut mir leid«, sagte Wolli. »Hab gerade schlechte Nerven. Hast du Lust, mit in die Kneipe zu gehen? Ich wollte gerade in die Kneipe.«

»Alleine?«

»Ja klar, hier gehen doch dauernd alle alleine in die Kneipe, wir sind doch in Berlin, das ist doch hier nicht der Bremer Freimarkt, Mann.«

»Wolli, hör auf damit!«

»Ja, 'tschuldigung.«

Sie verließen gemeinsam den Hof. Draußen nahm Wolli die Hand, an der er die ganze Zeit gelutscht hatte, aus dem Mund und hielt sie in das Licht unter einer Laterne. »Scheiße, von so was kann man ruck, zuck eine Blutvergiftung kriegen.«

Frank beugte sich über die Hand, betrachtete den kleinen, blutenden Schnitt an der Handkante und sagte: »Tja, das sieht bös aus, das könnte sich ziemlich verkomplizieren.«

»Wie meinst du das?«

»Hast du dir das an dem Metall geschnitten?« sagte Frank.

»Ja, logo«, sagte Wolli.

»Ich kannte mal einen«, fabulierte Frank im Wolli-Stil drauflos, »der hat sich genauso mal die Hand geschnitten, und an so Metall ist ja immer auch Rost, das ist dann wie ein rostiger Nagel im Fuß, und dem haben sie fast die Hand abnehmen müssen. Da hat sich dann so eine dunkle Linie …« Er zog mit dem Finger eine imaginäre Linie von der Wunde an Wollis Hand den Arm hinauf bis zu seinem Brustkorb. »Das war höchste Eisenbahn gewesen am Ende, der wär fast draufgegangen.«

»Ich weiß gar nicht, ob ich geimpft bin«, sagte Wolli.

»Das nützt da nichts«, sagte Frank entschieden. »Der war geimpft gegen alles mögliche, der war überhaupt komplett geimpft, aber das nützt bei Wunden mit Rost gar nichts. In welche Kneipe willst du denn gehen?«

»Ich dachte, ich gehe ins Honka, die Kneipe, wo wir uns neulich getroffen haben.«

»Das war gestern.«

»Ach so, gestern erst. Kommt mir länger her vor.«

»Mir auch«, gab Frank zu. »Das Honka, das ist doch Scheiße! Laß uns lieber ins Krahl-Eck gehen.«

»Was ist denn das Krahl-Eck? Woher kennst du denn hier eine Kneipe?«

»Ein bißchen was kenne ich auch, Wolli!«

»Eigentlich habe ich überhaupt kein Geld«, sagte Wolli.

»Ins Honka kann ich nicht gehen, einmal da angeschrien werden reicht.«

»Ja, 'tschuldigung«, sagte Wolli, und Frank kam langsam zu dem Schluß, daß mit Wolli irgendwas nicht stimmte, er war nicht in Form, und das hatte nichts mit seiner Handverletzung zu tun.

»Laß uns mal ins Krahl-Eck gehen«, sagte Frank und ging los. Wolli kam widerstandslos mit.

»Mann, das ist hier ja voll die Mauer«, sagte er, als sie an die Mauer kamen. »Kannst du mir mal fünfzig Mark leihen?«

»Wozu brauchst du denn so viel Geld?!« fragte Frank streng.

»Ich glaub …« Wolli seufzte und sprach nicht weiter.
Dann zeigte er wieder auf die Mauer. »Voll die Mauer,
Mann, guck mal, da hinten!«

»Da hinten was?«

»Das Holzding da, wo man hochgehen kann und über
die Mauer gucken!«

»Was ist damit?«

»Laß uns da mal hochgehen!«

»Muß das sein, Wolli? Ich dachte, du wolltest in die
Kneipe.«

»Das ist nicht so dringend, ich wollte nur in Ruhe mal
wieder scheißen.«

»Ich dachte, in Ruhe scheißen macht man zu Hause.«

»Hast du eine Ahnung!« sagte Wolli düster und steuerte auf die Aussichtsplattform zu.

»Was willst du denn da oben?«

»Nur mal gucken. Jetzt bin ich schon so lange hier und
war noch nie auf so einem Ding.«

»Du bist erst seit gestern hier.«

»Ist doch egal! Außerdem war ich vorher schon oft
hier, das zählt doch irgendwie auch.«

Sie kamen an die Plattform und gingen die Holz-
treppe hinauf. Oben bot sich ein überraschender Anblick. Frank hatte sich das immer so vorgestellt, daß hinter der Mauer die Stadt einfach weiterging, aber jetzt sah
er zum ersten Mal, wie breit die Schneise war, die man
hier zwischen die Häuser geschlagen hatte, um darin
Sandfelder, Wege, Mauern, Zäune, Wachtürme und
große Peitschenlampen, die das alles in ein gelbes, un-
wirkliches Licht tauchten, unterzubringen. Die ande-

re Stadt war mehr als hundert Meter weit weg, schätzte Frank.

»Mann …!« sagte Wolli.

»Ja«, sagte Frank.

»Das ist ja Wahnsinn«, sagte Wolli. »Wie breit das ist!«

»Ja«, sagte Frank.

»Das raff ich irgendwie nicht«, sagte Wolli.

»Hm.«

»Laß uns wieder runtergehen!«

»Okay«, sagte Frank.


Sie gingen wieder hinunter und weiter zum Krahl-Eck. Dort war alles wie am Tag zuvor. Als sie eintraten, wurden sie wieder von den alten Leuten begafft, die im vorderen Teil an den Holzfässertischen standen und sich an kugelförmige Biergläser klammerten.

»Was ist das denn für ein Laden?« sagte Wolli.

»Keine Ahnung«, sagte Frank. »Ich glaube, ich hätte gern ein Bier.« Er hatte Sodbrennen vom Sekt und hoffte, das Bier würde das wieder einrenken.

»Ich auch. Ich geh mal in Ruhe scheißen. Wo ist denn hier das Klo?«

»Keine Ahnung«, sagte Frank.

Sie gingen zusammen zum Tresen, und unterwegs bog Wolli ab Richtung Klo. Frank ließ sich zwei Bier geben und setzte sich damit neben die Musikbox, die heute von niemandem bedient wurde, alles, was zu hören war, war das Klirren der Gläser, die ein dicker Mann hinter dem Tresen spülte. Bis Wolli vom Klo zurückkam, hatte Frank schon beide Biere ausgetrunken.

Wolli ging zum Tresen, um neues Bier zu holen, und Frank stand auf, warf eine Mark in die Musikbox und drückte ›Junge, komm bald wieder‹ von Freddie Quinn. Wenn schon, denn schon, dachte er.

»Der meint, der bringt das gleich«, sagte Wolli und setzte sich zu ihm an den Tisch. Dann saßen sie eine Zeitlang nur da und lauschten Freddie Quinn. Als der fertig war, sagte Wolli: »Kannst du mir fünfzig Mark leihen?«

»Wozu?« sagte Frank.

»Ich glaube, das ist hier nichts für mich«, sagte Wolli. »Ich will wieder nach Bremen. Das ist hier nichts für mich.«

»Was ist denn los?«

»Das besetzte Haus da, das ist doch Scheiße. Weißt du, warum ich zum Scheißen in die Kneipe gehe?«

»Sind eure Klos kaputt?«

»Nein. Wir scheißen da alle seit gestern in einen Eimer.«

»Warum das denn?«

»Die wollen den im Vorderhaus auskippen. Bei denen da ins Treppenhaus.«

»Echt?«

»Ja. Die wissen sogar schon, wo der Schlüssel ist.«

»Aha!«

»Der ist da unter einem Stein. Die wollen da morgen früh rein und den Scheißeeimer bei denen im Treppenhaus auskippen.«

»Ah ja!«

»Das nervt doch. Die sind da irgendwie zu hart drauf.

Und kalt ist das in der Bude, mein lieber Scholli! Ich glaube, Mike hat recht gehabt.«

»Womit?«

»Daß das nichts bringt, nach Berlin zu gehen.«

»Muß jeder selber wissen, Wolli!«

»Weißt du noch, wie wir darüber gesprochen haben? Als wir unter der Brücke da gesessen haben, in Bremen? Mike hat gesagt, das ist doch Quatsch, dieser ganze Berlinscheiß.«

»Na und?«

»Mike hat recht, das ist doch Quatsch, totaler Quatsch!«

»Schon gut, Wolli, reg dich nicht auf.«

»Ich brauch die fünfzig Mark, das reicht gerade so für den Zug.«

»Sag nicht, daß du überhaupt kein Geld dabeigehabt hast!« sagte Frank.

»Doch, aber ich mußte da bei meinen Kumpels gleich für alles mögliche bezahlen, die hatten da alle möglichen Kassen, für Verpflegung, für Winterfestmachung …«

»Für was?«

»Winterfestmachung und lauter so Scheiß. Die haben doch den Arsch offen, Winterfestmachung, das klingt doch gleich irgendwie nach Ostfront oder nicht?«

»Naja …«, sagte Frank ratlos.

»Gibst du mir fünfzig Mark?«

»Klar«, sagte Frank.

»Das gibt auch so Busse, die fahren ab Funkturm, die sind noch billiger, aber ich weiß nicht, was die kosten …«

»Hier«, sagte Frank und gab Wolli fünfzig Mark.

»Danke«, sagte Wolli. Er hielt den Schein in den Händen und starrte auf das darauf abgebildete Holstentor, als sähe er es zum ersten Mal. »Ist echt nett von dir. Ich schick dir das dann mit der Post.«

»Schon klar«, sagte Frank.

Der Mann vom Tresen stellte das Bier bei ihnen ab. Frank stand auf und drückte noch einmal ›Junge, komm bald wieder‹ von Freddie Quinn.

»Warum spielst du denn so eine Scheiße?« sagte Wolli.

»Nur so.«

»Hör mal«, sagte Wolli und nahm einen großen Schluck Bier, wie um sich Mut zu machen. »Hör mal, wegen gestern …«

»Schon gut«, sagte Frank.

»Nein, nein, das ist auch so eine Scheiße, darum habe ich auch keinen Bock mehr, weil das ist ja alles schon wieder genauso wie damals im KJB!«

Wolli ließ das erstmal so stehen, und so schwiegen sie wieder eine Zeitlang. Freddie Quinn sang derweil sein Lied, und Frank fiel beim Zuhören wieder ein, daß seine Mutter am nächsten Tag noch einmal anrufen wollte und er immer noch nicht wußte, wo Freddie war.

»Wie im KJB«, wiederholte Wolli schließlich auffordernd.

»Wie meinst du das?«

»Ich weiß noch genau«, sagte Wolli, »ich weiß noch genau, ich hab damals zu Martin Klapp gesagt, das war irgendwie bei so einem Streit, den wir hatten, da war er gerade aus dem KJB wieder ausgetreten und ich war noch drin, jedenfalls hab ich zu ihm gesagt, daß er nach der Revolution garantiert erschossen wird. Naja, was man halt so sagt … – Aber stell dir mal vor, das war doch auch mein Freund, und ich sag ihm ins Gesicht, daß er nach der Revolution erschossen wird!«

»Ja, schlimm!« sagte Frank.

»Meine Kumpels hier, die sind genauso drauf. Und das ist irgendwie ansteckend, da muß man auch mal aufpassen! Ich meine, ich war gerade erst mit dir hergefahren, du hast mich in deinem Auto mitgenommen, und davor, in Bremen, hast du mich sogar einfach so bei dir im Zimmer wohnen lassen und überhaupt, und dann frag ich dich noch am gleichen Abend, was du im Honka eigentlich zu suchen hast!«

»Nicht so schlimm, Wolli, laß gut sein«, wiegelte Frank ab.

Aber Wolli war nicht aufzuhalten: »Und nur, weil die das von mir wollten, weil meine Kumpels gesagt hatten, ich sollte das fragen, weil du mit dem Typen da warst, dem aus dem Vorderhaus!«

»Ja, ja, ich weiß, Wolli.«

»Stell dir das mal vor! Die wollen das von mir und ich geh einfach hin und frag dich, was du da machst, das ist doch widerlich, stell dir das mal vor!«

»Ich war dabei, Wolli, ich brauch mir das nicht extra vorzustellen.«

»Überhaupt, da scheißen die jetzt in den Eimer, sowas kann ich schon mal gar nicht, ich meine, die scheißen in den Eimer!«

»Ja, ja, schon gut, Wolli«, sagte Frank. »Ist ja okay!«

»Ist gar nicht okay«, sagte Wolli. »Ich meine, was ist

das denn für ein Häuserkampf, wenn die Hausbesetzer nicht zusammenhalten. Ich meine, wenn sich die Hausbesetzer gegenseitig Schrott vor die Tür und Scheiße in die Häuser kippen, dann freuen sich doch nur die Hausbesitzer.«

»Das ist in diesem Fall nicht unbedingt gesagt«, sagte Frank. Er stand auf und drückte noch einmal Freddie Quinn.

»Warum spielst du denn bloß diese Scheiße«, sagte Wolli.

»Dreimal ist Bremer Recht!« sagte Frank.

»Auch wieder wahr«, sagte Wolli.

»Wann willst du denn fahren?« sagte Frank. »Heute noch?«

»Nee, ich fahr morgen früh, ich steh einfach ganz früh auf und gehe, das merken die gar nicht.«

»Hm …«

»Dann komme ich in Bremen an, wenn's noch hell ist.«

»Ja, ja«, sagte Frank.

»Sollen die ihre Scheiße doch alleine verklappen. Ich hab da keine Lust drauf.«

»Was macht deine Hand?«

»Geht schon wieder«, sagte Wolli und zeigte Frank seine Hand. Das Blut auf der kleinen Schnittwunde war getrocknet.

»Gehst du gleich in das Haus zurück?« sagte Frank.

»Ich dachte, wir sitzen hier noch ein bißchen. Mann, ist das da drin kalt, in der Scheißbude!«

»Ich muß gleich weiter, ich bin noch verabredet«, sagte Frank.

»Für dich läuft's hier aber ganz gut, was?«

»Naja, wie man's nimmt.«

»Wie geht's deinem Bruder?«

»Schwer zu sagen.«

»Okay«, sagte Wolli.

Sie tranken eine Weile schweigend vor sich hin, und eine gewisse Wehmut überkam Frank. Wolli war die letzte Verbindung zu seinem früheren Leben, und jetzt ging er weg. Wahrscheinlich besser so, dachte er, aber irgendwie auch traurig.

»Ich geh dann mal«, sagte er und stand auf. Man darf sich mit sowas nicht zu lange aufhalten, dachte er. Und Freddie Quinn war auch schon wieder durch mit seinem Lied.

»Ich bleib noch ein bißchen hier«, sagte Wolli. »Kannst du mir das Geld für deine beiden Biere geben?«

Frank legte ihm ein Fünfmarkstück hin. »Mach's gut, Wolli!«

»Mach's gut, Frankie.«

»Ach so«, fiel Frank noch etwas ein. Er durchsuchte seinen Anzug und fand in der Jackentasche den Schlüssel zur ArschArt-Galerie. Er hielt ihn Wolli hin. »Hier, kannst du haben.«

»Was ist das denn?«

»Der Schlüssel zum Vorderhaus bei euch. Zur ArschArt-Galerie.«

»Wieso hast du den denn? Ich denke, der liegt da immer unter dem Stein.«

»Jetzt nicht mehr. Ich hab den aus Versehen mitgenommen.«

»Tja«, sagte Wolli. Er nahm den Schlüssel und schaute ihn ratlos an. »Was soll ich denn jetzt damit machen?«

»Keine Ahnung«, sagte Frank, »das mußt du selber wissen. Mach's gut, Wolli!«

»Du auch, Frankie«, sagte Wolli, und er hielt dabei den Schlüssel auf eine Weise hoch, daß Frank dabei an das Bremer Wappen denken mußte.

## 16. HAUT DER STADT

Als Frank zu Hause ankam, war es etwa sechs Uhr. Außer Karl war niemand da, und Karl saß in der Küchenecke und faltete Schiffchen aus Papier.

»Ah, der kleine Bruder«, sagte er.

»Paß mal auf«, sagte Frank, »kleiner Bruder will ich nicht mehr hören! Von dir nicht und von P. Immel schon gar nicht! Der einzige, der das sagen dürfte, wäre vielleicht Freddie, obwohl – von dem will ich's eigentlich auch nicht hören!«

»Okay, okay«, sagte Karl unbeeindruckt. »Das tut aber auch weh, wenn man mit P. Immel in einem Satz genannt wird. Wie kommst du denn gerade auf den?«

»Bei dem war ich gerade«, sagte Frank. »Wegen dem Kram von meinem Bruder, den ich abholen sollte.«

»Da kann doch höchstens noch Schrott gewesen sein«, sagte Karl und riß eine DIN-A4-Seite in zwei Hälften und diese Hälften dann noch einmal entzwei. Die Schiffchen, die er faltete, waren klein, und er hatte schon viele davon, sie bedeckten den größten Teil des Tisches.

»Hast du das gestern auch schon gewußt, als er zu mir sagte, daß er das sonst wegschmeißt?«

»Was gewußt? Als wer das sagte?«

»Als Immel das gestern in der Kneipe gesagt hat,

hast du da schon gewußt, daß da nur noch Schrott sein kann?«

»Naja, für den einen ist es Schrott, für den anderen ist es wichtiges Arbeitsmaterial, für Freddie zum Beispiel.«

»Da war wirklich nur noch Schrott«, sagte Frank. »Das haben die alles in den Hof da geworfen.«

»Irgendwie scheint Immel ziemlich sauer auf Freddie zu sein.«

»Ja, und auf die Punks im Hinterhaus auch.«

»Immel haßt sich selbst, das ist sein Problem. Und er hat recht damit.«

»Hm …« Frank setzte sich an den Tisch und legte den Kopf in die Hände. Er war müde und hatte keine Lust mehr. »Was soll das gleich um sieben eigentlich?«

»Was um sieben?«

»Erwin hat gesagt, daß wir uns um sieben im … – jetzt habe ich den Namen vergessen.«

»Im Einfall?«

»Ja, im Einfall treffen. Wegen der neuen Wohnung.«

»Ach das …! Hatte ich ganz vergessen. Das ist wohl Erwins Methode, Helga zu zeigen, daß es vorangeht.« Karl hielt ein Schiffchen hoch. »Das macht Spaß«, sagte er.

»Soll das Kunst sein?« fragte Frank.

»Das ist eine doofe, spießige Frage«, sagte Karl.

»Okay, ich frag's nicht wieder«, sagte Frank.

»Nein, die Frage ist berechtigt, nur eben doof und spießig«, sagte Karl. »Hier, mach mal auch ein paar.«

Er warf Frank einige DIN-A4-Blätter hinüber, und Frank faltete sie und riß sie entzwei, bis ein kleiner Stapel

DIN-A6-Blätter daraus geworden war. Dann nahm er das oberste Blatt und faltete ein Schiffchen daraus.

»Wenn es Kunst ist«, sagte Frank, »wäre es auch dann noch Kunst, wenn ich dabei mitgemacht habe?«

»Es ist Kunst, wenn einer sagt, daß es Kunst ist«, sagte Karl. »Im Zweifel ich. Ich darf das sagen. Und dann muß ich noch mindestens einen finden, der mir das glaubt. Dann ist es Kunst.«

»Aha«, sagte Frank und faltete Schiffchen um Schiffchen. Das machte wirklich Spaß. Als sein Papier alle war, sagte er: »Das ist nämlich das, weswegen ich über Freddie eigentlich nichts rauskriege, weil ich nämlich noch nicht einmal das kleinste bißchen Ahnung habe, was Freddie hier eigentlich macht! Je mehr ich mit den Leuten darüber rede, desto weniger verstehe ich davon, ich weiß überhaupt nicht, was das alles soll! Und wie soll ich was über ihn rauskriegen, wenn ich das alles überhaupt nicht verstehe?! Ich hab auch die ganze Zeit noch nichts von den Sachen gesehen, die er da so macht, ich kenn das nur von den Fotos, die er mir in Bremen gezeigt hat, und da wußte ich auch schon nicht, was das soll, und hier ist das so, daß alle Leute den Kram von Freddie kennen, aber nirgendwo ist was zu sehen, das ist, als ob er überhaupt keine Spuren hinterlassen hat.«

»Ja und?«

»Wenn er schon seit Jahren dieses Zeug aus Schrott zusammenschweißt, warum ist dann nirgendwo was davon zu sehen?«

»Das liegt daran, daß Freddie die Sachen oft nur fotografiert und dann wieder demontiert, wenn er sie nicht loswird. Damit sie ihm nicht im Weg rumstehen, sagt er.«

»Und was soll das dann?«

»Das ist eine doofe Frage. Das soll nichts«, sagte Karl. »Wenn es wirklich Kunst ist, dann soll es nichts. Dann soll es einfach nur sein. Oder in Freddies Fall: gewesen sein. Das reicht schon. Wie diese Schiffchen hier.«

»Also sind diese Schiffchen Kunst?«

»Nein, das sind nur Papierschiffchen.« Karl warf ihm noch einige Papierblätter hinüber. »Bis jetzt jedenfalls.«

»Ja, ja«, sagte Frank. Sie knickten und zerrissen die Blätter und falteten schweigend und in rasender Geschwindigkeit Schiffchen. Irgendwann war der ganze Tisch mit ihnen bedeckt.

»Stark«, sagte Karl.

»Ja«, sagte Frank.

»Sieht irgendwie gut aus.«

»Ja«, sagte Frank.

»Gut, daß die alle gleich groß sind!« sagte Karl.

»Ja«, sagte Frank. »Wieso?«

»Weil man sie dann stapeln kann«, sagte Karl und begann, die Papierschiffchen ineinanderzustapeln.

»Warum sollte man sie stapeln?«

»Keine Ahnung.«

»Ich finde sie ungestapelt besser«, sagte Frank.

»Wieso besser?«

»Weiß nicht. Was sollen die denn gestapelt, das sind doch keine Kaffeetassen.«

»Ja, aber Kunst sind sie auch nicht«, kam Karl auf das Thema zurück. »Bis jetzt jedenfalls nicht. Aber wenn ich das nächste Woche in die Ratiborstraße bringe und da hinstelle, dann ist es Kunst. Das ist der Witz dabei.«

»Okay«, sagte Frank.

»Ich hab aber schon was für die Ratiborstraße«, sagte Karl.

»Soso«, sagte Frank.

»Willst du mal sehen?«

»Ja«, sagte Frank.

»Dann komm mal mit.«

Karl stand auf und ging voran. Frank folgte ihm. Sie gingen zu Karls Zimmer.

»Du müßtest eigentlich fragen: Was ist denn da in der Ratiborstraße«, sagte Karl auf dem Weg.

»Okay: Was ist denn da in der Ratiborstraße?« sagte Frank.

»Da ist nächste Woche eine Ausstellung, da bin ich dabei.«

»Was denn für eine Ausstellung?«

»›Haut der Stadt‹ heißt die.«

»Wie heißt die?« sagte Frank.

»›Haut der Stadt‹«, sagte Karl unwillig und blieb vor seiner Zimmertür stehen.

»Was soll das denn sein?«

»Keine Ahnung, das sind so Hippies, und ich hab auch gesagt, wenn schon, dann Haut der Stadt, aber ist ja auch scheißegal.«

»Wieso ist das scheißegal? ›Haut der Stadt‹ – wer denkt sich denn sowas aus?«

»Das hat mit Denken nichts zu tun«, sagte Karl. »Das versuche ich dir ja gerade zu erklären.«

»Aber ...«

»Nix, ich zeig dir das mal«, sagte Karl. Er öffnete die Tür zu seinem Zimmer und knipste das Licht an. »Da!« rief er und zeigte auf eine Werkbank, die dort gleich neben seinem Bett stand und links und rechts mit allerhand Kram überhäuft war, mit Werkzeugen, Drahtrollen, Metallkleinteilen jeder Art, mit Arbeitshandschuhen, Dosen, Schachteln, Flaschen und Lumpen. In der Mitte aber war sie freigeräumt, und dort standen drei kubische Holzkisten, etwa fünfzig mal fünfzig mal fünfzig Zentimeter groß. Sie erinnerten Frank ein bißchen an die Teekiste, in der er in Bremen seine Klamotten aufbewahrt hatte, bloß, daß sie kleiner waren. Solche Kisten gab es noch mehr in dem Zimmer, aber die waren offen und standen überall herum, die drei auf der Werkbank aber waren verschlossen, vernagelt oder verleimt oder was auch immer, und auf ihren Vorderseiten waren die Zahlen eins bis drei aufgemalt.

»Diese Kisten?« sagte Frank.

»Ja, die drei da stell ich nächste Woche in der Ratiborstraße aus. Aber ich mache insgesamt zehn.«

»Okay, meinetwegen«, sagte Frank. »Und was soll das?«

»In jeder Kiste ist ein Kunstwerk. Eine Metallskulptur.«

»Von dir?«

»Ja.«

»Die sind aber nicht sehr groß dann, die Metallskulpturen.«

»Nein, die sind auch nur gelötet. Darum: Vorsicht beim Transport!« Karl haute auf eine der Kisten drauf.

»Und die soll man in den Kisten kaufen?«

»Das ist der Clou dabei.«

»Wieso Clou? Das ist doch nichts Besonderes! Für Kinder gibt's das als Wundertüten. Und Briefmarken kann man auch so kaufen, hab ich mal gemacht, als ich klein war!«

»Nein, du verstehst noch nicht ganz, wie das läuft.«

»Wie denn?«

»Man darf die Kisten nicht aufmachen. Die sind fest zugeleimt und vernagelt und alles. Wenn du sie aufmachst, gehen sie kaputt.«

»Na und?«

»Die Kisten sind auch Teil des Kunstwerks. Wenn du sie aufmachst, ist das Kunstwerk beschädigt. Aber durch die Kisten kannst du die Skulpturen, die eigentlichen Kunstwerke, nicht sehen.«

»Das ist unlogisch, jetzt von eigentlichen Kunstwerken zu reden. Wenn die Kisten auch Teil des Kunstwerks sind, dann sind die Skulpturen nicht die eigentlichen Kunstwerke.«

»Hm, auch wieder wahr«, sagte Karl und kratzte sich nachdenklich am Hintern. »Der Begriff ›eigentlich‹ ist dann falsch. Na jedenfalls ist da was drin und man kann's nicht sehen, ohne die Kisten kaputtzumachen, und wenn man die Kisten kaputtmacht, ist alles kaputt, dann ist das alles entwertet.«

»Schön«, sagte Frank.

»Schön«, äffte Karl ihn nach. »Von schön ist hier nicht die Rede, das Entscheidende ist doch, daß die Leute nur mein Wort haben, daß da eine Metallskulptur drin ist.«

»Wird schon stimmen. Wenn du das sagst …«

»Ja, aber niemand kann sie sehen. Die Leute haben nur mein Wort, daß da was drin ist. Und wenn du die Kiste öffnest, um nachzugucken, dann hast du das Kunstwerk schon zerstört, verstehst du?«

»Ja, ich bin ja nicht blöd. Du kaufst die Katze im Sack, aber du darfst den Sack nicht aufmachen, also weißt du noch nicht mal, ob überhaupt eine Katze drin ist, naja, wobei man das bei einem Sack merken würde, weil die Katze ja normalerweise wohl zappelt oder miaut oder so, da wäre dann jedenfalls was drin, das ist ein schiefes Bild mit der Katze, jedenfalls kaufst du eine Wundertüte und darfst sie nicht aufmachen …«

»Genau.«

»…und deshalb weißt du noch nicht mal, ob es überhaupt eine Wundertüte ist.«

»Ja, aber …«

»Moment«, ließ Frank sich nicht stoppen, »was aber völlig scheißegal ist, weil du sie sowieso nicht aufmachen darfst, wodurch auf diese Weise du bereit sein mußt, eine Wundertüte zu kaufen, ohne das Wunder kriegen zu können, ganz schön bescheuert.«

»Hm …«, sagte Karl und schaute ihn verwirrt an. »Ich glaube, das war jetzt nicht ganz der Punkt, aber egal, jedenfalls wolltest du doch wissen, ab wann sowas wie die Papierschiffchen Kunst wird, ja?«

»Naja, geht so …«

»Ja, deshalb wollte ich dir das hier zeigen, weil du daran sehen kannst, daß es nur darauf ankommt, wer wann wo sagt, daß etwas Kunst ist, daran kannst du sehen, welche Macht man als Künstler hat, man kann den Leuten diese

Kisten geben und ihnen sagen …« Karl brach ab. »Naja, den Rest kannst du dir ja denken.«

»Ja, aber wozu?«

»Wozu? Wozu?« Karl kratzte sich am Kopf. »Das ist eine spießige und doofe Frage.«

»Ja, stimmt«, sagte Frank. »Aber ich glaube, du hast mir das hier nicht gezeigt, weil du mir die Sache mit der Kunst erklären wolltest.«

»Warum denn sonst?«

»Du hast mir das gezeigt, weil du wissen wolltest, wie ich das finde.«

»Hm, meinst du?«

»Ja. Du hast das fertig gemacht und wolltest wissen, wie ich das finde.«

»Glaubst du echt, daß mir das wichtig ist?«

»Ja, aber nicht, weil ich es bin.«

»Warum denn sonst?«

»Weil du gesagt hast, daß etwas Kunst ist, wenn du es dazu erklärst, und wenn es mindestens einen gibt, der dir das glaubt.«

Karl lachte. Er beugte sich über eine der offenen Kisten und zog zwei Flaschen Bier heraus. Er öffnete sie mit einem Plastikfeuerzeug und reichte Frank eine. Dann nahm er seine eigene Flasche und schlug damit gegen Franks. »Prost!« sagte er.

»Prost«, sagte Frank. »Keine Bange. Ich glaub dir das. Ist Kunst!«

Karl haute ihm fröhlich auf die Schulter. »Schön«, sagte er, »sehr schön. Na vielen Dank auch. Aber das nützt mir nichts!«

»Warum nicht?«

»Weil du zwar Freddies Bruder bist, aber überhaupt keinen Sinn für die Sache hast. Überhaupt keinen. Nix. Null.«

»Sag ich doch!«, sagte Frank. »Das ist ja das Problem. Deshalb komme ich mit der Suche nach Freddie auch nicht weiter. Ich kapier nicht, wie das bei ihm läuft, das sagt mir alles nichts, was die Leute erzählen. Dabei ist das mein Bruder!«

»Wieso überhaupt nach ihm suchen? Er ist doch über achtzehn! Steht irgendwo, daß du ihn suchen sollst?«

»Nein, aber irgendwas ist hier nicht normal!«

»Na und?« sagte Karl und hob seine Flasche. »Was ist schon normal?«

»Gute Frage«, sagte Frank. »Aber wieso hast du vorhin gesagt, daß da nur noch Schrott gewesen sein kann?«

»Wo, wie?«

»Ich habe dir erzählt, daß ich bei Immel war wegen Freddies Sachen, und du hast gleich gesagt: Da kann doch höchstens noch Schrott gewesen sein.«

»Na und? Die beiden waren doch zerstritten. Freddie wollte da doch raus, denke ich.«

»Ja, aber die Frau, die die Galerie in der Dieffenbach-straße betreibt, wie heißt die nochmal …«

»Almut!«

»Ja, Almut, also die hat gesagt, daß du mit Freddie zusammen in der letzten Woche seine Sachen aus der Galerie abgeholt hast, und Immel hat mir erzählt, daß du mit Freddie zusammen die Sachen in Freddies Werkstatt abgeladen hast. Und daß die aber nicht mehr da waren, als er und seine Leute Freddies Werkstatt ausgeräumt hatten, um den Schrott bei den Punks vor die Tür zu werfen.«

»Was einer wie Immel halt so sagt.«

»Nein, das glaube ich ihm. Der würde Freddies Skulpturen nicht kaputthauen, das traut der sich nicht. Bassisten in den Arsch treten, ja. Freddies Sachen zerstören, nein!«

»Na und?«

»Also hast du die Dinger mit Freddie in seine Werkstatt gebracht, und später waren sie dann weg. Wohin?«

»Was weiß ich?«

»Das waren Skulpturen aus Metall, Karl, geschweißt, nicht gelötet, die habt ihr zu zweit tragen müssen, also kann Freddie sie auch nicht alleine weggebracht haben. Wo sind die hin?«

»Wahrscheinlich hat er sie fotografiert und dann wieder auseinandergenommen. Hab ich dir doch gesagt, das hat er oft so gemacht. Oder vielleicht hat er woanders eine Ausstellung? Dann sind vielleicht irgendwelche Kunstspediteure gekommen und haben die Sachen abgeholt. Das würde auch erklären, warum er sich mit Almut einfach mal eben so gestritten hat.«

»Warum er sich mit Almut gestritten hat, darüber habe ich aber andere Informationen.«

»Weiß nicht, was du für Informationen hast. Aber es kann doch sein, daß er das provoziert hat, um da rauszukommen.«

»Dann hättest du eigentlich mit eingeweiht sein müssen.«

»Wieso das denn?«

»Weil die sich darüber gestritten haben, daß du eine von seinen Skulpturen runtergeworfen hast und er nur gesagt hat ›Scheiß drauf‹.«

»So, so, haben sie das? Wegen mir? Glaube ich nicht.«

»Und ich glaube nicht«, sagte Frank, »daß Freddie irgendwo eine Ausstellung hat, und dann weißt du nichts davon! Und auch sonst keiner.«

»Ich werde dir mal was über Freddie sagen«, sagte Karl. »Du hast da ganz falsche Vorstellungen.« Er trank einen Schluck Bier und rülpste. »Du denkst irgendwie, Freddie und ich, wir wären gute Freunde gewesen oder so, aber das kannst du vergessen. Ich durfte ihm ab und zu helfen, und manchmal hat er mir auch was erklärt, aber eigentlich ist der immer ganz woanders unterwegs gewesen. Ich meine, Freddie …« Er ließ die leere Bierflasche in eine Kiste fallen. »Freddie ist nicht der Typ, der richtige Freunde hat. Du denkst, bloß weil ich mit Freddie in Bremen war, ich meine, da hat er mich doch nur mitgenommen, weil ich ihm Geld für das Zugticket geliehen hatte …«

»Du hast ihm Geld für den Zug geliehen?«

»Ja, ich hab mich da praktisch eingekauft. Ich meine, Freddie ist ein großes Genie, ehrlich, aber nicht gerade ein Finanzgenie. Freddie war pleite. Wahrscheinlich ist er gerade wieder in Westdeutschland unterwegs, um Geld aufzureißen, oder er hat eine Frau kennengelernt, bei der er erst einmal untergekrochen ist, die kocht ihm dann eine Hühnersuppe, oder was weiß ich denn?!«

»Kann sein«, sagte Frank. »Aber irgendwas stimmt da nicht!«

»Ja, und weißt du, warum nicht? Weil du willst, daß da was nicht stimmt.«

»Quatsch!« sagte Frank.

Karl beugte sich wieder über eine seiner offenen Kisten und holte noch zwei Bierflaschen heraus. »Schnell noch was trinken, bevor wir ins Einfall gehen«, sagte er.

»Wieso sollte man was trinken, bevor man in eine Kneipe geht«, sagte Frank.

»Eins sag ich dir«, sagte Karl und kam mit zwei Flaschen Beck's wieder hoch, »und das ist was fürs Leben: Trink immer, solange du noch kannst. Man weiß nie, ob später nicht was dazwischenkommt.« Er öffnete die beiden Flaschen und reichte eine davon Frank. »Schon gar nicht, wenn man es mit Erwin Kächele zu tun hat!«

## 17. SCHWARZE VIBES

»Wir sind spät dran«, sagte Karl, als sie auf die Straße traten. Er blieb stehen und schaute sich um. Es war dunkel, und die Straße war menschenleer. »Schau dir die Reichenberger Straße an«, sagte er und schnupperte die kalte, scharfe Luft, »das ist wirklich die Pißrinne von Kreuzberg! Deprimierend, wenn man da drin wohnt.«

»Ja, ja«, sagte Frank. Er fror und hatte auf eine solche Unterhaltung jetzt keine Lust, er wollte nur so schnell wie möglich wieder ins Warme. Aber Karl machte keine Anstalten, endlich loszugehen, er starrte nur griesgrämig in die Nacht. So geht es nicht, man muß etwas tun, dachte Frank, sich bewegen, vorangehen, die Initiative ergreifen, die Kneipe soll in der Wiener Straße Ecke Ohlauer Straße sein, das ist, dachte Frank, ein Fall für den Stadtplan.

Karl zündete sich eine Zigarette an.

»Hast du auch mal eine für mich«, sagte Frank und kämpfte dabei mit dem Stadtplan, von dem er in der Dunkelheit nicht viel erkennen konnte.

»Klar.« Karl hielt ihm die Packung hin. »Was willst du denn mit dem Stadtplan?«

»Nachschauen, wo wir langmüssen.«

»Hättest mich doch fragen können.«

»Wollte dich nicht bei deinen Harnröhrenüberlegungen stören.«

»Pißrinne. Die Reichenberger Straße ist die Pißrinne. Die Harnröhre ist der Tunnel unterm Görlitzer Park.«

»Ach so.«

»Du kannst das Ding wieder zusammenfalten. Ich weiß, wo wir langmüssen.«

»Das denk ich mir. Aber du machst da keine große, öffentliche Sache draus, oder? Ich meine, wenn wir spät dran sind, dann sollte man vielleicht mal losgehen!«

»Das bringt nichts, wenn man zu sowas pünktlich kommt«, sagte Karl, »das verwendet einer wie Erwin nur gegen einen. Dann glaubt er, wir wären ganz scharf drauf, in seine neue Scheißwohnung da überm Einfall zu ziehen.«

»Ich verstehe das sowieso alles nicht«, sagte Frank und kämpfte verzweifelt mit der Patentfaltung des Stadtplans.

»Das kann man auch nur verstehen, wenn man Helga kennt. Erstmal in Ruhe aufrauchen und dann gehen wir da ganz langsam rüber. Und gib mir mal den Plan, das ist ja nicht zum Angucken!«

»Okay.« Frank gab Karl den Falkplan, und Karl knüllte ihn irgendwie in eine rechteckige Form, bevor er ihn in seiner Jacke verschwinden ließ. »Mann, ist das 'ne Scheißluft!« sagte er dann.

»Ja.«

»Smog. Das kommt von den ganzen Kachelöfen, die verfeuern da drin Briketts wie die Blöden.«

»Das ist aber auch ganz schön kalt!«

»Das ist ja der Witz bei Smog, daß es unten kalt ist und oben warm«, sagte Karl.

»Soso«, sagte Frank. »Wo ist oben in dem Fall?«

»Ganz weit oben«, sagte Karl und zeigte in den Himmel. »Unten arschkalt und da oben warm, also umgekehrt wie sonst, dann ist Smog.«

»Neulich habe ich geträumt, daß ich zu Freddie sage, daß sich das mit dem Rauchen nicht lohnt, weil die Luft eh schon so schlecht ist.«

»So 'ne Träume will ich auch mal haben.«

»Laß uns mal da hingehen, wie heißt das nochmal, habe ich vergessen, da Wiener Ecke Ohlauer Straße, wo wir da hinwollen!«

»Ins Einfall!«

»Ja, Einfall, das wird jetzt echt kalt.«

»Okay«, sagte Karl und warf den aufgerauchten Stummel seiner Zigarette weg. »Aber wenn Erwin von der neuen Wohnung und dem ganzen Scheiß da redet, dann laß mich das mal machen. Ich weiß, wie man ihn behandeln muß, ich kenn ihn besser.«

»Okay.«

»Vor allem kenn ich Helga, das ist das Wichtigste.«

»Okay.«

»Na dann«, sagte Karl und schnippte seine Zigarettenkippe auf die Reichenberger Straße, »auf in den Kampf!«


Das Einfall war eine kleine, schäbig eingerichtete Kneipe ganz in der Nähe. Frank war an ihr schon mehrmals vorbeigelaufen, zum Beispiel auf dem Weg vom griechischen Lokal zur Zone am Tag zuvor, aber das war gestern gewesen, und gestern, das war für Frank eine längst vergangene Epoche, als noch alles neu gewesen war und er noch niemanden in der Stadt gekannt hatte. Jetzt dagegen traf er im fast leeren Einfall schon auf Anhieb zwei Bekannte, nämlich Erwin und Klaus, die beide hinter dem Tresen standen. Klaus hatte ein großes Pflaster auf der Stirn, sah aber ansonsten ganz gesund aus, und das beruhigte Franks schlechtes Gewissen, weil er sich am Abend zuvor vor der anfliegenden Bierdose so feige weggeduckt hatte.

»Wie läuft's, Jungs?« rief Karl ihnen zu.

»Die Kaffeemaschine ist schon wieder kaputt«, sagte Erwin. »Ich glaub, ich schmeiß die raus, das bringt doch nichts mehr, das ist doch nur noch Nostalgiescheiße.«

»Tja, Erwin, das wird aber teuer, so eine neue Kaffeemaschine!«

»Das ist doch nicht teuer, da nehm ich eine für hundert Mark oder so!«

»Wer billig kauft, kauft teuer!« sagte Karl.

»Ich war neulich in der Hauptstraße, da gibt es einen Laden …«, sagte Klaus.

»Will ich gar nichts wissen davon«, unterbrach ihn Erwin. »Kauf ich doch nicht.«

»Nein, nicht zum Kaufen, nicht so ein Laden, sondern ein Café, am Kleistpark, in Schöneberg, die haben so Espresso-Kaffee«, sagte Klaus.

»Expresso-Kaffee? Was soll das denn? Seh ich aus wie ein Italiener?«

»Auch so Cappuccino, das ist mittlerweile ganz beliebt, da gehen viele Leute hin in den Laden.«

»Das ist doch Quatsch, wer will denn sowas trinken?«

»Das habe ich mal in Italien getrunken«, sagte Karl, »das war lecker!«

»Da machen die da so Sahne drauf«, sagte Erwin, »was soll das denn bringen?«

»In der Hauptstraße machen die das mit Milch«, sagte Klaus.

»Wieso Milch? Ich dachte, die machen das immer mit Sahne. Was soll das denn bringen? Milch kannst du bei uns auch haben, du Vogel«, sagte Erwin. »Ich kauf die bei Quelle, da hab ich Garantie!«

»Was jetzt, Milch bei Quelle?«

»Die Kaffeemaschine, Kerle!«

»Die haben doch überhaupt keine Gastromaschinen.«

»Was soll ich denn mit einer Gastromaschine, das hier ist eine Gastromaschine«, sagte Erwin und zeigte anklagend auf die große Maschine, um die es wohl ging, ein dampfendes Ungetüm aus Röhren und Kesseln und Auslaßventilen, »da kannst du ja sehen, was du davon hast!«

»Das ist eine Gastromaschine von Oma, Erwin!« sagte Karl.

»Na und, die war doch noch gut, die hab ich doch quasi umsonst gekriegt, die war doch im Abstand mit drin in dem Puff hier.«

»Oh Mann! Kann ich mal ein Beck's haben?« sagte Karl. »Und für Frank hier auch mal eins.«

»Aber aufschreiben!« sagte Erwin, während Klaus sich bückte und zwei Flaschen Bier aus einer Schublade holte.

»Na Klaus«, sagte Karl, »wie läuft's denn so mit dem dritten Auge? Kann ich das mal sehen?«

»Vier Stiche«, sagte Klaus. »Außerdem wollten die wissen, wie's passiert war, weil das ja ein Unfall war, und wenn ich die Wahrheit gesagt hätte, dann hätten die H.R. aber drangekriegt ...«

»Am Arsch hätten die«, sagte Erwin.

»Klar hätten die den drangekriegt, das ist doch sein Laden, die Zone!«

»Am Arsch sein Laden, der gehört offiziell keinem, das ist doch offiziell ein Verein oder was«, sagte Erwin, »du hast doch überhaupt keine Ahnung, Klaus!«

»Ich hab da gearbeitet«, sagte Klaus, »das war eigentlich ein Arbeitsunfall, und dann muß die Berufsgenossenschaft, weil eigentlich die Krankenkasse ...«

»Am Arsch, Klaus«, sagte Erwin, »vergiß es. Du hast da auf eigene Rechnung eigene Ware verkauft, schwarz, ohne Lizenz, ohne Gewerbeschein, ohne alles, die hätten dir ganz schön den Arsch aufgerissen.«

»Was hast du ihnen denn erzählt?« fragte Karl. »Ich hab dir doch gesagt, du sollst das mit der Treppe sagen ...«

»Treppe, so ein Scheiß, Treppe, was für eine scheiß Treppe denn, das glaubt einem doch keiner, daß man die Treppe runtergefallen ist, das sagen die doch in den Filmen immer, wenn sie eins auf die Schnauze bekommen haben, das glaubt einem doch keiner, dann wissen die doch gleich, daß da was faul ist, wenn ich sag, daß ich die Treppe runtergefallen bin!« Klaus regte sich ziemlich auf, als er das sagte, er tippte bei den letzten Worten sogar mit dem Zeigefinger gegen seine Stirn, bis er aus Versehen das Pflaster traf und zusammenzuckte.

»Was denn sonst?« sagte Karl. »Was hast du denen denn gesagt?«

»Daß ich gegen eine Laterne gelaufen bin.«

»Du hast denen erzählt, daß du gegen eine Laterne gelaufen bist?«

»Wer?« sagte Chrissie, die in diesem Moment dazukam.

»Klaus! Klaus hat denen im Urbankrankenhaus gesagt, daß er gegen eine Laterne gelaufen ist.«

»Klaus? Gegen eine Laterne?« wiederholte Chrissie. »So ein Quatsch, das glaubt doch keiner, das sagen die doch nur im Film, das sagt doch in echt kein Mensch!«

»Das ist bei Klaus aber doch superrealistisch«, sagte Erwin. »Gehen wir jetzt hoch, oder warten wir noch auf H.R.?«

»Das Arschloch, dem werd ich was erzählen!« sagte Klaus.

Karl stellte sich auf die Fußablage seines Hockers, beugte sich über den Tresen und streichelte Klaus über den Kopf. »Ach Klaus …!« sagte er. »Guter alter Klaus!«

»H.R. habe ich eben getroffen«, sagte Chrissie, »der hat gesagt, wir sollen schon mal anfangen, er kommt dann um acht zur Lesung, das reicht!«

»Was für eine Lesung?« sagte Klaus.

»H.R. hat hier heute abend eine Lesung«, sagte Erwin.

»Nein!«

»Doch!«

»Nein!«

»Doch!«

»Dann arbeite ich nicht. Wenn der Arsch hier eine Lesung macht, dann arbeite ich nicht!«

»Quatsch jetzt«, sagte Karl, »natürlich arbeitest du. Was soll da schon passieren?!«

»Was da passieren soll? Was ist das denn hier, was glaubst du wohl«, sagte Klaus und zeigte mit dem Finger auf seine Stirn. »Das will ich nicht noch einmal erleben! H.R., der Wichser!«

»Ach Quatsch, du bist doch von allen Leuten ab jetzt der Sicherste«, sagte Karl, »eine Bombe fällt doch niemals zweimal auf dieselbe Stelle!«

»Hast du eine Ahnung! Ich will den hier nicht haben!«

»Das ist meine Kneipe«, sagte Erwin. »Du hast hier gar nichts zu bestimmen, Klaus. Du arbeitest und damit Schluß!«

»Nee! Hab ich keinen Bock drauf. Wenn der hier auftritt, dann arbeite ich nicht.«

»Dann brauchst du gar nicht wiederzukommen«, sagte Erwin, »das ist Arbeitsverweigerung!«

»Kann Karl doch arbeiten, der ist doch Springer heute abend!«

»Der arbeitet sowieso, ich bin nachher nicht mehr da, Helga holt mich gleich ab. Darum würde ich jetzt auch gerne mal nach oben gehen!«

»Keine Angst«, sagte Karl zu Klaus, »dir passiert schon nichts.«

»Ich kenn doch die Scheiße von H.R., da passiert immer was!«

»Dir aber nicht, Klaus, das schlägt niemals zweimal an derselben Stelle ein. Da kannst du jeden fragen, das sagt dir jeder, der den Krieg noch erlebt hat, keine Bange.«

»Was hat denn der scheiß Krieg damit zu tun?«

»Können wir dann jetzt mal nach oben?« sagte Erwin. »Ich hab mit dem Typen ausgemacht, daß wir zwischen sieben und acht Uhr da sind und der dann aufmacht.«

»Was denn aufmacht, Erwin? Und welcher Typ?« sagte Karl.

»Frag nicht so blöd, der Arsch, der bis heute in eurer neuen Wohnung gewohnt hat!«

»Ich hab das irgendwie alles noch nicht verstanden«, sagte Frank. »Wie genau hast du denn jetzt mit dem zu tun, worum geht's denn jetzt eigentlich?«

»Das ist die Wohnung genau hier oben drüber«, sagte Erwin, »da wohnt so ein Vogel, der dauernd die Bullen ruft, wegen der Kneipe und so, der macht dauernd Stunk, und den wollte ich deshalb sowieso da raushaben, und jetzt hab ich ihn so weit, das lief über den Hausbesitzer, der hatte auch keinen Bock mehr auf den, und der hat das vermittelt, und wenn der Typ endlich draußen ist und ich den Mietvertrag für die Wohnung habe, dann kriegt der dreitausend Mark von mir, da kann der Gustel noch froh sein, da muß ich immer kotzen, wenn ich daran denke, daß sich das noch auszahlt für den, und ihr zieht dann da alle ein, und alles ist gebongt, und das ist heute, heute ist die Schlüsselübergabe!«

»Ach Erwin, das glaube ich doch im Leben nicht!« sagte Karl. »Das ist doch alles Zukunftsmusik, Erwin, utopische Träumereien sind das, wenn du mich fragst!«

»Ha, das ist alles schon erledigt, Kerle. Heute ist die

Wohnungsübergabe, da gebe ich euch gleich die Schlüssel, und so bald wie möglich zieht ihr dann um, vielleicht müßt ihr ja noch renovieren, mal sehen, und die Miete zahlt ihr dann weiter an mich, da spart ihr sogar noch ein bißchen was, die Wohnung ist billig, die ist ja auch direkt über der Kneipe, der Vogel hatte ja schon Mietminderung, das ist ja überhaupt der Hammer dabei!«

»Ich will aber nichts sparen, Erwin«, sagte Karl. »Und Frank hier, der sieht mir auch nicht so aus, als ob er sparen will, jetzt, wo er wegen dem Smog schon viel weniger raucht!«

»Um mich geht's ja auch eher weniger«, sagte Frank, »ich bin ja nur wegen Freddie hier, und der weiß ja gar nichts davon, da ist das dann ja auch …«

»Mit Freddie ist das schon okay«, unterbrach ihn Erwin.

»Woher willst du das wissen?«

»Naja, okay, das sag ich jetzt mal so, könnte ja auch mal was sagen, wenn er wegfährt, der liebe Freddie, und wenn's euch nicht paßt, dann sucht euch doch mal selber was, sucht ihr doch mal 'ne Wohnung, ich meine, bin ich euer Papa oder was, da wohnt ihr nicht nur bei mir, nein, da besorge ich euch sogar noch was Neues, ich meine, habt ihr euch etwa um was zum Wohnen gekümmert bis jetzt?«

»Aber Erwin, warum hätten wir das denn tun sollen?« sagte Karl. »Eigentlich warst du doch mit Helga schon gar nicht mehr zusammen, und jetzt sowas, das hast du uns doch alles erst gestern erzählt, wer hätte das denn ahnen sollen?«

»Können wir mal mit dem Gelaber aufhören?« sagte

Chrissie laut und bestimmt. Alle schauten sie überrascht an. »Das nervt doch. Warum gucken wir uns nicht einfach die Wohnung an und sehen dann weiter?«

»Na also, bravo, Chrissie!« sagte Erwin verblüfft.

»Sei du still«, sagte Chrissie.

»Diese Kächeles sind doch alle gleich«, sagte Karl. »Die stecken doch alle unter einer Decke!«

»Ich heiße überhaupt nicht Kächele«, sagte Chrissie. »Können wir dann mal los?«

»Ich geh vor«, sagte Erwin, »ich hol nur noch eben meine Jacke.«

Er verschwand durch eine Tür am anderen Ende des Raums.

»Vielen Dank auch, Chrissie«, sagte Karl. »Bist eine gute Nichte!«

»Du bist ein Idiot, Karl Schmidt«, sagte Chrissie. »Was soll denn das ganze Gelaber? Warum willst du Erwin so viel Streß machen, was soll das bringen? Meinst du, dann kannst du bei ihm wohnen bleiben, wenn du ihm jetzt Schwierigkeiten machst? Du mußt sowieso umziehen, also kannst du es genausogut gleich machen.«

»Hm …«

»Das muß mal aufhören, daß immer alle auf Erwin rumhacken, ich meine, jetzt geht er sogar hin und bezahlt noch Geld, damit wir …« Chrissie brach ab, denn Erwin kam wieder durch die Tür.

»Wo ist meine Jacke, Scheiße«, rief er. »Meine Jacke ist nicht mehr da! Die hat einer geklaut! Kerle, Kerle, ich hab die Schnauze voll, ich ruf jetzt die Bullen!«

Karl griff neben sich und hob eine Jacke von einem

Barhocker. »Hier, Erwin! Deine Jacke! Du gehst vor! Ich freu mich auch schon ganz doll auf die neue Wohnung! Und Chrissie auch, das kleine alemannische Kameradenschwein!«

Erwin nahm die Jacke und wühlte die Taschen durch. »Dachte schon …!« sagte er.

»Laß das mal lieber«, sagte Karl.

»Martin kommt vielleicht auch noch«, sagte Chrissie. »Bosbach, meine ich!«

»Oh, der Martin kommt auch noch!« flötete Karl. »Der Bosbach! Was hat der denn dabei zu suchen?«

»Der soll da doch auch wohnen!«

»Wer hat das denn gesagt?« sagte Karl.

»Das frage ich mich auch«, sagte Erwin. »Ich geh jetzt los, der Vogel wartet da doch bloß drauf, daß ich nicht komme, dann will er gleich noch mehr Geld oder was?!« Er ging voran, und die anderen drei folgten ihm im Gänsemarsch.


Sie verließen das Einfall und gingen gleich daneben ins selbe Haus und die Treppe hoch. Erwin klingelte an einer Tür, an der kein Name war. Niemand öffnete.

»Das sieht ganz schlecht aus, Erwin«, sagte Karl, »ich hoffe, du hast noch nicht bezahlt!«

»Ich hab doch schon den Mietvertrag, und das mit dem Geld ist über den Vermieter gelaufen«, sagte Erwin. »Das ist doch jetzt schon meine Wohnung, verdammte Scheiße, wieso ist der Vogel denn nicht da?!«

Er legte den Kopf an die Tür und lauschte in die Wohnung hinein.

»Da ist keiner«, sagte er. »Das ist doch Scheiße!«

Er trat einen Schritt zurück und trat gegen die Tür, daß es rumste, und dann noch einmal und noch einmal, bis sich die Tür zur Nachbarwohnung öffnete und ein Mann mit langen Haaren und im Bademantel herausschaute und sagte: »Was ist denn hier los?!«

»Was soll hier schon los sein!« sagte Karl. »Wir wollen in unsere Wohnung!«

»Das ist doch gar nicht eure Wohnung!«, sagte der Mann. »Die sehen doch ganz anders aus, die da wohnen.«

»Wann hast du denn von denen zum letzten Mal einen gesehen?« sagte Karl.

»Die sehen doch ganz anders aus, die da wohnen, das weiß ich genau, die sehen ganz anders aus!«

»Wir sind die Nachmieter«, sagte Karl. »Und heute ist die Schlüsselübergabe. Er hat den Mietvertrag!« Karl zeigte auf Erwin, der stumm dabeistand und niedergeschlagen aussah, völlig erschlafft, so als hätten die Tritte gegen die Tür seine letzte Energie gekostet. »Wann hast du denn die Vormieter zum letzten Mal gesehen? Die sollten uns heute den Schlüssel übergeben!« fuhr Karl fort.

»Ich hab mit denen nichts zu tun«, sagte der Mann im Bademantel, den er über einer Jeans und einem gestreiften, offenen Hemd trug. »Das sind ganz fiese Typen, da kommen ständig fiese Vibes durch die Wand, die schwallen da rüber, die kommen da einfach durch, da wo das bei mir an deren Wohnung angrenzt, ganz schwarze Vibes, durch die Wand bei mir, da kann man eigentlich gar nicht sein, da kommen ständig so schlechte Vibes durch die Wand.«

»Ich glaub das alles nicht«, sagte Erwin leise, und seine Stimme zitterte dabei.

»Bist du nicht von der Kneipe unten?« sagte der Mann zu ihm.

»Ja, ist er«, sagte Frank hastig, denn Erwin sah nicht so aus, als ob er darauf noch antworten wollte oder konnte.

»Da wollte ich gleich mal sagen, wenn ihr da von der Kneipe seid …«

»Die schwarzen Vibes«, unterbrach Karl den Mann erinnernd, »die schwarzen Vibes und wann du die zum letzten Mal gesehen hast …!«

»Wen?«

»Die aus der Wohnung hier!« Karl wurde ungeduldig, das konnte man hören.

»Ach so«, sagte der Nachbar, »nein, also am Ende war das nur noch einer, der da immer gewohnt hat, die anderen haben ja dauernd gewechselt, aber die habe ich schon lange nicht mehr gesehen, das waren aber alle echt so fiese Typen, der eine auch, alle irgendwie, ich glaube, die waren so satansmäßig drauf, echt mal jetze, das ist immer Scheiße, so Typen, ich meine, ich war ja auch mal so auf Religion und so, aber dann was Weißes, so mit Jesus, nicht diese schwarze Satansnummer, da kommen echt schwarze Vibes von denen durch die Wand.«

»Und die letzten Tage, waren da auch noch schwarze Vibes?« fragte Karl. »Oder waren die weg?«

»Nee, ja«, sagte der Mann, und dabei hob er einen Zeigefinger. »Jetzt fällt mir das auch auf: Heute noch nicht!«

»Das ist doch alles Scheiße!« schrie Erwin und trat noch einmal gegen die Wohnungstür. »Ich will, daß hier endlich mal was klappt. Erst ist die scheiß Kaffeemaschine in Arsch, und dann ist der Blödmann nicht da, ich will da jetzt reingehen und gut ist, ich will, daß hier endlich mal was klappt!«

»Wenn sie nicht richtig abgeschlossen ist«, sagte Frank, »dann kann man die Tür auch einfach aufmachen und mal nachgucken!«

»Da würde ich nicht reingehen«, sagte der Nachbar, »wer weiß, was ihr da drinne findet, da kommen immer so schlechte Vibes durch die Wand, die haben da ganz miese Sachen gemacht, da möchte ich lieber nicht wissen, wo die alle abgeblieben sind.«

»Wo sollen die schon abgeblieben sein?« sagte Karl.

»Wer weiß …«, sagte der Nachbar und schraubte dazu einen gekrümmten Zeigefinger durch die Luft, »wer weiß … – vielleicht liegt da noch einer von denen drinnen. Riecht das eigentlich komisch? Ich hab die alle schon lange nicht mehr gesehen, nur den einen noch …«

»Wenn da noch einer drinliegen würde und tot wäre«, sagte Chrissie, »dann müßten da doch immer noch schlechte Vibes durch die Wand kommen, oder nicht?«

»Nein, wenn der tot ist, dann nicht«, sagte der Nachbar, »das isses ja: Ich meine, wenn der tot ist, dann macht er ja nichts Schwarzes oder so Satanskram oder was, ein Toter an sich macht ja keine dunklen Vibes, der ist ja erstmal neutral, würde ich sagen, deshalb ist das gerade extra verdächtig jetzt mal, wegen heute keine Vibes und so, keine Ahnung, ich meine, ich war ja auch mal auf so einem Trip, aber dann mehr so jesusmäßig, mehr so weiße Religion und so.«

»Man muß nur einen Schraubenzieher nehmen und die Abdeckung abschrauben, da sind die Schrauben ja offen zugänglich«, sagte Frank, »das kann man abschrauben, und dann kann man mit einer Zange wahrscheinlich einfach das Ding aufdrehen. So wie die Tür eben gewackelt hat, als du dagegengetreten hast«, sagte er zu Erwin, »ist die wahrscheinlich nicht extra noch abgeschlossen, die ist einfach nur zugezogen worden.«

»Ich will damit lieber nichts zu tun haben«, sagte der Nachbar. Er lehnte sich an den Türrahmen, verschränkte die Arme und sah sie aufmunternd an.

»Wir brauchen nur einen Schraubenzieher und eine Zange«, sagte Frank zu Erwin.

»Ja, ja«, sagte Erwin nur.

»Ich hab kein Werkzeug«, sagte der Nachbar. »Ich will damit auch lieber nichts zu tun haben.«

»Im Einfall ist ein Werkzeugkasten«, sagte Karl.

»Dann hol den doch mal«, sagte Chrissie ungeduldig. »Ich meine, wenn Erwin den Mietvertrag hat, dann müßte das doch eigentlich in Ordnung sein.«

»Ich würde mal so sagen ...«, sagte der Nachbar.

»Bin gleich wieder da«, sagte Karl und lief die Treppe hinunter.

Während er weg war, erfuhren sie noch einiges über den Nachbarn, der, das war mal sicher, kein Geheimniskrämer war, sie erfuhren zum Beispiel, daß er Marko hieß, Marko mit k, und daß er sein Geld nachts als Taxifahrer verdiente, und daß es ihn deshalb, wie er glaubhaft und mehrmals hintereinander versicherte, auch nicht störte, über einer Kneipe zu wohnen, zumal er sich auch schon lange überlegt hatte, selber mal in einer Kneipe zu arbeiten, weil das mit dem Taxifahren seiner Meinung nach sowieso keine Zukunft hatte, und wenn er sowieso immer nur nachts Taxi fuhr, gab er zu bedenken, dann konnte er ja ebensogut oder sogar viel besser nachts in einer Kneipe arbeiten, was er im übrigen schon als Kind unbedingt hatte machen wollen, das war tatsächlich als kleiner Junge sein größter Wunsch gewesen, in einer Kneipe zu arbeiten, und er forderte sie auf, sich das mal vorzustellen, daß er schon als kleiner Junge in einer Kneipe hatte arbeiten wollen, so wie andere damals, das wußte er noch genau und berichtete deshalb auch davon, Lokomotivführer oder Volkspolizisten hatten werden wollen, denn er war im Osten aufgewachsen, wie er ihnen nicht verheimlichen wollte, aber mit vierzehn rübergekommen, und sie sollten lieber nicht fragen, wie, und sie fragten auch nicht, aber er sagte ihnen trotzdem, wie, es hatte etwas mit Familienzusammenführung zu tun gehabt, aber sonst konnte er sich kaum noch an seine Ost-Zeit erinnern, bemerkte er etwas traurig, das hatte er alles längst vergessen oder verdrängt, verlorene Kindheit, das fand er irgendwie schade, daß er sich da kaum noch erinnerte, nur die jungen Pioniere, das wollte er noch sagen, die waren wirklich scheiße gewesen, das würde er nie vergessen, wie ihn das damals genervt hatte, obwohl es andererseits auch schöne Momente da gegeben hatte, das wollte er nicht verschweigen, und dann dachte er auch noch ein bißchen laut darüber nach, daß es ja schon deshalb besser wäre, in einer Kneipe statt im Taxi zu arbeiten, weil man in einer Kneipe bei der Arbeit auch mal einen trinken konnte, im

Taxi, da war er konsequent, da kannte er keine Kompromisse, ging das nicht, und dann hatte Marko gelacht und Erwin auf die Schulter geklopft, weil der doch der Chef war, das hatte Marko gleich gesehen, daß Erwin der Chef war, für sowas hatte er einen Riecher, das war ihm gleich klar gewesen, daß Erwin der Chef war und Erwin deshalb das mit dem Trinken bei der Arbeit ja wohl ganz genau wissen mußte, und Erwin sank unter Markos Schulterklopfen immer weiter in sich zusammen und murmelte etwas Unverständliches in sich hinein, was Marko mit den Worten »Sa' ick doch, sa' ick doch!« kommentierte, und dann kam Karl mit einer großen, metallenen Werkzeugkiste die Treppe wieder herauf, knallte sie mit den Worten »Icke ooch, icke ooch!« vor Frank auf den Boden und fügte hinzu: »Nun mal los, Herr Oberschränker!«

Das war Frank nun auch nicht gerade angenehm, daß er auf einmal so sehr im Mittelpunkt des Geschehens stand, man hätte vielleicht einfach mal die Schnauze halten sollen, dachte er, die anderen reden doch schon genug, warum konnte nicht wenigstens ich mal die Schnauze halten, dachte er, aber dann sah er Erwins Blick auf sich ruhen, und in diesem Blick lag so viel sinnlose Hoffnung und so viel noch sinnloseres Vertrauen, daß er beschloß, alle Hemmungen über Bord zu werfen und frisch ans einbrecherische Werk zu gehen.

Das klappte auch ganz gut. Er fand in dem Werkzeugkasten, der nicht nur sehr gut bestückt, sondern auch bemerkenswert aufgeräumt war, einen Schraubenzieher, mit dem es ihm gelang, drei der vier Schrauben, mit denen die Türschloßabdeckung an der Tür verschraubt war, zu lö-

sen, die vierte allerdings konnte er weder mit dem normalen noch mit einem Kreuzschlitzschraubenzieher heraus-
kriegen, denn sie war vernödelt, aber das machte nichts,
er konnte die Abdeckung um diese letzte Schraube herum
zur Seite drehen, bis das dahinterliegende und wie erhofft
etwas vorstehende Ende eines Vierkantbolzens sichtbar
wurde.

Dann fiel ihm aber auf, daß seine Mitstreiter erstaunlich still waren.

»Wie sieht's aus?« sagte er in die Runde. »Soll ich das
jetzt aufmachen oder nicht?«

»Ich wär da echt vorsichtig«, sagte Marko, ihr neuer
Bekannter, »wer weiß, was die da drin zu liegen haben,
sowas weiß man nie!«

»Ja, ja, icke, dette, kieke mal«, sagte Karl. »Mach das
Ding auf, Peter Voß! Oder muß ich erst die Melodie vom
rosaroten Panther pfeifen?!«

»Ich hab doch den Mietvertrag«, sagte Erwin, »ich
hab den Mietvertrag, was kann ich dafür, wenn der Arsch
nicht da ist, heute ist Wohnungsübergabe, und Helga
kommt gleich!«

»Nun mach das Ding schon auf, bevor ich Ohrenkrebs
bekomme!« rief Chrissie genervt. »Ich halte das Gelaber
einfach nicht mehr aus!«

Frank holte eine Kombizange aus der Werkzeugkiste,
setzte sie an dem überstehenden Stück des Bolzens an und
drehte. Die Tür sprang auf.

»Ich geh da auf keinen Fall rein!« sagte Marko. »Wer
weiß, was die da drin gemacht haben!«

Die Tür stand einen Spalt weit auf. Frank trat ein paar

Schritte zurück, um den anderen den Vortritt zu lassen. Keiner rührte sich.

»Ich finde, das riecht auch komisch jetzt!« sagte Marko. »Wer weiß, wen die da drinnen zu liegen haben!«

»Erwin, nun geh schon rein, du wolltest das doch unbedingt!« sagte Karl. »Das Ding ist auf, nun mach auch was draus!«

»Wieso ich denn? Das soll doch eure Wohnung werden! Da sollt ihr doch einziehen!«

»Das war aber deine Idee, Erwin, ich hab mich nicht um eine neue Wohnung gerissen.«

»Was denn nun?« sagte Chrissie ungeduldig. »Nun geh schon vor, Erwin!«

»Geh du doch vor, du Rotzgöre!« sagte Erwin patzig.

»So nicht, Erwin, da mach ich gar nichts!«

»Was ist denn hier los?« hörten sie eine Frauenstimme sagen.

»Helga, so eine Freude«, rief Karl. »Lange nicht gesehen!«

»Und das war eine schöne Zeit«, sagte Helga, eine schlanke, schöne Frau um die dreißig mit sehr langen schwarzen Haaren und sehr schwarzer Kleidung, die in diesem Moment den Treppenabsatz, auf dem sie standen, erreichte.

»Was ist denn los, was steht ihr denn hier rum?« sagte sie zu Erwin.

»Der Arsch war nicht da. Frank hat die Tür aufgemacht ...«

»Wer ist denn Frank?«

»Der da, der kleine Bruder von Freddie!«

»Aha, na hallo!« sagte Helga zu Frank und winkte ihm mit der Hand zu. »Sieht man doch gleich, bist ja deinem Bruder wie aus dem Gesicht geschnitten.«

»Finde ich überhaupt nicht«, sagte Karl.

»Ja, aber dich hat niemand gefragt, Blödmann!« sagte Helga. »Und wieso geht ihr nicht rein in die Wohnung?«

»Das waren so ganz fiese Typen«, sagte Marko, »das waren so Satanstypen, so mit Schwarze Magie und so, wer weiß, wie das da drin aussieht?! Ich meine, ich war ja auch mal so auf dem Erleuchtungsding drauf, aber mehr so helle Sachen, mit Jesus und so, aber die, wer weiß, ob da nicht einer drin liegt oder was mit Blut, da kamen dauernd …«

»Ja, ja«, sagte Helga.

»… schlechte Vibes durch die Wand, und dann riecht das auch so komisch …«

»Das riecht nicht komisch«, sagte Helga, »ich bin schwanger, ich rieche es als erste, wenn es komisch riecht.«

»Das riecht total komisch, und wenn da kein Toter drin liegt, dann vielleicht ein toter Hase, so ausgeblutet oder was, ich weiß nicht, da würde ich …«

»Ja, ja«, sagte Helga noch lauter, »jetzt mach mal den Kopf zu, ich hab noch was zu erledigen, bevor ich niederkomme, jetzt guck ich mir mal die Wohnung an.«

»Nein«, sagte Erwin, »geh du lieber nicht, ich gehe ja schon …«

Aber Helga war schon an ihm vorbei und in der Wohnung verschwunden, und hinter ihr fiel die Wohnungstür ins Schloß.

Erwin sagte zu Frank: »Die Zange, schnell!«

Frank gab ihm die Zange, und alle schauten sie dabei zu, wie Erwin an dem Türschloß damit herumfummelte, aber er hatte die Technik nicht drauf, darum brachte das nichts.

»Klopf doch einfach, vielleicht macht Helga dir dann auf«, sagte Karl.

»Halt's Maul und hilf mir lieber, Kerle«, keuchte Erwin. Dann ließ er die Zange fallen und tat, was Karl ihm geraten hatte: Er hämmerte an die Tür und rief: »Helga, mach auf!«

Karl lachte. Chrissie trat ihn gegen das Schienbein.

»Was soll das denn?« sagte er.

»Hör auf zu lachen, du Arsch!«

»Ich lach doch gar nicht über Erwin«, sagte Karl und mußte wieder lachen. Chrissie trat ihn noch einmal.

»Hör auf zu lachen und hilf ihm lieber!«

»Helga!« rief Erwin und hämmerte gegen die Tür.

Frank hob die Zange vom Boden auf und wollte sie gerade ansetzen, als die Tür aufging.

»Wie sieht's aus, Helga?« rief Karl von hinten.

Helga stand in der Tür und von da, wo Frank stand, sah sie im Gegenlicht einer hinter ihr brennenden Glühbirne aus wie ein großer, schwarzer Engel.

»Scheint«, sagte sie, »als ob ihr Pfeifen die nächsten Tage ordentlich was zu tun habt!«

## 18. HAPPY HOUR

»Wie jetzt, schwarz?« sagte H.R. Er saß neben Frank, den er aber nicht beachtete, am Tresen und unterhielt sich mit Karl, der auf der anderen Seite stand.

»H.R., weißt du, was dein Problem ist? Dein Problem ist, daß du nicht zuhörst! Ganz schwarz. Ganz schwarz, das heißt: ganz und vollständig und überall schwarz!«

»Alles? Die Wände, alle Wände?«

»Ja, habe ich ja gesagt: Die Wände, die Fußböden, die Türen …«

»Die Türrahmen auch?«

»Ja, die auch.«

»In allen Zimmern?«

»Ja, in allen Zimmern.«

»Und sind die Wände so Rauhfasertapete, oder ist das direkt auf die Wand gestrichen worden?«

»Weiß ich nicht«, sagte Karl. »Da habe ich nicht drauf geachtet.«

»Und das Klo?«

»Im Klo ist auch alles schwarz.«

»Die Kloschüssel auch? Und das Waschbecken?«

»Da war kein Waschbecken.«

»Die Kloschüssel auch?«

»Die Kloschüssel weiß ich nicht.«

»Und die Türklinken?«

Frank verlor das Interesse an dieser Unterhaltung, ebenso wie Edith, H.R.s Freundin, die hinter ihm stand und gelangweilt auf seinen Rücken schaute. Als Frank sie ansah, trafen sich ihre Blicke.

»Kenn ich dich von irgendwoher?« sagte sie zu ihm.

»Nein, nicht richtig«, sagte Frank.

»Du kommst mir aber bekannt vor«, sagte sie.

»Ich bin Freddies kleiner Bruder«, sagte Frank und bereute es im selben Moment, hatte er doch eigentlich die Schnauze voll davon, Freddies kleiner Bruder zu sein.

»Auch die Rohre?« sagte in diesem Moment H.R. besonders gut hörbar, denn die Musik, die mit zunehmendem Publikumsandrang im Einfall auch immer lauter geworden war, hatte gerade einen Aussetzer.

»Welche Rohre?«

»Na diese Gasrohre, die da immer noch oben so an den Ecken langlaufen wegen dem Gaslicht früher oder wegen dem Gasherd oder was weiß ich denn …«

»Nein, komisch, daß du das sagst«, sagte Karl, »diese Rohre sind golden.«

»Golden?« sagte H.R., »das ist ja …«, und dann setzte die Musik wieder ein und verschluckte den Rest.

»Freddies kleiner Bruder«, sagte Edith und faßte ihn dabei an der Schulter an, »Tatsache, du siehst ein bißchen aus wie Freddie.«

»Da gehen die Meinungen auseinander«, sagte Frank. »Weißt du zufällig, wo Freddie gerade ist?«

»Wie Freddie in jünger«, sagte Edith und starrte ihn

an. Frank war das unangenehm. Er stand auf und ging
weg.

Aber weit kam er nicht. Der Laden war jetzt gerammelt
voll, und auf dem Weg zur Tür, wo er ein bißchen frische
Luft schnappen wollte, fing ihn Jürgen ab, der Mann aus
der ArschArt-Galerie, der Nachfolger in Martin Bosbachs
Zimmer. Frank erkannte ihn zuerst kaum wieder, denn
er trug einen dunklen, changierenden Anzug und einen
schmalen Schlips mit Atompilzen drauf. Er klopfte Frank
auf die Schulter wie einem alten Bekannten und sagte:
»Na, auch hier?«

»Ja, ja«, sagte Frank, der nur noch rauswollte, er war,
ebenso wie Jürgen, eingekeilt in der hin- und herwo-
genden Menge, die Kneipe war schon überfüllt, und noch
immer drängten Leute hinein, und Jürgen sagte zu ihm:
»Wer macht denn überhaupt heute diese Lesung hier?
Oder Performance oder was?«

Frank sah erst jetzt, daß hinter Jürgen noch P. Immel
und weitere seiner Gefolgsleute standen, und jetzt zeigte
Immel auf ihn und rief: »Ah! Der junge Lehmann!«

»H.R.«, sagte Frank zu Jürgen, P. Immel ignorierte
er, das hielt er für das Beste, der junge Lehmann, dachte
er, wie soll man das kontern, da würden, dachte er, auch
schlagfertigere Leute kapitulieren, das ist einfach zu däm-
lich, dachte er, er hatte ziemlich schlechte Laune jetzt,
er wurde hin- und hergeworfen und teilte im Schutz des
Gedränges erst einmal selbst ein paar Stöße mit dem El-
lenbogen aus, um sich etwas Erleichterung zu verschaf-
fen.

»Wer ist denn H.R.?« fragte Jürgen unterdessen. »Muß man den kennen?«

»Der da vorne«, sagte Frank und zeigte auf H.R., der in diesem Moment zusammen mit Edith auf eine kleine Bühne auf der anderen Seite des Raumes kletterte und auf einem Mikrofon herumklopfte, ohne daß davon was zu hören war.

»Kenn ich nicht. Wieso denn H.R., was ist das denn für ein komischer Name?« schrie Jürgen in Franks Ohr, denn wenn auch H.R. immer weiter auf das Mikrofon klopfte und mit der anderen Hand zum Tresen hinüberwinkte, so ging deshalb die Musik noch lange nicht aus und das Mikrofon noch lange nicht an. Frank sah zum Tresen und erblickte Klaus, der mit verschränkten Armen neben dem Verstärker der Musikanlage stand und ein grimmiges Gesicht zog. Karl war nirgends zu sehen.

»Ich weiß nicht, was H.R. heißt«, rief Frank, »ich hab ihn mal gefragt, aber irgendwie hat er's mir nicht gesagt.«

»Das heißt Hans Rosenthal«, mischte sich P. Immel ein, der jetzt direkt neben ihnen stand.

»Was?« rief Jürgen.

»Hans Rosenthal. H.R. heißt Hans Rosenthal.«

»Wie der Typ vom Fernsehen? Wie der aus Dalli Dalli?«

»Ja. Darum ja H.R.«, sagte P. Immel. »Darum ja!«

»Das ist doch ein Scheißname, H.R.«, sagte Jürgen. »Das ist doch der letzte Scheiß, wer kommt denn auf so einen scheiß Künstlernamen?!«

»Offiziell nennt er sich ja auch H.R. Ledigt, wenn er liest«, sagte P. Immel.

»Das ist ja noch bescheuerter«, sagte Jürgen, und in diesem Moment ging die Musik aus, und es wurde still im Raum. Die Leute schauten gespannt zur Bühne.

Dort war H.R., wie es schien, ganz in seinem Element. Er rückte sich ein kleines Stehpult zurecht, stellte einen Aschenbecher darauf, zündete sich eine Zigarette an, steckte sie sich in den Mund und begann seelenruhig, an dem Mikrofonständer herumzuschrauben und zu drehen und zu biegen, bis er endlich so aussah, wie H.R. es sich vorstellte, und es war seltsam, wie er sich das vorstellte, denn er mußte sich weit vorbeugen, über das Stehpult hinweg, um an das Mikrofon ranzukommen, und das tat er nun und rief in das Mikrofon: »Hallo, hallo, hallo!«

Es kam zu einzelnen Lachern und Gejohle, und Frank nutzte die aufgelockerte Stimmung unter den Leuten, um sich von Jürgen und P. Immel weg zum Tresen zurückzu-kämpfen, da war zwar kein Hocker mehr frei, aber er fand einen Platz an der Seite vom Tresen, dort war es nicht mehr so eng, aber dafür sah man auch nicht sehr gut, was auf der Bühne geschah, weil die Leute mit den Hockern auf den Fußrasten standen und einen Großteil der Sicht versperrten.

»Kann ich ein Bier haben?« sagte Frank.

Klaus gab ihm eins und sagte »Zweifünfzig«. Frank kramte in seinem Geld, aber Karl haute Klaus auf die aus-gestreckte Hand und sagte: »Hör auf damit, das ist doch Frankie!«

H.R. sagte seine ersten Worte: »Ich bin's!« rief er fröh-lich ins Mikrofon. »Euer lieber H.R.!«

Darauf wurde gejohlt, und einzelne Bierdeckel flogen

in Richtung Bühne. H.R. zog einen Zettel aus der Tasche, entfaltete ihn und sagte: »Ich werde euch zuerst eine Elegie vortragen, das ist eine Mischung aus Liebes- und Trauergedicht …«

»Quatsch!« rief jemand laut und deutlich dazwischen. »Das ist totaler Quatsch!«

»Halt's Maul, Rüdiger!« H.R. drohte mit dem Finger. »Du bist ein dummer, ungezogener Junge.«

Edith begann auf einer Orgel zu spielen.

»Also, ich werde euch jetzt eine Elegie vorlesen«, sagte H.R., »und Rüdiger kann uns ja hinterher all das erzählen, was er bei seinem Friseur nicht mehr losgeworden ist!«

Aus der Gegend um Rüdiger kam Hohngelächter, und es flogen wieder Bierdeckel. Von weiter vorne hörte man Rufe, die sich wohl gegen Rüdiger wandten, denn nun flogen auch Bierdeckel in die entgegengesetzte Richtung. H.R. grinste und las von seinem Blatt ab:

»Nimm deine Lippen, den Schweiß …«

»Scheiße!« sagte Klaus, »ich glaub, ich gehe, mir reicht's!«

»… den Geruch deines Körpers …«

»Geh nicht«, sagte Karl, »ich brauch dich noch!«

»… So wie am Morgen im Smog deines Atems er fault!«

»Ich hab keinen Bock auf diese Scheiße!«

»Kotze, sie fliegt und mit ihr …«

»Niemand hat Bock auf diese Scheiße, und trotzdem sind alle da, hast du mal überlegt, warum, Klaus?!«

»… die Hoffnung auf sexy …«

»Warum?«

»… Klatschend aufs Pflaster …«

»Weil sie ihre Pflicht tun! Alle! Auch Frank hier! Meinst du, der macht das gerne?«

»…Wo breiig die Pfütze sich formt!«

»Das verstehe ich nicht. Wieso Pflicht? Welche Pflicht denn? Das ist doch Scheiße, Erwin muß bescheuert sein!«

H.R. machte eine Pause, und auch die Musik verstummte. Es gab kräftigen Beifall und Hoch- und Buhrufe, H.R. verbeugte sich nach links, rechts und zur Mitte hin, bevor wie auf Kommando ein Regen von Bierdeckeln auf ihn niederging. Edith fing wieder an, ihre Orgel zu spielen.

»Das ist kein Argument, daß Erwin bescheuert ist«, sagte Karl, »deswegen kannst du mich jetzt hier doch nicht alleine lassen, Klaus.«

»Ich gehe! Da passiert noch was, ich weiß das!«

»Ja, aber du bist doch in Sicherheit, Klaus, dir kann doch nichts mehr passieren, da haben wir doch schon drüber gesprochen.«

»Du hast da drüber gesprochen, nicht wir, du hast da drüber gesprochen, aber ich glaub da nicht dran, ich geh jetzt!«

»Klaus! Du bist im Dienst! Guck dir mal Frankie hier an …«

»Frank!« verbesserte Frank.

»Frank, meinetwegen, der war bis eben noch Soldat, meinst du, der würde einfach abhauen, wenn ihm die Granaten um die Ohren fliegen?«

»Ja«, sagte Frank, »das schon!«

»Fang du nicht auch noch so an. Das ist wie in der Geisterbahn«, sagte Karl. »Jetzt sind alle eingestiegen, und der Bügel geht runter, und dann müssen das auch alle bis zu Ende mitmachen, den Scheiß hier, ich glaube, Erwin ist echt ein Fan von H.R., das muß man sich mal vorstellen!«

Das Interessanteste an dieser Unterhaltung war für Frank, daß sie dabei die ganze Zeit arbeiteten, sie teilten Getränke aus und nahmen Bestellungen und Geld entgegen und führten dabei mit jeweils angepaßter Lautstärke ihr Gespräch, sie arbeiteten völlig mechanisch und richteten nie das Wort an ihre Kunden, die sich jetzt, wo H.R. eine kleine Pause machte und Edith ihre Musik spielte, lebhaft auf der anderen Tresenseite drängelten und ihre Bestellungen durcheinanderschrien, winkten und sonstwas taten, um die Aufmerksamkeit von Klaus und Karl auf sich zu ziehen; die beiden mischten derweil Getränke, entkorkten Flaschen, gossen Gläser voll und kassierten die Leute ab, wobei sie wortlos die hingehaltenen Scheine entgegennahmen und das Wechselgeld herausgaben, sie machten das alles mit traumwandlerischer Sicherheit und völlig nebenbei und führten dabei ihre seltsame Unterhaltung.

»Kann ja sein, daß Erwin ein Fan von H.R. ist, aber warum ist er dann nicht hier?« sagte Klaus. »Warum arbeitet er jetzt nicht? Warum läßt sich nicht Erwin mal zur Abwechslung von H.R. blutig schlagen?!«

»Niemand hat dich blutig geschlagen, Klaus, H.R. hat dich doch gar nicht gemeint gestern, das war doch nichts Persönliches!«

»Ich würde echt lieber gehen.«

»Kannst du nicht bringen, Klaus!«

»Scheiße, ich hab da kein gutes Gefühl bei …«

Auf der Bühne klopfte H.R. bei laufender Musik gegen das Mikrofon, und die Leute drehten sich um, um nichts zu verpassen.

»Rache ist Blutwurst«, schrie H.R. ins Mikrophon, »aber Blutwurst ist auch Blutwurst, das machen sich die wenigsten klar!«

Dafür gab es wieder Beifall und Gejohle und Buhrufe.

»Quatsch!« schrie wieder der Mann, den H.R. zuvor als Rüdiger angesprochen hatte. »Rache ist Rache, Blutwurst ist Blutwurst!«

»Nein!« schrie H.R. ins Mikrofon, daß allen die Ohren klingelten. »Rache ist Blutwurst, das ist Identität!«

»Am Arsch!« schrie Rüdiger. »Du hast ja überhaupt keine Ahnung!«

»Halt's Maul, oder ich schlag dich tot!« rief von irgendwo P. Immel.

»Halt du das Maul, Immel, oder ich bring mich selber um!«

Alle lachten. Edith drehte ihre Orgelmusik lauter, und H.R. hob einen Zettel vor die Augen.

»Im Roten Mond«, schrie er und machte eine Kunstpause, während der er am Papier vorbei wütend in den Raum starrte. Die Musik brach ab, und der Saal wurde still.

»Scheiße!« rief Klaus in die Stille hinein.

»Pst!« riefen mehrere Leute und drehten sich dabei nach ihm um. Klaus ging hinter dem Tresen in die Hocke und fummelte an seinen Schnürsenkeln.

»Im Roten Mond – für Oma!« rief H.R. und machte wieder eine Kunstpause.

»Nur Kotz und Blitz
Kotzblitz, Oma, verschnittene Lieder
Verbogene Jalousien deiner Seele
Wär ich krank, ich wäre wie du
Bin ich's nicht, bin ich schon tot
Gott, du alte Karpatenkarpeike
Weh, wenn ich dich erwische!«

Die Musik begann wieder, H.R. wischte sich den Schweiß von der Stirn, und alles jubelte und applaudierte, bis auf die Gruppe um Rüdiger, die erst buhte und dann im Chor skandierte:

»Das war geklaut, das war geklaut!«

Sie riefen das so lange, bis der ganze Saal mitmachte und alle lachend und im Rhythmus dazu klatschend im Chor brüllten: »Das war geklaut, das war geklaut!«

H.R. schaute sich das eine Zeitlang an, dann machte er Edith ein Zeichen, und die Musik hörte wieder auf. Er hob die Arme, um alle zum Schweigen zu bringen, und das funktionierte auch. Als es endlich ganz still war, sagte er leise, mit ungewöhnlich tiefer Stimme und mit drohendem Unterton ins Mikrofon:

»Was war geklaut?«

»Das mit den verschnittenen Lidern«, rief Rüdiger, und seine Leute – einer machte den Einzähler und rief »Auf drei! Eins, zwei, drei« – nahmen das auf und riefen im Chor: »Das mit den verschnittenen Lidern.«

Viele lachten und fielen in den Chor mit ein, Klaus als erster und länger als die anderen. Er rief noch so lange allein weiter, bis Leute sich umdrehten und ihn anschrien, nun sei es aber mal wieder gut.

»Bei wem soll das geklaut sein?« sagte H.R. irgendwann.

»Boris Vian!«

»Du armer Willi!« schrie H.R. so laut er konnte, »du trauriger Mensch, du bedauernswertes Geschöpf, du hast ja nichts kapiert, nicht die Lider, du Idiot«, und er zeigte beim Wort »Lider« auf seine Augenlider, »die Lieder, hörst du, die Lieder, die man singt, du Schmalspur-Rüdiger!«

Daraufhin brandete tosender Beifall auf, sogar mit den Füßen wurde getrampelt, auch Rüdigers Anhänger, soweit Frank das beurteilen konnte, klatschten mit, das weckte in Frank den Verdacht, daß das ganze Gesummse abgesprochen und einstudiert war, man weiß nie, dachte er, was wirklich gespielt wird, kaum hat man eine Meinung, schon ist man in die Falle gegangen, dachte er.

Klaus sah das anders, Klaus hatte wohl schon lange eine klare Meinung, denn als es wieder ganz still geworden war und H.R. die ungeteilte Aufmerksamkeit nutzte, um sich erst einmal in Ruhe eine Zigarette anzuzünden, das dazu benutzte Streichholz auszupusten und sorgfältig und mit großer Geste in den Aschenbecher auf seinem kleinen Rednerpult zu legen, stieg Klaus hinter dem Tresen auf eine leere Bierkiste, formte die Hände vor dem Mund zu einem Trichter und schrie: »H.R., du bist ein Scheißdichter, was du machst, ist unbegabter Dreck, und du solltest dich schämen!« Dann stieg er schnell wieder runter und ging hinter dem Tresen in Deckung.

H.R. stutzte, erstarrte regelrecht, und Frank glaubte sehen zu können, wie es in ihm arbeitete, das war jedenfalls nicht abgesprochen, das erwischt ihn jetzt kalt, dachte Frank, so hat er sich die Kunst nicht vorgestellt, und das Publikum auch nicht, dachte er, denn auch dies war auffällig: Auf Klaus' Zwischenruf hin lachte niemand und niemand zollte ihm Beifall, es gab nur ein allgemeines Raunen, und alle starrten gebannt auf H.R., der jetzt eindeutig unter Zugzwang stand.

Er überlegte nicht lange, sondern griff nach dem Aschenbecher, in den er eben gerade noch das Streichholz gelegt hatte, und warf ihn in Richtung Tresen, und die Phalanx der dort auf den Fußrasten ihrer Barhocker stehenden Zuschauer geriet in Unordnung, einige Leute warfen sich nach links, andere nach rechts, und nur ein Sekundenbruchteil später kam der Aschenbecher auch durch die entstandene Lücke geflogen. Er setzte einmal auf dem Tresen auf, wie ein flacher Kiesel auf der Oberfläche des Vahrer Sees, wie Frank in diesem Moment komischerweise, wie er fand, dachte, und flog dann weiter und genau dem aus seiner geduckten Stellung gerade wieder auftauchenden Klaus an die Stirn.

Klaus schrie auf, aber es war nicht nur ein Schmerzens-, sondern auch und vor allem ein Zornesschrei, so klang er jedenfalls für Frank, und es war auch kein wortloser Schrei, Frank glaubte zu hören, daß in diesem Schrei die Worte »H.R., ich bring dich um!« untergebracht waren, und dann krümmte sich Klaus vornüber, und zwischen den Fingern der linken Hand, die er auf seine Stirn gepreßt hielt, tropfte Blut hervor, und dann stürmte Klaus los, an Frank vorbei und aus dem Tresenbereich heraus ins Publikum, wo er sich blutverspritzend und mit geballten Fäusten zwischen die Leute drängelte, der will sicher zur Bühne, dachte Frank noch, dann stand schon Karl vor ihm und brüllte ihn an, daß er auf den Tresen aufpassen solle, und als Frank nicht gleich reagierte, nahm Karl ihn bei den Schultern und schubste ihn hinter den Tresen, und dann verschwand auch er in der Menge, und Frank hatte, wie es aussah, schon wieder einen Job.

Im Moment war allerdings nicht viel zu tun, die Leute wollten jetzt nichts zu trinken bestellen, sie wollten sehen, was sich auf der Bühne abspielte, sie stiegen auf ihre Stühle und Barhocker, und Frank sah sogar jemanden, der versuchte, auf den Tresen zu klettern, und das war dann auch die erste Tat in seinem neuen Job, daß er diesen Mann mit einem Stoß vor die Brust daran hinderte, auf den Tresen zu klettern, danach nahm er erst einmal alle Flaschen und Gläser vom Tresen, da waren die ersten schon heruntergefallen, da gab es einiges aufzuräumen, und das ist sowieso mal Zeit, fand Frank, daß hier mal aufgeräumt wird, in seinen Augen sah es hinter dem Tresen aus wie bei Luis Trenker im Rucksack, wie er es in Gedanken und im Gedenken an seine Grundausbildung nannte, und dann spülte er erst einmal in Ruhe die Gläser ab, und die leeren Flaschen stellte er in die leeren Kästen, die dafür überall herumstanden und ihm den Platz wegnahmen, und dann öffnete er alle Kühlschränke und -schubladen und schaute nach, was wo war, versuchte sich einzuprägen, welche Schnapsgetränke wo an der rückwärtigen Wand hingen, und solcherart beschäftigt, ignorierte er völlig das Chaos um ihn herum, das allerdings ein gewaltiges und gewalttätiges Chaos sein mußte, wenn man nach dem Lärmpegel ging, den es verursachte. Irgendwann, er hatte gerade bei sich hinterm Tresen alles einigermaßen unter Kontrolle, tauchte Karl wieder auf, und Frank hatte schon Angst, daß der ihm seinen neuen Arbeitsplatz gleich wieder wegnehmen könnte, aber Karl sagte nur, daß er jetzt mit Klaus ins Urbankrankenhaus fahren wolle.

»Schon wieder«, sagte Frank. »Wo ist Klaus denn?«

»Hier«, sagte Karl und zog Klaus zwischen ein paar Leuten hervor. Die Wunde, von der das Pflaster abgegangen war, sah schlimm aus, sie war ein langer, gezackter Riß, und der blutete ordentlich. Klaus war bleich, aber er grinste und machte ein Victory-Zeichen, und Karl rief: »Das Auto?«

»Was?« sagte Frank.

»Dein Auto. Du hast doch ein Auto, oder nicht? Kann ich dein Auto haben?«

»Ach so, ja«, sagte Frank, und er sah aus den Augenwinkeln, daß die Leute jetzt, wo die große Aufregung wohl vorbei war, wieder Getränke wollten und fordernd gestikulierten. An das Auto hatte er schon lange nicht mehr gedacht, eigentlich seit dem ersten Abend hier nicht mehr, und wie lange war das nun schon wieder her, er wußte es gerade nicht, und es war ja auch egal, er stand jetzt hinter dem Tresen, und die Leute wollten was zu trinken, und scheiß auf das Auto, dachte er. Er kramte in seinen Taschen, fand irgendwo den Schlüssel und gab ihn Karl. Dann wollte er ihm beschreiben, wo das Ding stand, aber er wußte es gar nicht mehr so genau, und Karl sagte: »Ich hab's gestern gesehen, bist du seitdem gefahren?«

Frank schüttelte den Kopf, und er wunderte sich noch, woher Karl wußte, wie sein Auto aussah, aber dann riß ihn das Gezeter der Leute, die endlich was zu trinken haben wollten, aus seinen Gedanken.

Als er wieder zu sich kam, waren zwanzig Minuten vergangen, in denen er unaufhörlich Getränke verkauft hatte, vor allem Flaschenbier, aber auch Softdrinks, einfache Cocktails wie Gin Tonic oder Campari-Orangensaft, die er frei nach Schnauze irgendwie zusammengepanscht hatte, dazu noch Mineralwasser und jede Menge Schnäpse. Mehrmals hatten Leute versucht, mit ihm ein Gespräch anzufangen, vor allem über die Preise, die er mal nach einem Blick auf die Karte, oft genug aber auch aus dem Gefühl heraus aufgerufen hatte, einige hatten auf Deckel trinken oder ihm erklären wollen, was genau sie sich unter einer Grünen Wiese und ähnlichem Kram vorstellten, aber da waren sie bei ihm an der falschen Adresse gewesen, er hatte sich auf sowas gar nicht erst eingelassen, er hatte keine Zeit für Gespräche und Erklärungen, er hatte nur rauschhaft und entfesselt Getränke zu verkaufen, aber nach zwanzig Minuten waren keine Gläser mehr da, und das Bier in den Kühlschränken und Kühlschubladen war auch fast alle, deshalb schaute er zum ersten Mal seit der Übernahme des Tresens richtig ins Publikum in der Hoffnung, ein bekanntes Gesicht und damit Hilfe zu finden, aber er sah nur Marko, den taxifahrenden Nachbarn von oben, der schon seit einiger Zeit auf ihn einsprach,

Frank hatte das nicht weiter beachtet, aber das war Marko wohl egal, er war mittendrin in einer Erzählung, die sich, wenn überhaupt an irgend jemanden, dann nur an Frank richten konnte, denn um Marko herum war es ziemlich einsam, er hat sich einen Platz im Niemandsland erlabert, dachte Frank, denn zwar war auch sonst die Kneipe jetzt etwas leerer, aber nirgendwo so leer wie um Marko herum, der an der zum Ausgang zeigenden, offenen Seite des Tresens stand und redete, was das Zeug hielt, immer in Franks Richtung. Frank ging etwas näher ran, um Kontakt aufzunehmen.

»… der Krümmer oder wie das nun heißt, ich sage mal: egal, da krieg ich jetzt sowieso keine Werkstatt ran, da kann ich auch gleich Feierabend machen, hab ich zu meinem Chef gesagt, und dann …«

»Ja, ja«, sagte Frank, »hast du mal eben ein paar Minuten Zeit?«

»Wozu denn? Klaro hab ich Zeit, hab ich doch gerade gesagt, ich habe ja zu meinem Chef gesagt, daß da nun ganz klar Feierabend ist, wenn die Karre nicht anspringt, dann steigt ja auch keiner ein, ich meine, was soll denn das, daß man dem das noch …«

»Ja, ja«, sagte Frank, »kannst du mir dann mal kurz helfen?«

»Klaro«, sagte Marko. »Was soll's denn sein?«

»Kannst du mal alle Flaschen und Gläser von den Tischen sammeln und rüberbringen?«

»Und was hab ich davon?«

»Ein Bier umsonst.«

»Zwei Bier.«

»Dann mußt du das aber nach dem zweiten Bier noch mal machen.«

»Dann drei Bier.«

»Okay«, sagte Frank.

»Aber eigentlich meine ich mit Geld, wenn ich arbeiten sage«, sagte Marko.

»Wie jetzt, wenn ich arbeiten sage«, sagte Frank. »Verstehe ich nicht.« Er ging wieder weg und bediente jemanden, der ihm schon seit einiger Zeit zuwinkte. Es war Jürgen von der ArschArt-Galerie.

»Hast du mal 'n Beck's?« sagte Jürgen. »Was kostet das überhaupt?«

»Wo ist denn P. Immel?« sagte Frank, »ist der schon weg?«

»Ja, der mußte noch weiter, er meinte aber, daß ich hier die Entwicklungen abwarten soll, so ein Quatsch, der spinnt doch.«

»Und H.R.? Ist der auch weg?«

»Der ist mit Immel weggegangen. Komischer Typ!«

»Hier«, Frank gab ihm das Beck's.

»Wieviel kostet das denn jetzt?«

»Nichts, wenn du mir mal eben die Gläser von den Tischen abräumst«, sagte Frank.

»Na, das ist doch mal ein Wort«, sagte Jürgen und machte sich an die Arbeit.

»Was ist denn nun?« sagte Marko, als Frank wieder bei ihm war. »Ich meinte ja nur: eigentlich! Eigentlich suche ich einen richtigen Job, da wird man doch nicht mit Bier bezahlt!«

»Schon gut«, sagte Frank, »hat sich erledigt.«

»Na denne«, sagte Marko, »auch gut. Hab ich vorhin auch zu meinem Chef gesagt …«

»Alles klar«, sagte Frank und ging zum Spülbecken und fing an, die Gläser zu spülen, die Jürgen ihm über den Tresen reichte. Als das erledigt war, bat Frank Jürgen, sich für einen Moment hinter den Tresen zu stellen und ihn zu vertreten. Dann nahm er alle Geldscheine und die Fünfmarkstücke aus der Kasse, steckte sie in die Hosentasche und ging durch die Tür, hinter der Erwin Stunden zuvor seine Jacke gesucht hatte. Dahinter lag eine Küche mit zwei großen Mülleimern voller Glasscherben und Obstresten, einer Gastro-Geschirrspülmaschine, einem Gasherd, einigen Kisten mit Obst und zwei großen Kühltruhen, vor denen leere Beck's-Kisten standen. In den Truhen waren die dazugehörigen Flaschen. Frank lud zwei Kisten damit voll, trug sie zum Tresen, packte die Flaschen in die Kühlschubladen und -schränke und wiederholte das alles noch einmal und brachte dabei auch die leeren Flaschen nach hinten, dann dankte er Jürgen, gab ihm noch einen Tequila zu seinem Bier dazu und hatte den Tresen wieder für sich alleine, wenn man von Marko einmal absah, der immer weiter redete und immer wieder Anstalten machte, hinter den Tresen zu kommen, wobei Frank ihn jedesmal sanft zurückschob, was Marko geschehen ließ, ohne dabei seinen Redefluß zu unterbrechen, er redete und redete einfach immer weiter, »… hatte der jedenfalls kein Kleingeld, und ich sage noch, gebt mir mehr Kleingeld und ich mach dit schon, aber nein, und dann hatte der kein Kleingeld, was soll ich sagen, keine Chance …«

Langsam füllte sich der Laden wieder, es fand, wie Frank zu erkennen glaubte, ein Publikumsaustausch statt, die Leute, die wegen H.R. und Edith gekommen waren, die, wie er mittlerweile einem Plakat entnommen hatte, ihren Auftritt als »H.R. Ledigt und E.D.K. Markt – Performance« angekündigt hatten, gingen oder waren schon gegangen, und andere Leute kamen jetzt in großer Zahl neu herein, so als ob sie darauf gewartet hatten, daß die Sache endlich vorbei war. Es war etwa zehn Uhr, und Frank fiel auf, daß sich mit dem neuen Publikum auch die Trinkgewohnheiten veränderten, die neuen Leute tranken viel mehr Bier als die Leute zuvor, und Mischgetränke und Wein wurden so gut wie gar nicht mehr bestellt. Das machte die Arbeit ruhiger, aber es war abzusehen, daß das Bier nicht mehr lange reichen würde, auch nicht, wenn man alle Flaschen aus den Truhen in der Küche dazuzählte, aus denen Frank innerhalb der nächsten Stunde mit Jürgens Hilfe mehrmals Nachschub holte. Und der Laden füllte sich immer weiter, und eine Stunde später war nur noch ein Kasten Bier da, und es mußte dringend etwas geschehen.

»Gibt's hier irgendwo Beck's zu kaufen?« sagte Frank zu Jürgen, als der wieder bei ihm vorbeikam, den Arm voller Gläser und leerer Flaschen, denn das war jetzt seine Gewohnheit, alle Viertelstunde mit leeren Flaschen und Gläsern aufzutauchen und dafür ein Freibier zu bekommen.

»Was?« sagte Jürgen.

»Gibt's hier irgendwo Beck's zu kaufen?«

»Im Supermarkt«, sagte Jürgen.

»Aber jetzt hat doch kein Supermarkt auf!« sagte Frank.

»Nein, natürlich nicht.«

»Ich meine aber: jetzt!«

»Nee«, Jürgen dachte kurz nach. »Nee, die Türken haben alle Schultheiss oder Kindl!«

»Wir brauchen Flaschenbier«, sagte Frank. »Kannst du Schultheiss kaufen? Ich kenne da einen Imbiß in der Reichenberger Straße, da kostet ein Sixpack fünf Mark.«

»Die kosten überall fünf Mark!«

»Wir brauchen da welche von. Kannst du welche besorgen?«

»Gibt's auch gleich hier nebenan!«

»Kannst du da welche holen?«

»Willst du echt Schultheiss verkaufen?«

»Ja, ich glaube, das Bier ist alle!«

»Das kann doch nicht sein!«

»Doch, kommt mir so vor.«

»Hast du mal im Keller geguckt?«

»Welcher Keller?«

»Keine Ahnung, die haben doch immer so Keller, wenn die Typen mit den LKWs das Bier liefern, dann geht das doch immer durch so eine Eisenklappe in den Keller runter.«

»Hm …!«

Frank wandte sich an Marko.

»… jedenfalls wollte ich dit nicht, auf keinen Fall, das ist ja wie wenn einer pupt und dabei Fahrrad fährt, hab ich gesagt, aber dann waren …«

»Marko!« rief Frank.

»… die wie ausgewechselt, die hättest du mal …«

»Marko, eine Frage mal!«

»Immer nur raus damit«, sagte Marko aufmunternd.
»Immer nur raus damit, wenn's keine Miete zahlt!«

»Weißt du, wo die hier das Bier lagern?«

»Na, im Keller!«

»Weißt du, wie man da hinkommt?«

»Zu den Klos geht's doch runter, da muß das sein.«

»Ich guck mir das mal an«, sagte Frank.

»Ich komm mit«, sagte Jürgen.

»Ich auch«, sagte Marko.

»Einer muß hinterm Tresen bleiben.«

»Mach ich!« sagte Marko. Er kam zu Frank hinter den
Tresen, stellte sich neben ihn und verschränkte die Arme.
»Da kannst du ganz beruhigt sein, das habe ich alles im
Griff!«

Frank hatte das meiste Geld in der Hosentasche, deshalb konnte nicht viel passieren. Er ging mit Jürgen zusammen die Treppe hinunter, und tatsächlich fanden sie
neben dem Frauenklo eine verschlossene Tür, die nach
Jürgens Berechnungen zu einem Raum führen mußte,
der unter den Eisenklappen lag, die er draußen auf dem
Gehweg neben der Hauswand gesehen hatte. Zum Beweis führte er Frank nach oben und am Tresen vorbei
nach draußen, wo er ihm diese Eisenklappen zeigte. »Da
machen die das immer so auf«, sagte er.

»Ja, ja«, sagte Frank, der allerdings über etwas anderes
nachdachte. Auf dem Weg nach draußen hatte er gesehen,
daß sich Marko hinter dem Tresen prächtig amüsierte,

und er hatte gehört, wie er etwas von ›Happy Hour‹ gerufen hatte.

»Ich geh mal schnell wieder rein«, sagte er.

»Wir müssen den Schlüssel finden«, sagte Jürgen.

»Ja, ja«, sagte Frank.

Marko war schwer beschäftigt, vor ihm stand eine lange Reihe von Gläsern, die er alle zur Hälfte mit Orangensaft füllte.

»Was machst du da?« sagte Frank.

»Das Bier ist alle!«

»Ja, das weiß ich«, sagte Frank. »Darum such ich ja gerade das Lager. Aber was soll das?«

»Ich hab denen gesagt, ich meine, die sind sauer, weil's kein Bier gibt, da hab ich denen gesagt, Happy Hour, Campari-O für 'ne Mark, damit die bleiben, bis es wieder Bier gibt!«

»Macht man da nicht erst den Campari rein und dann den O-Saft?« sagte Jürgen.

Frank wandte sich ab und durchsuchte den Tresenbereich nach einem Schlüssel, irgendwo mußte er ja sein, also öffnete er alle möglichen Schubladen und befingerte blind irgendwelche dunklen Ecken in den Regalfächern im rückwärtigen Tresenteil, während Marko und Jürgen sich jetzt beide mit dem Eingießen und Ausschenken von Campari-Orangensaft für eine Mark beschäftigten, sie unterhielten sich begeistert und laut darüber, wie ein richtiger Campari-Orangensaft auszusehen hatte, sie begutachteten und verkosteten gegenseitig ihre Werke, verglichen die Farbe und sagten beim Probieren Sachen wie »Mein lieber Scholli«, und dann fiel Franks Blick endlich auf einen Schlüssel, der mit einem Bindfaden an einen großen Holzklotz gebunden war und über dem nach oben gedrehten Hahn der Zapfanlage hing, die unbenutzt die Mitte des Tresens einnahm. Er nahm den Schlüssel an sich und eilte zum Lager, denn die Sache mit den beiden Knallköpfen, wie er sie in Gedanken nannte, war ihm nicht geheuer, und er war erpicht darauf, dem von ihnen angeschobenen Happy-Hour-Spuk ein Ende zu machen.

Der Schlüssel paßte genau, und dahinter war das Lager, hier stapelten sich Kästen mit Bier und Apfelsaft und Cola und sonstwas, viel war nicht zu erkennen, denn Frank fand in der Hektik den Lichtschalter nicht, aber egal, er schnappte sich schnell zwei volle Kästen Bier und schleppte sie die Treppe hinauf und hinter den Tresen. Marko sah ihn kommen und schrie in den Saal: »Bier jetzt auch Happy Hour!«, und Frank schrie: »Nein, stimmt nicht!«, und räumte das Bier in eine Kühlschublade und haute Marko, als er sich eins nehmen wollte, was auf die Finger. Marko beschwerte sich darüber nicht, er taumelte nur etwas zurück und schwieg, er sagte tatsächlich kein Wort, er hatte wohl schon ziemlich einen sitzen, die Campari-Os, die er und die Leute vor dem Tresen in den Händen hielten, waren von tiefroter Farbe, und drei leere Flaschen Campari standen auf dem Tresen wie Siegerpokale, aber bevor Frank hier einschreiten konnte, fiel ihm ein, daß er das Lager offengelassen hatte und daß es vielleicht auch besser war, noch schnell einige Kisten Bier hochzuholen, bevor die beiden Flitzpiepen, wie er sie jetzt in Gedanken nannte, denn auch Jürgen war nicht mehr ganz bei sich – in diesem Moment prostete er zum

Beispiel Frank zu und verschüttete dabei einen größeren Teil eines Getränks, das allerdings kein Campari-O war, sondern wohl eher das, was ihm, Frank, vor einiger Zeit jemand als ›Grüne Wiese‹ angepriesen hatte, grün sah es jedenfalls aus –, bevor die beiden Flitzpiepen jedenfalls völlig ausfallen und hier oben alle Dämme brechen würden, also lief er wieder die Treppe hinunter und holte noch zwei Kästen Bier.

Als er zurückkam, stand Karl hinter dem Tresen, und sogar alleine. Er rief bei Franks Anblick: »Na Gott sei Dank! Ich dachte schon, die beiden kleinen Strolche hätten dich in die Flucht geschlagen!«

»Nein, die haben mir geholfen«, sagte Frank und stellte die Bierkisten ab. »Die beiden haben aufgepaßt, ich mußte ja neues Bier holen.«

»Aufpassen kann man das natürlich auch nennen«, sagte Karl und half ihm beim Einräumen der Flaschen. »Und wieso ist Happy Hour? Was für eine Happy Hour?«

»Tja«, sagte Frank. Er richtete sich auf, öffnete ein Bier und nahm einen tiefen Schluck. Das Bier war natürlich nicht kalt, aber auch nicht so warm, daß es untrinkbar gewesen wäre. »Campari-O eine Mark! Das haben die so entschieden.«

»Wer? Die beiden Pfeifen da?«

»Marko. Es war eigentlich nur Marko. Kann man nichts machen. He, Marko«, rief Frank übermütig. Er hatte plötzlich gute Laune. Karl ist da, dachte er, jetzt wird alles gut. »He, Marko!« wiederholte er.

»Was denn?« rief Marko von seinem alten Platz an der

Seite des Tresens, wohin er sich zusammen mit Jürgen zu-
rückgezogen hatte.

»Wie lange geht die Happy Hour?« fragte Frank.

»Ganze Nacht!« Marko grinste und steckte sich einen
Finger ins Ohr. »Ganze Nacht!«

Karl lachte. »Die Nacht ist noch lang«, sagte er.

»Ja«, sagte Frank und freute sich drauf.

## 19. DER ARME FREDDIE

»Frank Lehmann!«

»Das ging aber schnell!« sagte seine Mutter, »ich hatte schon Angst, du wärst noch am Schlafen!«

»Bin ich nicht«, sagte Frank, der extra um halb zwei aufgestanden war und ein Bad genommen und Kaffee gekocht hatte, um für dieses Telefonat gerüstet zu sein. Leider waren jetzt auch alle anderen in der Küche, sahen und hörten ihm beim Telefonieren zu und tranken den Kaffee, den er gekocht hatte: Erwin, Chrissie, Karl und sogar H.R. Das ärgerte Frank, er ließ sich nicht gerne bei einem Telefonat mit seiner Mutter belauschen, sowas macht man lieber ungestört, dachte er, und er war außerdem nervös, denn er hatte sich an diesem Morgen in Freddies Zimmer etwas gründlicher umgesehen, und was er dort gefunden hatte, beunruhigte ihn sehr, und dann hatte er, nur um schnell am Telefon zu sein, auch noch seinen Kaffeebecher auf dem Tisch stehen lassen, da kam er mit dem Hörer in der Hand jetzt nicht mehr ran, also faßte er sich jetzt ein Herz, sagte schnell: »Moment«, legte den Hörer hin, holte den Kaffee vom Tisch und kehrte wieder zum Telefon zurück.

»Wie, Moment?« sagte seine Mutter.

»Schon vorbei. Wie geht's?«

»Wie geht's? Was ist denn das für eine Frage, wie geht's?«

»Wieso, was ist daran falsch?«

»Daran ist gar nichts falsch, aber wie soll mir das schon gehen seit gestern, ich komme gerade von der Arbeit, wir haben doch gestern schon miteinander telefoniert!«

»Ja, wie läuft's denn da so bei der Arbeit?«

»Jetzt komm mir nicht so, Frank, du weißt genau, was ich von dir wissen will: Wo ist Manfred?«

»Ich weiß es nicht, der ist halt nicht da, da haben wir doch gestern schon drüber gesprochen.«

»Ist der noch nicht zurückgekommen?«

»Nein, der ist nicht zurückgekommen«, sagte Frank gereizt, »woher auch, das weiß ja keiner, das wissen die hier ja alle nicht, wo er ist, die Dödel hier, die haben doch alle überhaupt keine Ahnung, obwohl die mit ihm zusammenwohnen, peinlich, aber wahr, die haben doch überhaupt keine Ahnung, diese armen Menschen hier«, steigerte er sich erregt in eine Beschimpfung seiner indiskreten, schamlosen, ihn anglotzenden und das Gespräch mithörenden Mitbewohner hinein, »die Knalltüten haben ja alle keine Ahnung, man möchte es nicht glauben!«

Karl und H.R. ließen die Blicke schweifen und zündeten sich Zigaretten an, Erwin schaute auf seine Hände, Chrissie in ihren Milchkaffee. Immerhin, dachte Frank befriedigt, immerhin!

»Das ist doch Quatsch! Das kann mir doch keiner erzählen, daß die das alle nicht wissen!« erregte sich seine Mutter.

»Ja, mir kommt das auch komisch vor.«

»Wenn's nicht Manfred wäre, würde ich mir glatt Sorgen machen«, sagte seine Mutter. »Und ich hab noch gesagt: Paß auf Manfred auf, habe ich noch gesagt, als du losgefahren bist, weißt du das noch?«

»Ja, natürlich weiß ich das noch, aber was soll ich denn machen, ich hab ihn doch noch gar nicht gesehen, wie soll ich denn dann auf ihn aufpassen? Ich meine, man kann doch nur auf jemanden aufpassen, der sich in der Obhut von einem befindet, oder was?!«

»So geht das nicht!« sagte Franks Mutter entschieden. Dann schneuzte sie sich lautstark die Nase. »Hab schon eine Erkältung gekriegt deswegen.«

»Deswegen doch nicht, wegen sowas bekommt man doch keine Erkältung!«

»Hast du eine Ahnung! Jedenfalls mußt du da jetzt mal irgendwas tun, Frank, da kann man doch nicht nur so herumsitzen, da mußt du doch auch mal was tun!«

Frank lehnte sich mit dem Rücken an die Wand und blickte in die Gesichter von Chrissie, H.R., Karl und Erwin, die jetzt sorgenvolle Mienen zur Schau trugen. Aber wenn sie sich Sorgen machen, dachte er, dann kann das ja wohl kaum wegen Freddie sein, sie haben sich bisher keine Sorgen um Freddie gemacht, dachte er, dann brauchen sie jetzt damit auch gar nicht mehr anzufangen, und dann dachte er, und das war interessant, daß es vielleicht nicht Sorgen waren, die sich in ihren Gesichtern spiegelten, sondern ein schlechtes Gewissen, das sah ihm eigentlich ziemlich nach schlechtem Gewissen aus. »Ja, natürlich muß ich was tun!« sagte er in den Hörer. »Aber was?«

»Was ist das denn für eine Frage, warum fragst du mich

denn das«, sagte seine Mutter, »ich kann das ja nun am schlechtesten beurteilen, wie soll ich das denn wissen?«

Frank sah noch immer in die Gesichter der anderen und hatte plötzlich eine Idee.

»Ja, wenn du meinst, dann mach ich das«, sagte er zu seiner Mutter, »nein, die wissen das nicht, da geht dann nichts anderes, das stimmt schon … Ja, weiß nicht, wollen wir mal nicht hoffen!« Er machte eine Pause, um die Sache realistischer zu gestalten, die war gerade lang genug, daß seine verdutzte Mutter »Äh …« sagen konnte, dann sagte er: »Stimmt … Ja nun …«

»Frank, was ist denn da los?« Seine Mutter hatte sich wieder gefangen. »Spinnst du jetzt? Mit wem redest du denn da?«

»Ist das nicht vielleicht ein bißchen früh für die Polizei? Ich meine …«

»Frank, was ist da los? Was für eine Polizei? Bist du von Sinnen?«

»Nein«, sagte Frank, »das nicht, aber … – ja, du hast wahrscheinlich recht, obwohl, Polizei, das sind Profis, okay, aber dann muß das auch …«

»Frank, was hast du da mit der Polizei? Bist du total übergeschnappt? Was faselst du denn da für ein sinnloses Zeug?!« Seine Mutter klang ernstlich besorgt.

»Nein, wenn, dann hier, in Bremen bringt das nichts … – ja sicher, da muß man hier in Berlin, er ist ja in Berlin verschwunden, was willst du denn da in Bremen mit der Polizei, das bringt ja nichts, das muß man hier machen.«

»Frank! Jetzt hör aber mal auf damit, das ist ja beängstigend, willst du mir Angst machen? Bist du jetzt total plemplem? Soll ich irgendwen anrufen, der sich um dich kümmert? Kümmert sich da keiner um dich?«

»Nein«, sagte Frank, »nein, das will ich auf keinen Fall.«

»Was soll das Gefasel dann?«

»Das kann man jetzt so nicht sagen«, sagte Frank. Seine Zuhörer hingen, soviel war mal klar, gebannt an seinen Lippen, sie hatten sogar das Rauchen eingestellt, in H.R.s und Karls Händen verbrannten vernachlässigte Zigaretten zu langen Aschewürsten. Frank führte zwei Finger vor die geschürzten Lippen, und Erwin verstand und warf ihm seine Zigarettenpackung zu. Frank steckte sich eine in den Mund und zündete sie sich umständlich an, während er in den Hörer sagte: »Das kann ich dir alles später noch erklären.«

»Sind da noch andere Leute, hören da jetzt noch andere Leute mit, oder was?« sagte seine Mutter hellsichtig.

»Ja, genau!«

»Und redest du wegen denen so komisch?«

»Ja, ja, mach ich, mach dir keine Sorgen.«

»Na gut, ich weiß zwar nicht, was hier gespielt wird, aber …«

»Ich kümmer mich drum, ich geh gleich hin.«

»Wohin?«

»Ja, ja, aber da muß man sich jetzt auch nicht tothetzen, die machen ja nicht zu, die Polizei hat ja immer offen.«

»Wer denn jetzt, schon wieder die Polizei, wegen sowas geht man doch nicht gleich zur Polizei, bloß weil dein Bruder mal ein paar Tage weg ist!«

»Das kann man so nicht sagen, Mutter!« sagte Frank

eindringlich. »Jetzt noch nicht. Ich ruf dich nachher noch einmal an, wenn ich mit denen gesprochen habe, ich bin sicher, die finden ihn.«

»Jetzt mach ich mir aber doch langsam richtig Sorgen«, sagte seine Mutter.

»Das brauchst du nicht, ich mach das genau so, wie du willst, alles klar, ich mach das jetzt gleich, ja, ich trink nur noch eben meinen Kaffee aus.«

»Soll ich jetzt auflegen, oder was? Du verarschst da doch irgendwen, das steht ja wohl fest, aber doch wohl hoffentlich nicht mich, das wär ja wohl noch schöner!«

»Nein, Mutter, dich nicht.«

»Dann ist ja gut. Ich dachte schon ...«

»Alles klar. Ja, grüß du auch schön!«

»Ich leg dann mal auf, du Spaßvogel, womit hab ich bloß solche Söhne verdient, das kommt davon, daß euer Vater euch früher immer nur mit der hohlen Hand versohlt hat!«

»Da bin ich anderer Meinung, Mutter! Aber ich klär das auf. Tschüs denn.«

»Okay, ich leg schon auf.«

»Ja, grüß schön. Ja, ich auch.«

Frank legte den Hörer auf die Gabel und setzte sich wieder an den Tisch. Die anderen sagten nichts, und auch Frank schwieg, er lehnte sich zurück, rauchte paar Züge, beugte sich wieder vor und schlürfte an seinem Kaffee, nahm eine Salamischeibe, die auf einem Teller lag, betrachtete sie und legte sie wieder hin, während die anderen Löcher in die Luft starrten, sich räusperten und mit den Füßen scharrten.

Irgendwann sagte Erwin: »Ich hab das eben mal so ein bißchen mitgehört, du willst jetzt nicht wirklich die Bullen rufen, oder?«

»Muß ich wohl«, sagte Frank.

»Wieso das denn? Da gibt's doch gar keinen Grund für!«

»Doch, meine Mutter will das, die dreht total durch.«

»Ha«, schnaubte Chrissie, »deine Mutter! Was bist du denn für einer?«

»Die macht sich Sorgen«, sagte Frank.

»Die macht sich doch nur Sorgen, weil du ihr das eingeredet hast!« sagte Chrissie. »Du schiebst doch hier schon die ganze Zeit diese ewige Panik, Freddie hier, Freddie da, Freddie dies, Freddie das, hast du dir mal überlegt, daß dein Bruder irgendwie auch ein freier Mensch ist? Der kann doch machen, was er will, was willst du ihm denn da die Bullen auf den Hals hetzen?!«

»Nun hör mal, Chrissie, jetzt mach mal langsam«, sagte Erwin, »von Hetzen kann da doch hier gar nicht …«

»Sei du doch still, du hast doch gar keine Ahnung, worum es geht«, sagte Chrissie. Sie hob die rechte Hand, und Erwin zuckte instinktiv mit dem Kopf.

»Ja, knall ihm eine, du alemannische Domina!« sagte Karl und lachte.

»Jetzt reicht's aber!« sagte Erwin.

»Quatsch, eine knallen«, sagte Chrissie und strich sich mit der erhobenen Hand durch die Haare. »Meinem Onkel doch nicht!«

»Ich will niemandem die Bullen auf den Hals hetzen!« sagte Frank. »Aber ich hab ja keine andere Wahl!«

»Die kommen dann sicher hier rein und schnüffeln hier rum«, sagte H.R. »Ich bin dann weg, das sag ich aber gleich.«

»Du bist sowieso bald weg«, sagte Erwin, »dich holen die sowieso bald ab. Aber mit 'ner weißen Jacke, wo die Knöpfe hinten sind. Wegen Gemeingefährlichkeit. Oder Klaus bringt dich um. Oder ich, verdammte Scheiße nochmal!«

»Das hatten wir doch alles schon, ich dachte, das wäre geklärt!«

»Geh scheißen, geklärt!« sagte Karl. »Das hätte genausogut mich treffen können, oder sonstwen!«

»Hat's aber nicht!«

»Ich muß aber die Bullen rufen«, sagte Frank, der nicht wollte, daß die anderen vom Thema abkamen, »da habe ich gar keine andere Wahl!«

»Quatsch, keine andere Wahl! Wegen deiner Mutter, oder was? Das ist ja peinlich«, sagte Chrissie. »Das ist doch bloß deine Schuld, daß die sich so aufregt, du kannst ihr doch einfach sagen, daß du gehört hast, daß Freddie ein paar Tage verreist ist, und das war's dann!«

»Ja, ja«, sagte Frank, »das ist schon richtig, aber es ist nicht nur wegen meiner Mutter, Chrissie!«

»Obwohl Franks Mutter schon eine harte Nuß ist«, sagte Karl. »Ich hab die mal erlebt, mein lieber Schwan! Naja, wie Mütter halt so sind, du wirst genauso sein, Chrissie, wenn du mal Kinder hast!«

»Du bist ein Vollidiot, Karl Schmidt, und ich ignorier dich nicht mal.«

»Da bin ich aber froh!«

»Es ist nur so«, sagte Frank, »daß das gar nicht sein kann. Freddie kann nicht einfach nur mal für ein paar Tage verreist sein. Und nicht nur, weil ihr das dann wissen müßtet. Ich hab mich heute morgen mal in Freddies Zimmer ein bißchen umgeguckt, und da habe ich seinen Personalausweis gefunden, also kann er nicht verreist sein.«

»So ein Blödsinn, dann hat er eben seinen Reisepaß genommen!« sagte Karl. »Er hat ja einen, den brauchte er ja, als er im Sommer in die USA gefahren ist.«

»Nein«, sagte Frank, »das glaube ich nicht. Ich meine, ja, na klar hat er einen Reisepaß, aber das bringt nichts, er ist doch in Berlin gemeldet, also hat er einen vorläufigen Personalausweis von West-Berlin, der wird von der DDR anerkannt, aber wenn er den Reisepaß der Bundesrepublik Deutschland mit eingetragenem Wohnort Berlin benutzt, dann kommt er über die DDR nur raus, wenn er sich für zehn Mark eine Identitätsbescheinigung der DDR kauft und dann auch noch ein Paßbild macht oder mitbringt und so Scheiß, warum hätte er das machen sollen, wenn er doch einen Personalausweis hat?!«

»Vielleicht hat er ihn nicht gefunden!« sagte Karl.

»Ich hab ihn doch auch sofort gefunden«, sagte Frank, »wieso sollte er ihn nicht gefunden haben? Und wenn das so war, dann hätte er doch einen von euch fragen müssen, ob ihr den irgendwo in der Wohnung gesehen habt, das ist doch das erste, was man macht, das ist doch ein wichtiger Ausweis, ohne den kommt man doch gar nicht raus aus der Stadt! Und wenn er euch gefragt hätte, wo sein Personalausweis ist, dann hätte er euch auch gesagt, daß er wegfahren will, oder nicht?«

»Woher willst du das mit dem Reisepaß und der DDR denn überhaupt so genau wissen?« sagte Erwin. »Wieso hast du denn auf einmal soviel Ahnung davon?«

»Ich bin mit Wolli über die Transitstrecke gefahren«, sagte Frank.

»Wer ist denn jetzt Wolli gleich noch mal?« sagte Karl.

»Mein Punk-Kumpel, mit dem ich aus Bremen hergefahren bin«, sagte Frank. »Den wir im Honka getroffen haben, der wohnte bis heute morgen bei Immel im Hinterhaus.«

»Ach der«, sagte Karl.

»Der ist Spezialist für sowas«, sagte Frank, »der hat mir das alles lang und breit erklärt, lang und breit und breit und lang, als wir hergefahren sind, die ganze Fahrt über, Wolli weiß solche Sachen ganz genau.«

»Aha …«, sagte Karl. »Wie einer, der sowas weiß, sah der mir aber gar nicht aus!«

»Stimmt das etwa nicht, was ich gesagt habe? Das mit dem Reisepaß und der Identitätsbescheinigung?«

»Doch, das stimmt!«

»Na also.«

»Und was soll der Scheiß jetzt?« fragte Chrissie.

»Das ist doch ganz einfach«, sagte Frank, »Freddie ist verschwunden und keiner weiß, wo er ist, absolut niemand, und einfach mal eben verreist sein kann er auch nicht, weil er dann seinen Westberliner Personalausweis nicht hiergelassen hätte. Und da fang ich jetzt auch langsam mal an, mir Sorgen zu machen! Wer weiß, was da passiert ist, da hört jetzt der Spaß doch mal auf! Und davon habe ich meiner Mutter noch gar nichts erzählt, von wegen ich hetz die auf und so, und die ist trotzdem total drüber. Wenn ich ihr das mit dem Personalausweis auch noch erzähle, dann dreht die völlig durch, dann geht die in Bremen zur Polizei oder sowas!«

»Was soll Freddie schon passiert sein!« sagte Karl. »Freddie ist doch gar nicht der Typ, dem irgendwas passiert!«

»Das hast du zu Klaus auch gesagt, daß ihm nichts passieren kann, weil es nie zweimal an derselben Stelle einschlägt«, gab Frank zurück.

»Naja, wenn man's genau überlegt: Er stand ja auch nicht mehr an derselben Stelle!« sagte Karl.

»Hör bloß auf, darüber Witze zu machen!« sagte Erwin. »Ihr bringt mich alle noch in Teufels Küche mit eurer Scheiße!«

»Naja, jedenfalls ist das Klaus«, sagte Karl, »Klaus ist Klaus! Bei Freddie ist das was anderes! Was soll Freddie schon passieren?«

»Vielleicht ist er ja auch über Tegel irgendwo hingeflogen!« gab H.R. zu bedenken. »Da kommt er mit einem westdeutschen Reisepaß easy raus, auch wenn da Berlin als Adresse drinsteht.«

»Freddie war pleite«, sagte Frank. »Sowas kostet doch ein Vermögen, fliegen und so. Wie hätte er das bezahlen sollen?«

»Vielleicht von dem Geld, das er am Telefon und an der Miete gespart hat«, sagte Erwin. »Vielleicht hat ihm auch einer ein Ticket bezahlt, irgendein Galerist oder eine Kunstscheiße oder was.«

»Das kann dann ja die Polizei ganz einfach rausfinden«, sagte Frank. »Ich geh nachher zu den Bullen und melde ihn als vermißt, das geht nicht mehr anders, das ist jetzt höchste Zeit.«

»Du bist ein totaler Depp, Frank Lehmann«, sagte Chrissie und zeigte mit dem Finger auf ihn. »Ein totaler Depp, von Anfang an gewesen, und statt daß du einfach mal Ruhe gibst, machst du alles immer nur noch schlimmer. Willst du wirklich wissen, wo dein Bruder ist?«

»Was weißt du denn davon, Chrissie?« sagte Karl. »Halt du dich doch selber da raus. Woher willst du denn wissen, wo Freddie ist?!«

»Weil er's mir erzählt hat.«

»Soso, hat er dir das erzählt, ja?«

»Hört doch auf mit dem Scheiß«, sagte Erwin.

»Er will es ja nicht anders«, sagte Chrissie, »dann sag ich's ihm halt.«

»Der blufft doch nur«, sagte Karl. »Wo ist denn der Personalausweis von deinem Bruder?« wandte er sich an Frank. »Kann ich den mal sehen?«

»Wo sind wir hier, an der Grenzkontrolle, oder was?« sagte Erwin. »Hört doch mal auf mit dem Scheiß, das bringt doch nichts Gutes, sowas!«

»Der geht doch nie und nimmer zu den Bullen«, sagte Karl. »Da würde ich den gerne mal sehen, den Perso von Freddie, ich denke mal, das hast du dir nur ausgedacht, Frank!«

»Hier«, sagte Frank und zog Freddies Personalausweis aus seiner Jackentasche. »Aber ist ja auch egal, ich weiß ja jetzt, daß Chrissie was weiß!«

»Weißt du, was mich am meisten nervt?« sagte Chrissie zu Frank. »Daß du von Anfang an immer nur die Typen hier gefragt hast. Du hast jeden gefragt, ob er weiß, wo Freddie ist, nur mich nicht. Und das ist das, was mich am meisten nervt, weil das immer so läuft hier. Ihr tut immer alle so wahnsinnig aufgeklärt, aber in Wirklichkeit seid ihr totale Sexisten und Spießer, und ihr macht nur untereinander eure Jungs-Spielchen, aber auf die Idee, mich auch mal zu fragen, kommt ihr nicht!«

»Oh Mann, jetzt nicht auch noch sowas!« sagte Karl.

»Halt du die Klappe, Karl Schmidt, halt bloß die Klappe, dich hat keiner gefragt!«

»Hast du dich mal gefragt, du Sauschwäble, ob Freddie, wenn er dir denn erzählt hat, wo er hingeht, also wo er jetzt ist, ob er dann wirklich will, daß du das auch seinem Bruder weitererzählst?«

»Halt doch endlich mal die Klappe!«

»Also«, sagte Frank verwirrt, »also Moment mal, natürlich habe ich dich gefragt!«

»Hast du nicht!« sagte Chrissie. »Den da«, sie zeigte auf Karl, »den hast du gefragt, den da«, sie zeigte auf Erwin, »den hast du auch gefragt und den da«, sie zeigte auf H.R., »auch. Sogar H.R. hast du gefragt.«

»Wieso sogar H.R.?« sagte H.R.

»Aber mich«, sagte Chrissie, »mich hast du nie gefragt. Weil du ein totaler Depp bist und Frauen nicht ernst nimmst. Weil du auch nie was merkst, wenn es um Frauen geht. Ich wette, du merkst nie was, wenn es um Frauen geht. Und ich wette, daß du auch sonst nicht eine einzige Frau gefragt hast, ob sie weiß, wo Freddie ist, du hast immer nur Männer gefragt, so Typen wie Karl und Klaus und wer weiß wen, aber nie Frauen …«

»Moment mal«, unterbrach Frank, »jetzt mal langsam, ich bin extra zu Almut in die Galerie gegangen und hab sie gefragt, und dann habe ich gestern abend auch noch Edith gefragt, wo Freddie ist, und Helga hätte ich auch gefragt, wenn die nicht so schnell wieder …«

»Das ist doch Quatsch, die zählen doch gar nicht, mich hast du jedenfalls nie gefragt, ich bin ja auch nur die kleine Nichte von Erwin! Dabei bin ich ja wohl die einzige, die ganz genau weiß, wo Freddie ist.«

»Kann ja sein, Chrissie«, sagte Erwin, »kann ja sein, daß du die einzige bist, aber die Frage ist doch auch, ob du das deshalb gleich aller Welt erzählen mußt.«

»Laß gut sein, Onkel!«

»Sag nicht Onkel, ich hasse das.«

»Das stimmt nicht, was du sagst, Chrissie! Ich habe dich gefragt, sogar mehrmals«, sagte Frank.

»Wann? Wo?«

»Ich glaube, beim Griechen oder sonstwo … Jedenfalls warst du immer auch gefragt.«

»Genau: auch. Immer auch gefragt. So stellt ihr euch das vor, die Typen werden gefragt und als Frau ist man dann irgendwie auch immer gefragt.«

»Ich bin ziemlich sicher, daß ich dich gefragt habe.«

»Und ich weiß genau, daß du mich nicht gefragt hast. Ich fand dich eigentlich ganz nett, weißt du, und das hat mir auch leid getan, daß du deinen Bruder nicht gefunden hast, und du hast auch immer ganz traurig ausgesehen, wenn wir über Freddie geredet haben, und ich hätte dir sofort gesagt, wo er ist, wenn du mich nur einmal richtig angeguckt und direkt gefragt hättest.«

»Was ist das überhaupt mit dir und Freddie?« sagte Erwin. »Wieso hat der dir das eigentlich erzählt? Hattet ihr was miteinander? Ich zeig den an, die Sau!«

»Erwin, ich bin über achtzehn, da kannst du niemanden anzeigen.«

»Mit anderen Worten«, versuchte Frank das abzukürzen, »du weißt, wo Freddie ist?!«

»Das sind keine anderen Worte, das sind genau die Worte, die die kleine Maultasche benutzt hat«, warf Karl ein.

»Ja«, sagte Chrissie, »ich weiß, wo er ist.«

»Okay«, sagte Frank, »dann sag's doch endlich mal!«

»Ja, Chrissie, sag's endlich«, sagte Karl genervt.

»Am Kudamm«, sagte Chrissie. »In so einem Hotel.«

»Was macht er da denn?« fragte Frank verdutzt.

»Da kriegt er viel Geld für, das geht um Medikamente!«

»Was denn für Medikamente.«

»Ich weiß nicht. Er hat gesagt, das wäre nicht schlimm, aber er würde da ganz viel Geld kriegen, das finde ich irgendwie komisch, warum sollten die ihm ganz viel Geld geben, wenn das nicht schlimm ist?«

»Was soll das denn heißen?« sagte Frank und er spürte die Panik in sich aufsteigen wie ein Sodbrennen. »Geht das da um Drogen, oder was?«

»Nein, sag ich doch, Medikamente!«

»Das ist doch das gleiche«, sagte H.R.

»Quatsch nicht, H.R.«, sagte Karl. »Das ist zwar das

gleiche, aber natürlich irgendwie auch nicht. Obwohl, bei Freddie geht's um Psychopharmaka, glaube ich, so gesehen … – aber nicht so starke.«

»Nicht so starke, nicht so starke«, sagte Erwin ärgerlich. »Das hat er mir auch erzählt. Da glaub ich doch kein Wort von. Das ist doch immer so mit Freddie, Freddie stellt sich gerne mal doof, wenn's ihm gerade in den Kram paßt.«

»Dann habt ihr das alle gewußt?« sagte Frank.

»Ich wußte nichts von Psychopharmaka«, sagte H.R. »Ich dachte, das geht um Krebsmittel!«

»Quatsch, dann nehmen die doch Leute mit Krebs«, sagte Karl. »Freddie hatte doch keinen Krebs!«

»Ist das sicher?« sagte Frank. Er war kurz davor zu weinen. Der arme Freddie, dachte er, der arme, arme Freddie! So hatte er noch nie über seinen Bruder gedacht, und es gefiel ihm nicht, so sollte man nicht über seinen großen Bruder denken, dachte er.

»Ich wußte nicht, daß die anderen das auch wußten«, sagte Chrissie.

»Das wußte ich auch nicht«, sagte H.R. »Freddie wollte ja, daß ich das keinem erzähle.«

»Ja, das habe ich ihm auch versprochen«, sagte Karl. »Naja, ich hab's ja auch nicht weitererzählt, die Trollingerkönigin war's!«

»Als wenn das wichtig wäre, Karl Schmidt, du bist doch …«

Frank hörte nicht mehr zu.

Der arme Freddie!

## 20. MOSAIK

Erst kurz vor dem Wittenbergplatz fiel ihm ein, daß er ja auch das Auto hätte nehmen können, darauf war er vorher gar nicht gekommen, er hatte überhaupt das Auto völlig vergessen, und er wunderte sich darüber nicht, er verstand jetzt ganz genau, warum Freddie ihm das Auto damals, als er nach Berlin gegangen war, geschenkt hatte, hier hatte keiner ein Auto, und es schien auch keiner eins zu brauchen, wenn es nicht gerade darum ging, jemanden, der blutete, zum Krankenhaus zu fahren, und den Weg zu dem Hotel, in dem Freddie jetzt sein sollte, hatte Karl ihm auch gleich anhand von U-Bahn und Bus beschrieben, »die 1 bis zum Wittenbergplatz und dann den 19er bis zur Schlüterstraße«, hatte er gesagt, er wußte das so genau, weil er Freddie einmal besucht hatte, »aber die wollten mich nicht zu ihm reinlassen, und später hatte ich keine Zeit«, hatte er gesagt, es gab dort wohl Besuchszeiten, aber die waren Frank egal, er war nicht bereit, sich jetzt noch auf sowas einzulassen, schon auf dem Weg zur U-Bahn hatte er sich, um später bei denen, die Freddie da in ihrer Gewalt hatten, mit dem nötigen Nachdruck auftreten zu können, vorzustellen versucht, was Harry, der gute alte Harry aus der Neuen Vahr Süd, in einem solchen Fall zum Thema Besuchszeiten zu sagen hätte, und kurz vor dem Wittenbergplatz hatte er alle Möglichkeiten im Harryschen Sinne durchdekliniert und war dabei schon im Vorfeld so aggressiv geworden, daß er sich für jeden Fall gewappnet fühlte. Es ist nur wichtig, dachte er, als er am Wittenbergplatz ankam, daß man auf den letzten Metern aggressionsmäßig nicht wieder abschlafft, aber aufgewühlt, wie er war, sah er eigentlich keinen Grund, sich da Sorgen zu machen.

Am Wittenbergplatz verließ er die U-Bahn, lief die Treppen hinauf und fragte die Frau in dem Kiosk, an dem er sich eine Schachtel Zigaretten kaufte, nach der Haltestelle für den 19er Bus zum Kudamm, genau so wie Karl es ihm geraten hatte, »geh zum Kiosk, wenn du was fragen willst, frag bloß nicht jemanden, der da frei rumläuft, das sind alles Touristen da am Wittenbergplatz, sowieso am Kudamm, das ist alles Touristenscheiße, und frag vor allem keinen von der BVG, die versauen dir gleich den ganzen Tag«, hatte Karl gesagt, und Frank tat genau so wie von Karl empfohlen, er hatte es eilig und keine Zeit für Experimente, es gibt Situationen, dachte er, da muß man auch mal auf die Einheimischen hören, und das tat er und fragte die Frau vom Kiosk, und kurz darauf stand er dann auch rauchend an der Haltestelle der Linie 19 Richtung Roseneck und wartete auf den Bus. Der kam bald, und Frank stieg wie alle anderen vorne ein, zeigte wie alle anderen seinen Fahrschein vor und ging gleich nach hinten zum Ausgang, wo er stehen und die Lage peilen konnte, er war viel zu nervös und aufgepeitscht, um sich jetzt noch irgendwo hinzusetzen, und vom Kudamm sah er auf der Fahrt auch nicht viel, das interessierte ihn jetzt nicht, es dämmerte auch schon wieder und alles, was er überhaupt sehen konnte, war grau und schmutzig, ein paar Autos, ein bißchen vom Bürgersteig, Leute, Lichter, er hatte keinen Sinn für den ganzen Kram, das war nicht mehr der leuchtende, glitzernde Tunnel, als der ihm der Kudamm damals, als er aus dem Dunkel der Transitstrecke gekommen war, erschienen war, das war bloß die Straße, an der das Hotel lag, in dem Freddie war, und er mußte sich ohnehin auf die genuschelten Ansagen des Fahrers konzentrieren und zur Sicherheit auch noch ihr Vorankommen auf dem Buslinienplan verfolgen, und als er davon ausgehen konnte, daß die nächste Haltestelle die Schlüterstraße sein würde, fragte er zur Sicherheit auch noch eine Frau, die sich neben ihm mühsam an eine Haltestange klammerte, aber die zuckte nur mit den Schultern. Er stieg trotzdem aus und stand tatsächlich an der Ecke Kudamm und Schlüterstraße. Das ging ja schon mal ganz gut, dachte er.

Das Hotel war ein Stück weiter am Kudamm in einem Neubau untergebracht. Frank mußte an einer verschlossenen Glastür klingeln und einige Zeit warten, bis ein Mann mittleren Alters kam, sich hinter einen kleinen Rezeptionsschalter zwängte und einen Summer drückte, der die Tür öffnete.

»Ich möchte gerne zu Manfred Lehmann«, sagte Frank. »Der wohnt hier gerade, heißt es.«

»Ja«, sagte der Mann, »das kann schon sein, aber das ist kein normales Hotel, wir sind komplett an die Firma Secumedic vermietet, und da gibt es feste Besuchszeiten.«

»Ja und?«

»Die Besuchszeit geht von drei bis vier«, sagte der Mann und schaute auf seine Uhr, »jetzt ist die schon vorbei, da können Sie den nicht mehr besuchen. Da müssen Sie schon morgen wiederkommen.«

»Das ist mein Bruder«, sagte Frank. »Manfred Lehmann. Ich will den sehen. Und nicht erst morgen.«

»Tja, das tut mir leid, das geht leider nicht.«

»Sind Sie vom Hotel oder von der Firma Secumedic?«

»Ich bin vom Hotel. Aber die Firma Secumedic hat hier ganz klare …«

»Dann holen Sie jetzt bitte jemanden von dieser Firma, aber einen, der was zu sagen hat.«

»Ich mache gar nichts. Warum sollte ich das tun?«

»Weil ich hier nicht weggehe, bevor ich nicht mit einem von der Firma gesprochen habe.«

Der Mann schwieg und sah Frank an. Frank sah zurück und schwieg ebenfalls.

»Was soll das?« sagte der Mann schließlich.

»Das werde ich dem dann schon erklären«, sagte Frank.

»Ich weiß gar nicht, wer da jetzt gerade von denen hier ist«, sagte der Mann.

»Ich auch nicht«, sagte Frank. »Aber Sie werden schon jemanden finden!«

Der Mann griff zu einem Telefon und wählte eine kurze Nummer. »Könnten Sie bitte mal kommen, ich habe hier jemanden, der Sie sprechen will«, sagte er in die Leitung. »Ja, nein, aber das wäre schon besser, wenn Sie mal eben kommen könnten.« Er legte auf und sah Frank an. »Ich will keinen Ärger«, sagte er.

»Ich auch nicht«, sagte Frank. »Ich will bloß meinen Bruder sehen.«

Zwei Minuten später kam ein Mann, der trug einen weißen Kittel, und aus seiner Brusttasche schaute ein Stethoskop heraus, das kam Frank irgendwie albern und klischeehaft vor, aber er konnte sich jetzt unmöglich mit ästhetischen Problemen befassen, sollen die sich doch alle verkleiden, wie sie wollen, dachte er.

»Was gibt's denn?« sagte der Mann, als er aus dem Lift trat.

»Dieser junge Mann hier«, sagte der Portier und zeigte auf Frank.

»Was wollen Sie?« sagte der Mann mit dem Kittel.

Er könnte wenigstens Guten Abend sagen, dachte Frank, der Arsch hat keine Manieren, dachte er, der beschissene Herrenmenschenwichser meint, er bräuchte sich nicht an die guten Sitten zu halten, steigerte er sich in einen nützlichen Furor hinein, so sehr, daß er sich mit aller Kraft beherrschen mußte. »Ich will zu meinem Bruder«, sagte er. Man muß es wie Harry machen, dachte er, erst mal auf die ruhige Tour, damit sie sich sicher fühlen, und dann immer drauf!

»Dafür gibt es Besuchszeiten, die sind aber jetzt vorbei.«

»Das ist mir egal, ich will jetzt sofort zu meinem Bruder.«

»Das geht nicht, das ist extra so geregelt, daß es Besuchszeiten gibt, da müssen sich alle dran halten.«

»Das ist mir egal«, sagte Frank. »Ich bin nicht hier, um lange herumzudödeln. Ich bin sicher, daß mein Bruder hier ist, und ich laß mich nicht wegschicken. Wenn Sie mich meinen Bruder nicht sehen lassen, muß ich davon ausgehen, daß Sie ihn hier gegen seinen Willen festhalten, und dann muß das die Polizei klären.«

»Die Polizei?« Der Mann lächelte spöttisch und überlegen. »Wo wollen Sie denn so schnell die Polizei herkriegen? Wie wollen Sie denn hier mal eben schnell die Polizei rufen, Sie Spaßvogel!«

»Die Polizei brauch ich nicht zu rufen, das macht der da gleich«, sagte Frank, dem das Herz jetzt bis zum Halse klopfte, und zeigte auf den Portier.

»Und warum sollte der das für Sie tun?«

»Nicht für mich, für Sie«, sagte Frank, und er spürte befriedigt, wie es in ihm kochte, jetzt knallt's, dachte er, jetzt, dachte er in Erinnerung an den albernen Titel eines Buches, das ihm sein Bruder, als sie kleine Jungs gewesen waren, mal geliehen hatte, regnet's Ohrfeigen, jetzt erwische ich dich auf dem falschen Fuß, Arschloch! »Weil ich Ihnen gleich mächtig was auf die Schnauze haue, Sie Wichser«, schrie er mit voller Kraft, »weil ich Ihnen gleich Ihr Stethoskop in den Arsch ramme, Sie verdammtes Arschloch«, brüllte er und ging auf den weißgekleideten Mann zu, »ICH HAU DICH ZU SCHEISSE, DU VERBRECHER!« Der andere wich zurück und hielt die Hände abwehrend ausgestreckt. »Moment«, rief er, »Moment, das ist doch alles ein Mißverständnis.«

Der Portier hatte bereits den Telefonhörer in der Hand.

»Soll ich die Polizei rufen?« rief er. »Ich will hier keine Schlägereien, sowas muß ich hier nicht dulden!«

»Ja, rufen Sie die Polizei«, sagte Frank, jetzt wieder mühsam beherrscht. »Mal sehen, ob die hier meinen Bruder finden!«

»Nein, warten Sie«, sagte der Mann im Kittel. »Das ist doch alles ein Mißverständnis, nun beruhigen Sie sich doch, mein Gott, wir machen das doch nicht aus Schikane, das ist doch nur, daß wir Besuchszeiten haben, damit die Probanden ihre Ruhe haben, was meinen Sie, was das hier sonst für ein Kommen und Gehen wäre?! Außerdem müssen wir die Leute doch auch untersuchen!«

»Das ist mir scheißegal, ich will meinen Bruder sehen.«

»Ja, wenn es so dringend ist«, sagte der Mann, »das kann man doch auch zivilisiert regeln, da muß man hier doch nicht gleich so ein … Wie heißt denn Ihr Bruder?«

»Manfred Lehmann.«

Der Mann in Weiß schaute zum Portier hinüber. »Wo ist der denn?«

Der Portier suchte mit dem rechten Zeigefinger eine Liste ab, »Lehmann, Lehmann, Manfred: 312.«

»Das ist im dritten Stock, 312«, sagte der Mann. »Soll ich Ihnen das zeigen?«

»Nein«, sagte Frank und ging in den Fahrstuhl. Der Mann in Weiß wich ihm aus, als er an ihm vorbeiging, und als sich die Tür zum Lift schloß, sah Frank, daß er ihm nachschaute und sich dabei am Kopf kratzte.

Im Flur des dritten Stocks war niemand zu sehen, und es war ganz still. Frank klopfte an die Tür von Zimmer Nr. 312, aber niemand rief ihn herein. Er lauschte an der Tür und hörte ganz leise Stimmen, also klopfte er noch einmal lauter, aber es antwortete noch immer keiner, deshalb probierte er die Klinke. Die Tür war nicht abgeschlossen. »Freddie«, rief er leise und ging hinein.

Er kam in einen kleinen Flur, von dem links das Bad abging, das war offen und erleuchtet, aber niemand war darin. Nach einer weiteren Tür stand Frank in einem kleinen Zimmer, darin waren ein Einzelbett, ein Tisch, ein Stuhl und ein großer Fernseher, der war eingeschaltet, und von ihm kamen auch die Stimmen, die Frank gehört hatte. Freddie lag auf dem Bett und schlief. Er trug einen Trainingsanzug und Socken.

»Freddie«, sagte Frank und rüttelte ihn an der Schulter. Es dauerte ein bißchen, bis er aufwachte.

»Frankie, alte Socke!« sagte er. »Was machst du denn hier?«

»Ich war gerade in der Gegend«, sagte Frank, und er war so erleichtert, daß er fast zu weinen anfing.

»Ist denn gerade Besuchszeit?« sagte Freddie.

»Nein, aber sie haben ein Auge zugedrückt«, sagte Frank.

Freddie setzte sich langsam auf. Er zeigte auf den Fernseher. »Mosaik, die Sendung für die ältere Generation«, sagte er. »Bin ich eingeschlafen? Scheiße, das ist ja schon wieder dunkel!«

Frank kam sich komisch dabei vor, wie er so vor Freddie stand und im Schein des Fernsehers auf ihn hinabschaute, deshalb setzte er sich auf den Stuhl. »Hübsch hast du's hier!« sagte er.

Freddie ging darauf nicht ein. »Was machst du denn in Berlin?« sagte er. »Und was hast du da im Gesicht? Moment mal!« Er stand auf und ging langsam, immer mit einer Hand an der Wand, ins Bad. Auf dem Weg machte er ohne hinzusehen das Licht an und patschte dabei mit der Hand zweimal daneben. Als er draußen war, schaltete Frank den Fernseher aus. Dann zündete er sich eine Zigarette an.

»Hast du auch eine für mich?« sagte sein Bruder, als er wiederkam. Er hatte ein großes Glas Wasser in der Hand und setzte sich damit aufs Bett. Dann trank er es in einem Zug aus. »Mann, Mann«, sagte er, »ich bin ganz schön müde. Wie spät ist es jetzt?«

»Weiß nicht, halb fünf, fünf«, sagte Frank. »Was machst du hier, Freddie, was soll der Scheiß?«

»Kann ich dir sagen«, sagte Freddie. »Ich schlucke zweimal am Tag eine Tablette, und nach ein paar Wochen kriege ich zwanzigtausend Mark. Wie findest du das?«

»Toll«, sagte Frank. »Und was sind das für Tabletten?«

»So Psychokram«, sagte Freddie. »Aber ich merke gar nichts, wahrscheinlich bin ich in der Kontrollgruppe, und die geben mir ein Placebo.« Er lachte und fuhr sich mit der Hand durch die Haare. Dabei fiel ihm das Glas herunter, aber es ging auf dem dicken Teppich, der hier ausgelegt war, nicht kaputt.

Frank hob das Glas auf und fragte: »Willst du noch mehr Wasser?«

»Klar«, sagte Freddie, »ich hab ziemlich Durst.«

Frank ging ins Bad und füllte das Glas. Als er wieder in den Raum kam, lief der Fernseher wieder.

»Ich glaube, der geht immer von selber aus«, sagte

Freddie. »Ich mach den Ton mal leise.« Er drehte den Tonknopf, bis nichts mehr zu hören war. »Ich hab mir was zum Lesen mitgenommen, aber irgendwie bin ich dafür meistens zu müde.«

»Wie lange mußt du noch hierbleiben?« sagte Frank und stellte das Wasser auf den Tisch.

»Keine Ahnung, welchen haben wir heute?«

»Den vierzehnten.«

»November?«

»Ja, natürlich.«

»Das geht noch bis Mitte Dezember, bis zum sechzehnten Dezember.«

»Und dann?«

»Wie, und dann?«

»Wieso brauchst du denn so viel Geld?«

»Ah …« Freddie streckte die Arme aus und räkelte sich. Dann kratzte er sich am Kopf, erst ein bißchen hier, dann ein bißchen da, und schließlich mit beiden Händen überall. »Ich glaube«, sagte er nach einiger Zeit, in der er mit dem Kratzen nicht mehr aufhörte, »ich glaube, ich bin doch nicht in der Kontrollgruppe.«

»Nein, glaub ich auch nicht«, sagte Frank.

»Ich war im Sommer in New York«, sagte Freddie. »Da will ich hin!«

»Wieso? Ich meine, was soll der Scheiß, zwanzigtausend Mark, man braucht doch keine zwanzigtausend Mark, um nach New York zu kommen!«

»Was meinst du, wie teuer das da ist, Frankie. Meinst du, meinen Kram kann man mal eben so verkaufen? Die großen, schweren Dinger? Ich hab's doch versucht, aber

auf Dauer geht das nicht von Berlin aus, Berlin, Mauerstadt, der ganze Scheiß, also auf Dauer …!«

Er brach ab und kratzte sich wieder am Kopf. »Ich muß
denen das mal sagen, das habe ich ganz vergessen, denen
zu sagen, das ist ja der letzte Scheiß mit dieser Juckerei!«

»Was auf Dauer?«

»Ich hab denen das schon tausendmal gesagt!«

»Was auf Dauer? Was ist auf Dauer?«

»Auf Dauer? Auf Dauer was?«

»Irgendwas mit Berlin, und daß das auf Dauer und so.«

»Ach so, weiß ich nicht, ich muß hier jedenfalls raus,
hast du mal die anderen kennengelernt?«

»Welche anderen?«

»Karl Schmidt und P. Immel und so?«

»Ja klar. Karl war doch neulich in Bremen schon dabei.
Und Martin Bosbach.«

»Bosbach! Der wird's weit bringen. Das ist der einzige
von denen, der Talent hat. Und der ist schlau. Der wird's
weit bringen!«

»Und H.R. Heißt der wirklich Hans Rosenthal? Wie
der Typ vom Fernsehen?«

»Hans-Rainer, dachte ich. Ich dachte, der heißt H.R.
wegen Hans-Rainer.«

»Ach so.«

»Egal, jedenfalls kennst du dann ja die ganzen Pfeifen.
Das hält doch auf Dauer kein Schwein aus!«

»Ich finde die eigentlich ganz nett. Warum hast du denen eigentlich erst allen einzeln erzählt, wo du bist, und
dann jedem gesagt, daß er es keinem weitererzählen soll?
Das war ganz schön anstrengend, dich zu finden.«

»Weil die sonst den ganzen Tag nur rumtratschen«, sagte Freddie. »Oder sich gegenseitig fragen, wo ich bin, und dann erzählt das einer weiter, und dann tratschen die den ganzen Tag rum. Oder so.«

»Und wieso New York?«

»Wieso?«

»Ja, wieso?«

»Mann, Frankie, du hast ja keine Ahnung, New York ist das, was zählt, der Rest ist Quatsch. Mit dem, was ich mache, werde ich in Berlin nichts. Berlin ist zu klein. Und vergiß mal die ganze Mauerstadtscheiße, die die jetzt am Laufen haben, noch ein, zwei Jahre, dann ist das vorbei, dann ist das wieder Verden an der Aller hier, das ist doch alles nur noch für Rentner und Hippies, das bringt doch alles nichts. Frag Bosbach, das ist ein schlaues Kerlchen, der will auch weg. Der Rest kann kacken gehen! Seit wann rauchst du eigentlich?«

»Habe ich neulich auch schon, als du in Bremen warst.«

»Ja, stimmt!«

Sie schwiegen eine Weile, und währenddessen schaute Franks Bruder immer mal wieder an ihm vorbei auf den Fernseher.

Frank stand auf, ging ans Fenster und schaute raus. Von hier sah man die Rückseite des Kudamms, da war ein großer Hof mit einem großen, kahlen Baum in der Mitte, mit umzäunten Beeten und einem Brunnen, und die Gaslaternen standen dicht an dicht und warfen ihr weißes Licht darüber. Frank kam das irgendwie unwirklich vor, vorne der Kudamm und hinten dieser Garten mit dem riesigen Baum.

»Gehst du manchmal in den Garten?« fragte er.

»Nee«, sagte Freddie. »Keinen Bock, ist zu kalt, was soll ich da? Ist doch Winter!«

»Mama sagt, du sollst dich mal melden. Die macht sich Sorgen, wo du bist. Die ruft dauernd an. Was soll ich ihr denn sagen?«

»Sag ihr, ich bin verreist.«

»Hm ... Und außerdem will Erwin, daß ihr alle auszieht. Er hat schon eine Ersatzwohnung.«

»Mir egal. Ich bin Ende des Jahres sowieso weg. Ist schon alles organisiert.«

»Aha.« Frank wußte nicht mehr, was er noch sagen sollte, es war alles geklärt. Als er aus Bremen weggefahren war, hatte er unbedingt Freddie sprechen wollen, Freddie, hatte er gedacht, Freddie wird schon wissen, was zu tun ist. Aber Freddie wußte das höchstens für sich selbst, wenn überhaupt, und das schien Frank jetzt auch richtig so zu sein. Er hatte ihn noch fragen wollen, ob er keine Angst hatte vor irgendwelchen bleibenden Schäden, vor Nebenwirkungen der Tabletten und so, aber irgendwie war das auch Quatsch, fand er jetzt, das mußte Freddie selber wissen.

»Schön, dich wiederzusehen, Frankie«, sagte Freddie. »Hast du eigentlich Urlaub oder sowas?«

»Nein, die haben mich entlassen«, sagte Frank.

»Ach so«, sagte Freddie. »Und jetzt?«

»Ich werde wohl hierbleiben«, sagte Frank.

»In Berlin?«

»Ja.«

»Tu das. Gibt Schlimmeres. Wovon willst du denn leben?«

»Erwin hat gesagt, ich kann für ihn arbeiten.«

»Das ist eine der wenigen Sachen, auf die ich immer stolz war: daß ich nie in einer Kneipe gearbeitet habe, und daß ich nie Taxi gefahren bin.«

»Ich mach das gerne«, sagte Frank. »Brauchst du noch irgendwas?«

»Nein, aber wenn du mir die Zigaretten dalassen könntest, ich habe keine mehr, und bis die mir hier welche besorgt haben ...«

»Okay.« Frank legte die Zigaretten auf den Tisch und drehte den Fernseher wieder lauter.

»Komm mal wieder vorbei«, sagte Freddie. »Aber komm zu den Besuchszeiten, die sind nämlich extra auf die Zeit gelegt, wo nichts im Fernsehen kommt.«

»Alles klar, Freddie.«

»Seit wann sagst du Freddie zu mir? Du hast doch früher immer Manni gesagt.«

»Alle hier nennen dich Freddie, da gewöhnt man sich das an.«

»Klingt komisch, wenn du das sagst.«

»Ich glaube, es ist besser, wenn man das einheitlich regelt«, sagte Frank.

Freddie stand auf. »Ich bring dich noch raus. Tut mir leid, daß ich gerade nicht so in Form bin, aber in einem Monat ist das hier vorbei, und dann können wir ja noch zusammen Weihnachten feiern.«

»Ja, bald ist Weihnachten«, sagte Frank. »Das sagen viele.«

Freddie ging mit ihm zur Tür und machte sie ihm auf. »Grüß Mama schön und sag ihr, ich wär verreist.«

»Wohin?«

»New York.«

»Okay! Sie wird stolz auf dich sein!«

»Kann nicht schaden.«

»Was ich noch sagen wollte: Vielen Dank, Freddie!«

»Wofür?«

»Du kannst es nicht wissen, aber du hast mir in den letzten Tagen viel geholfen.«

»Echt?« Freddie lachte und kratzte sich wieder am Kopf.

»Ja«, sagte Frank überzeugt. »Das habe ich erst gar nicht gemerkt. Das fällt mir eigentlich erst jetzt auf.«

»Macht nichts. Ist das ein Anzug von mir?«

»Ja.«

»Steht dir gut, kleiner Bruder. Paß auf dich auf!«

»Mach ich!«

»Geh nicht verloren.«

»Ich doch nicht«, sagte Frank.

Dann ging er. Der Flur war so verlassen wie zuvor. Die gucken jetzt alle »Mosaik – die Sendung für die ältere Generation«, dachte Frank auf dem Weg zum Fahrstuhl und mußte lachen. Er lachte noch, als er im Fahrstuhl war.

Im Foyer war niemand mehr. Die Eingangstür ließ sich von innen mit einer Klinke öffnen. Als er auf den Ku-damm trat, war er ziemlich überwältigt von dem Trubel, den Lichtern, dem Verkehr, dem Schmutz, dem Lärm und dem Gestank. Jetzt, wo die Sache mit Freddie erledigt war, hatte er wieder einen Sinn dafür: Da blinkten die Leuchtreklamen, hupten die Autos, und auf dem Gehweg herrschte ordentlich Gedränge. Direkt vor ihm waren zwei Leute damit beschäftigt, eine Lichterkette in einen Baum zu hängen, sie machten daraus eine große Sache, sie trugen Blaumänner und hatten zwei Leitern, auf denen sie mit viel Gerede und Geschimpfe herumkletterten, und zwei Passanten standen mit Bierflaschen in der Hand dabei und gaben gute Ratschläge. Frank ließ das alles eine Weile auf sich einwirken und atmete dazu die Luft, die nicht mehr so kalt und scharf war, sondern mild und so feucht, daß jedes der vielen Lichter eine eigene kleine Aura hatte.

Wird Zeit, daß ich hier wegkomme, dachte er. Wird Zeit, daß ich rauskomme aus der Touristenscheiße hier.

# INHALT:

# »Woanders is auch scheiße!«

Frank Goosen
**Radio Heimat**
Geschichten von zuhause
176 Seiten • geb./SU
€ 14,95 (D) • sFr 23,90 • € 15,40 (A)
ISBN 978-3-8218-6072-5

Frank Goosen erzählt in *Radio Heimat* Geschichten von zuhause,
von Helden und Laberfürsten, von Pommesbuden und Kneipen.
Zuhause, das ist das Land der Autobahnen, der frechen Blagen
und der alten Frauen, die nicht auf den Mund gefallen sind.
Goosens Omma taucht hier ebenso wieder auf wie die Kumpels
Mücke und Scotty. Drängende Fragen werden beantwortet:
wieso sagte Vattern früher, mach die Augen zu und iss? Was
meinte der Wirt, als er sprach: Watt der Mensch braucht, datt
muss er haben? Und wer kann hier von sich behaupten: Kär, wat
ham wir früher malocht?

**»Dieser Sender gehört eingeschaltet ... eine Liebes-
erklärung an das Ruhrgebiet und seine Menschen.«**
Der Spiegel

# »Frank Lehmann – das sind ja wir!«
*Sonntagszeitung*

288 Seiten
ISBN 978-3-442-45330-6

640 Seiten
ISBN 978-3-442-45991-9

»Wunderbar amüsant und lakonisch.«
*Brigitte*